C0-ATY-049

Por su propio bien

Humanidades/Ciencias sociales.
Bolsillo. 3

TAUROS BOLSILLO:

1. Bernard Lewis, *El lenguaje político del Islam.*
2. Pascal Acot, *Historia de la ecología.*
3. Barbara Ehrenreich y Deirdre English, *Por su propio bien. 150 años de consejos de expertos a las mujeres.*
4. Martin Williams, *La tradición del jazz.*

Barbara Ehrenreich

Deirdre English

Por su propio bien.

150 años de consejos de expertos a las mujeres

Versión castellana de M.ª Luisa Rodríguez Tapia

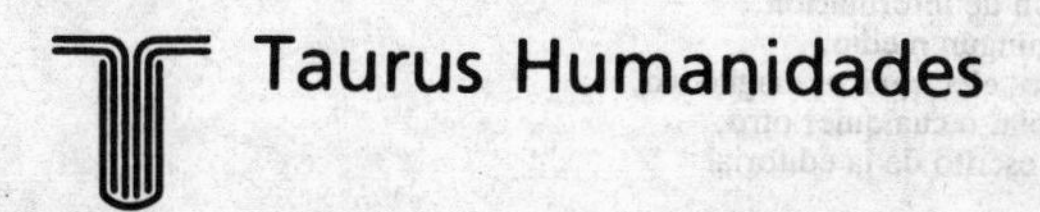

Título original: *For her own good*

Publicado con la autorización de Doubleday,
una división de Bantam Doubleday Dell Publishing Group. Inc.

Depósito legal: M.28.337-1990
I.S.B.N.: 84-306-0149-X
Printed in Spain

Diseño de cubierta: Zimmermann Asociados, S. L.

Para nuestras madres,
Fanita English e Isabel Isely

Nota de las autoras

Los primeros indicios de las ideas que han conducido a este libro surgieron en 1972 cuando, juntas, impartimos un curso sobre «Mujer y salud» en el Old Westbury College (Universidad pública de Nueva York). La preparación del curso nos hizo recorrer un sorprendente camino que iba de la persecución de brujas en la Europa medieval a la supresión de las comadronas en América, de la epidemia de histeria en el siglo XIX a la de «frigidez» en la mitad del siglo XX. Quizá por no ser historiadoras ni especialistas en ningún tipo de ciencia social, abordamos el material con un fresco espíritu descubridor. Teníamos la sensación de desvelar una historia largo tiempo oculta, que podría explicar muchos puntos de nuestra experiencia actual como mujeres. Nuestras alumnas —casi siempre mujeres «mayores» que durante muchos años habían abandonado su trabajo para criar a sus familias— no sólo nos animaron en nuestra investigación, sino que aportaron su propia experiencia como enfermeras, auxiliares sanitarias, amas de casa, madres, todo tipo de sanadoras reales o en potencia.

Al mismo tiempo, en 1972, estaba formándose como fuerza feminista diferenciada un movimiento de salud de mujeres, compuesto por profesionales de la sanidad, asistentas sociales y consumidoras insatisfechas de los servicios sanitarios. En medio de ardientes debates sobre las orientaciones del nuevo movimiento, decidimos plasmar por escrito parte de las ideas surgidas en nuestra investigación y en el curso. El primer resultado fue un folleto titulado *Witches, Mid-*

wives and Nurses: A History of Women Healers [Brujas, comadronas y enfermeras: Historia de las sanadoras]. Acompañamos el texto con ilustraciones, pagamos para que se imprimiera y, durante más de un año, nos dedicamos a atender los pedidos de quienes lo solicitaban por correo, todo ello trabajando en un despacho con una mesa de cocina. Nos asombró ver que la demanda de este folleto rebasaba con creces nuestra capacidad. Afortunadamente, The Feminist Press, en Old Westbury, Nueva York, se ofreció a hacerse cargo de la publicación y distribución y a publicar posteriormente un segundo libro, *Complaints and Disorders: The Sexual Politics of Sickness* [Quejas y trastornos: Política sexual de la enfermedad].

La reacción ante los dos folletos (de los que no hicimos en ningún momento publicidad) fue a la vez abrumadora y sorprendentemente variada. Sirvieron como material de discusión para organizaciones disidentes de salud pública e incluso se hicieron un hueco en las listas de lectura obligatoria de algunas de las más selectas escuelas de enfermería. Varios programas universitarios de estudios sobre la mujer los adoptaron y, según se nos dijo, el personal sanitario femenino de los hospitales se los pasaban de mano en mano. Fueron objeto de estudio, extractos o reseñas en publicaciones tan diversas como revistas profesionales, prensa alternativa y la columna «Scenes» de *The Village Voice*. Amigos y conocidos nos dijeron que habían encontrado los libritos en librerías feministas y médicas o en salas de espera de centros públicos de salud. Mejor aún, cientos de lectores nos hicieron llegar su opinión, desde una comadrona ilegal en Texas hasta una enfermera católica en New Jersey, de amas de casa de zonas residenciales a miembros del creciente movimiento de contracultura feminista, de famosos catedráticos a auxiliares de clínica. Algunos nos ofrecían datos o fragmentos de su propia experiencia, o bien nos enviaban libros o artículos que, a su juicio, debíamos ver. De una forma u otra, nos animaban a seguir trabajando.

Así que en 1974 empezamos a escribir el presente libro. Al principio no pretendíamos más que ampliar el material de los folletos y actualizar las cuestiones históricas. Pero el proyecto no tardó en desbordar sus modestos objetivos. Para empezar, la cantidad de material disponible (desde artículos académicos a las docenas de documentos inéditos que nos envió la gente) sobre los temas originales de los folletos se había multiplicado desde nuestras primeras investigaciones en 1972. Para poder incorporar todos los datos nuevos tuvimos que ampliar enormemente nuestro marco conceptual. Al mismo tiempo, para nuestro trabajo adoptamos un enfoque abierto y dejamos que nuestro espíritu nos guiara por caminos heterodoxos y nos hiciera errar por áreas e ideas muy alejadas de nuestra preocupación original: las mujeres y la medicina. Aunque a veces nos fue difícil explicar a los demás lo que estábamos haciendo, tuvimos la satisfacción de ver cómo iba tomando forma un diseño inesperado, algo mucho más profundo que lo que pretendíamos al principio.

Eran años favorables para esta labor. La cultura feminista empezaba su espectacular introducción en universidades y programas de estudios sobre la mujer. El movimiento de salud de mujeres estaba en crecimiento y avanzaba audazmente hacia las actividades de *self-help* y la obstetricia practicada por profanas. Se establecían redes de activistas a escala nacional e internacional. Tuvimos la fortuna de poder visitar docenas de proyectos establecidos por mujeres en todo el país. Una de nosotras (B. E.) trabajó con Health Right, un proyecto sanitario de mujeres con sede en Nueva York, y ambas mantuvimos estimulantes contactos con las organizadoras de los Centros Feministas de Salud para la mujer. Participamos en innumerables reuniones, grupos de estudio, cenas informales, conferencias, etc., con mujeres deseosas de compartir sus ideas y ayudarnos a desarrollar las nuestras. Discutimos, mantuvimos correspondencia, participamos; y lo que hemos escrito no es sólo el reflejo de una investigación solitaria, sino de todo el entorno en el que hemos tenido la suerte de habitar.

Sería imposible, por consiguiente, dar gracias a todas las personas con las que estamos en deuda por su información, sus ideas, sus críticas y su estímulo. Pero nos gustaría destacar a aquellas que se esforzaron especialmente por leer y discutir con nosotras los borradores: Diane Alexander, Rick Brown, Beth Cagan, Anne Farrar (y otros redactores de *Socialist Review*), Rachel Fruchter, Diane Horwitz y Barbara Waterman. Otras personas que leyeron algunos capítulos y nos hicieron sus observaciones fueron Ros Baxandall, Claudia Carr, Betts Collett, Barbara Easton, Candace Falk, Steve Karakashian, Carol Lopate, Joy Marcus, Gail Pellett, Susan Reverby, Gary Stevenson, Steve Talbot y Shirley Whitney.

Mucha gente aportó su capacidad y su apoyo a la redacción y elaboración de este libro, como Verne Moberg, Margery Cuyler y Brian English, que nos dio su fraternal respaldo a lo largo de todo el proceso, además de consejos prácticos. Loretta Barrett, nuestra editora en Anchor Press, y Kathy O'Donnell, su asistente, no sólo hicieron posible la publicación de este libro, sino que trabajaron duramente para hacerlo ligero y legible. Iris Jones mecanografió el borrador definitivo y consiguió corregir miles de errores. Asimismo nos gustaría dar las gracias a los muchos bibliotecarios que nos ayudaron con nuestras rebuscadas peticiones.

También queremos agradecer a Maurice English su respaldo como padre y colega en la escritura, y a Elena Ottolenghi su generoso apoyo. Rosa y Benjy Ehrenreich nos aportaron cariño, un relajante sentido del humor y a veces incluso ayuda concreta.

Hay dos personas con las que tenemos una deuda intelectual especial: Liz Ewen, cuya combinación de franqueza en las críticas y perspicacia teórica fue un constante estímulo, y John Ehrenreich, querido amigo, editor implacable y una irreprimible fuente de ideas.

Uno

Introducción: La solución romántica

> «Si te levantaras e hicieras algo te encontrarías mejor», dijo mi madre. Me levanté sin ganas e intenté barrer un poco el suelo, con ayuda de un recogedor y un pequeño cepillo, pero enseguida dejé caer los utensilios, agotada, y rompí a llorar de nuevo con desesperada tristeza.
>
> Yo, la constante trabajadora, no podía hacer ningún trabajo, estaba tan débil que cuchillo y tenedor caían de mis manos; tan cansada que no podía comer. No podía leer ni escribir, ni pintar, ni coser, ni hablar ni escuchar conversaciones, nada. Tumbada en el salón, lloraba todo el día. Las lágrimas caían hasta mis oídos, me acostaba llorando, me despertaba en mitad de la noche llorando, me sentaba en el borde de la cama por la mañana y lloraba, con un dolor agudo y continuo. No un dolor físico, ya que los médicos me examinaban y no encontraban nada que lo justificara [1].

Era en 1885 y Charlotte Perkins Stetson acababa de dar a luz una hija, Katherine. «De todos los niños angelicales, ese encanto era la mejor, una niña celestial.» No obstante, la joven Mrs. Stetson lloraba sin cesar, y cuando amamantaba a su bebé «las lágrimas corrían hasta el seno...».

Los médicos le dijeron que tenía «postración nerviosa». A ella le parecía como si «una especie de niebla gris se paseara por mi mente, una nube que crecía y se iba haciendo más oscura». La niebla no abandonó nunca por completo la vida de Charlotte Perkins Stetson (luego Gilman). Años después, en medio de una activa carrera de escritora y conferenciante feminista, volvería a verse vencida por la misma laxitud, incapaz de tomar la menor decisión, con la mente petrificada.

La depresión golpeó a Charlotte Perkins Gilman cuando sólo tenía veinticinco años y era una mujer enérgica e inteligente que parecía tener una vida abierta ante sí. El mismo mal atacó a la joven Jane Addams —la famosa reformadora social— en una etapa semejante de su vida. Addams era acaudalada, tenía una buena educación para ser chica y la ambición de estudiar medicina. Pero en 1881, a los veintiún años, cayó en una «depresión nerviosa» que la paralizó durante siete años y la siguió atormentando durante largo tiempo después de entrar a trabajar en Hull House, en los barrios bajos de Chicago. Se sentía atrapada en «una sensación de futilidad, de energía mal dirigida» y era consciente de su alejamiento de la «vida activa y emocional» dentro de la familia, algo a lo que de forma automática se habían dedicado las anteriores generaciones de mujeres. «Era indudable —escribió posteriormente acerca de su depresión— que estaba harta de mí misma y de preguntarme qué soy y qué debería ser.»

Margaret Sanger —la defensora del control de natalidad— fue otra muestra. Tenía veinte años, estaba felizmente casada y, al menos en lo físico, parecía recuperarse muy bien de una tuberculosis. De pronto dejó de levantarse y se negó a hablar. En el mundo exterior, Theodore Roosevelt se presentaba a las elecciones presidenciales hablando de la «vida activa». Pero cuando los familiares de Margaret Sanger le preguntaban qué quería hacer, todo lo que ella se sentía capaz de responder era «nada». «¿Dónde te gustaría ir?», insistían: «A ningún sitio.»

Ellen Swallow (después Ellen Richards, fundadora del primitivo movimiento de ciencias domésticas en el siglo XX) sucumbió cuando tenía veinticuatro años. Era una mujer joven, enérgica, incluso compulsiva; y, como Addams, se sentía apartada de la intensa vida doméstica que había llevado su madre. Al volver a su casa tras un breve período de independencia, cayó en una depresión que la dejó demasiado débil hasta para hacer las faenas de la casa. «Yacer enferma... —escribía en su diario—, tan cansada...», y otro día: «desdichada» y, de nuevo, «cansada».

Era como si hubieran llegado al borde de la vida adulta y se hubieran negado a continuar. Se detenían en seco, paralizadas. El problema no consistía en que no tuvieran cosas que hacer. Charlotte Perkins Gilman, como Jane Addams, sentía «enorme vergüenza» de no estar levantada y disponible. Todas ellas tenían responsabilidades familiares; todas, excepto Jane Addams, tenían que llevar una casa. Eran además mujeres con otros intereses —ciencias, arte, filosofía— y todas eran apasionadamente idealistas. Sin embargo, durante cierto tiempo, fueron incapaces de ir hacia adelante.

Porque, ¿qué iba a hacer una mujer en el nuevo mundo del siglo XIX? ¿Se fabricaba una vida, como sus tías y su madre, en el calor de la familia, o se arrojaba al nervioso activismo de un mundo que ya presumía de llamarse «moderno»? ¿No iba a resultar, en cualquiera de los dos casos, una persona ridícula, una especie de inadaptada? Desde luego, estaría fuera de lugar si pretendía encajar en el «mundo masculino» de los negocios, la política y la ciencia. Pero desde un punto de vista histórico, quizá quedara aún más fuera de lugar si se quedaba en casa, aislada de la gran marcha de la industria y el progreso. «Era inteligente y generosa —escribía Henry James de la heroína en *Retrato de una dama*—, era una espléndida naturaleza libre; pero ¿qué iba a hacer de sí misma?»

Ciertamente la pregunta ya había sido planteada antes de la generación de Charlotte Perkins Gilman y Jane Addams y, desde luego, otras mujeres se derrumbaron por no tener las respuestas. Pero sólo en el último siglo esta cuestión privada ha pasado a ser, en el mundo occidental, un problema público atenazante: la cuestión femenina, o «el problema de la mujer». El sufrimiento de una Charlotte Gilman o una Jane Addams, la indecisión que les paralizaba, se extiende en los siglos XIX y XX a decenas de miles de mujeres. Una minoría transforma su parálisis en ira y se convierte en activista de los movimientos reformistas; muchas —aquellas cuyos nombres no conocemos— permanecen deprimidas, trastornadas, enfermas.

Los varones, los hombres del «sistema» —médicos, filósofos, científicos—, abordaron la cuestión femenina en una corriente continua de libros y artículos. Mientras las mujeres descubrían nuevas preguntas y dudas, los hombres descubrían que las mujeres eran un interrogante en sí mismas, una anomalía desde el punto de vista de la industria. No se las podía incluir en el mundo masculino, pero no parecían encajar ya tampoco en su lugar tradicional. «¿Tenéis idea de cuántos libros se escriben sobre la mujer en un solo año? —preguntaba Virginia Woolf a un público de mujeres—. ¿Tenéis idea de cuántos son escritos por hombres? ¿Sabéis que sois, quizá, el animal más estudiado del mundo?» Desde el punto de vista masculino, la cuestión femenina era un problema de control: la mujer se había convertido en una cuestión, un problema social, algo que merecía ser investigado, analizado y resuelto.

Este libro se ocupa de la respuesta de los científicos a la cuestión femenina, tal como la ha ido elaborando en los últimos cien años una nueva clase de expertos: médicos, psicólogos, especialistas en ciencias domésticas, expertos en puericultura. Estos hombres —y, de modo más infrecuente, mujeres— se presentaban como autoridades sobre el doloroso dilema al que se enfrentaban Charlotte Perkins Gilman, Jane Addams y tantas otras: ¿Cuál es la verdadera naturaleza de la mujer? Y, en un mundo industrial que ya no hacía honor a las habilidades tradicionales de las mujeres, ¿qué debía *hacer*? Los médicos encabezaron a los nuevos expertos. Con su pretendido conocimiento de toda la existencia biológica humana, fueron los primeros en dar su juicio sobre las consecuencias sociales de la anatomía femenina y en prescribir un plan de vida «natural» para las mujeres. Les siguió una horda de expertos más especializados, cada grupo con la pretensión de dominar determinada área de las vidas femeninas y todos asegurando que su autoridad procedía directamente de la ciencia biológica. En la primera parte de este libro seguiremos la ascensión de los expertos psicomédicos, centrándonos en la medicina como paradigma de autoridad profesional. En la segunda parte de la obra veremos cómo han usado los expertos su autoridad para definir las actividades domésticas de la mujer hasta los menores detalles del trabajo de la casa y la crianza de los hijos. En cada área temática avanzaremos hasta el presente, el período de declive de los expertos: nuestra propia época, en la que la cuestión femenina ha vuelto por fin a abrirse hacia nuevas respuestas.

La relación entre las mujeres y los expertos no era muy distinta de las relaciones convencionales entre mujeres y hombres. Los expertos cortejaban a su clientela femenina, con la promesa de una forma de vida «correcta» y científica, y las mujeres respondían —de mejor grado en las clases altas y medias y con más lentitud entre las pobres— con dependencia y confianza. Nunca fue una relación entre iguales, ya que la autoridad de los expertos residía en la negación o destrucción de las fuentes de conocimiento que la mujer pudiera tener autónomamente: las viejas redes de intercambio de habilidades, el saber acumulado por generaciones de madres. Pero era una relación que ha durado hasta nuestra misma época, hasta el momento en que la mujer empezó a descubrir que la respuesta de los expertos a la cuestión femenina no era ciencia, después de todo, sino nada más que la ideología de una sociedad machista disfrazada de verdad objetiva. La razón de que las mujeres buscaran una respuesta «científica» y el motivo de que esa respuesta acabara finalmente por traicionarlas se encuentran entrelazados en la historia. En el siguiente apartado nos remontamos a los orígenes de la cuestión femenina, cuando la ciencia era una fuerza nueva y liberadora, cuando las mujeres empezaban a adentrarse en un mundo desconocido y comenzaba el idilio entre mujeres y expertos.

La cuestión femenina

La cuestión femenina surgió en el curso de una transformación histórica cuya dimensión no han captado aún del todo las generaciones posteriores. Se trataba de la «revolución industrial», e incluso «revolución» resulta un término demasiado pálido. De las tierras altas de Escocia a las colinas de los Appalaches, de Renania al Valle del Mississippi, aldeas enteras quedaron desiertas ante la necesidad de alimentar de mano de obra a las fábricas. La gente era arrancada de la tierra de repente, por la fuerza, o con más sutileza, por la presión del hambre y las deudas: muchos acababan desarraigados de la antigua seguridad de la familia, el clan, la parroquia. Una vida campesina y estable que había tenido una considerable permanencia durante siglos se vio destruida en la décima parte del tiempo que había tardado en caer el Imperio Romano, y los viejos modos de pensamiento, los viejos mitos y normas, comenzaron a desvanecerse como la niebla matutina.

Marx y Engels —a quienes se suele considerar con más frecuencia como instigadores de desórdenes que como sus cronistas— fueron los primeros en comprender la naturaleza cataclísmica de tales cambios. Un viejo mundo estaba muriéndose y otro nuevo nacía:

> Todas las relaciones establecidas, congeladas, con su tren de antiguos y venerables prejuicios y opiniones, están siendo barridas; todas las de nueva formación se quedan anticuadas antes de que lleguen a tomar cuerpo. Todo lo que es sólido se disuelve en el aire, todo lo sacro es profanado, y el hombre se ve por fin obligado a afrontar con todos sus sentidos sus verdaderas condiciones de vida y sus relaciones con los semejantes [2].

Posibilidades increíbles, impensables en otro tiempo, se fueron abriendo a medida que estas «relaciones establecidas, congeladas» —entre hombre y mujer, entre padres e hijos, entre ricos y pobres— iban siendo puestas en duda. Han pasado más de ciento cincuenta años y la polvareda no se ha asentado todavía.

Al otro lado de la revolución industrial quedaba lo que, para nuestros fines, denominaremos Antiguo Orden. Los historiadores delimitan muchas «eras» dentro de esos siglos de vida rural; las familias reales, las fronteras nacionales, la tecnología militar, las modas, el arte y la arquitectura evolucionan y se transforman a lo largo de ese viejo orden; los hechos históricos se suceden: hay conquistas, exploraciones, nuevas rutas comerciales. Sin embargo, mientras transcurre el gran drama de la historia, las vidas de la gente corriente que hace cosas corrientes cambian muy poco y muy lentamente.

> La rutina predomina en la vida cotidiana: se siembra el cereal como se sembró siempre, se planta el maíz, se nivelan los arrozales; los buques surcan el Mar Rojo como siempre lo han hecho [3].

Sólo aquí, en la vida cotidiana, encontramos las pautas que nos permiten hablar de un «orden». Si dichas pautas son monótonas y repetitivas en comparación con el espectáculo de la historia convencional, con sus brillantes personalidades, sus aventuras militares y sus intrigas cortesanas, ello se debe a que están basadas en hechos naturales que son también, a su vez, monótonos y repetitivos: las estaciones, las siembras, el ciclo de la reproducción humana.

Destacan en el antiguo orden tres pautas de vida social que son las que le dan coherencia: en primer lugar, el antiguo orden es *unitario*. Siempre hay, por supuesto, una minoría de personas cuyas vidas —desempeñadas en un plano superior al de la tediosa necesidad y las rutinas del trabajo— son complejas y sorprendentes. Pero la vida, para la gran mayoría de la gente, tiene una unidad y simplicidad que nunca dejará de fascinar al «hombre industrial» que venga posteriormente. No es una vida dividida en distintas «esferas» o «áreas» de experiencia: «el trabajo» y «la casa», «lo público» y «lo privado», «lo sacro» y «lo profano». La producción (de alimentos, ropas, herramientas) tiene lugar en los mismos espacios, cerrados o al aire libre, donde las personas nacen, crecen, se emparejan. La relación familiar no se limita al área de lo emocional; es una relación de trabajo. La vida biológica —deseo sexual, partos, enfermedad, la progresiva debilidad por envejecimiento— afecta directamente a las actividades del grupo, tanto en la producción como en el ocio. Los ritos y supersticiones confirman la unidad del cuerpo con la tierra, la biología con el trabajo: las mujeres no deben cocer pan durante la menstruación, se favorece especialmente la concepción durante la siembra de primavera, las transgresiones sexuales atraen plagas y ruina sobre las cosechas, y así sucesivamente.

Las relaciones humanas de familia y aldea, tejidas con el trabajo común, el sexo y los efectos, están por encima de todo. No hay todavía una «economía» externa que conecte la suerte de los campesinos con las decisiones de un comerciante en una ciudad lejana. Si la gente pasaba hambre, no era porque hubiera caído el precio de sus cosechas, sino porque no había llovido. Existen mercados, pero no hay aún *un mercado* que dicte las oportunidades y actividades de la gente corriente.

El antiguo orden es *patriarcal*: la autoridad familiar recae en los varones o el varón de más edad. Él, el padre, toma las decisiones que rigen el trabajo, las adquisiciones, las bodas, todos los acontecimientos familiares. Bajo el dominio paterno, las mujeres no tienen que hacer elecciones complejas ni plantearse preguntas sobre su naturaleza o su destino: la norma consiste simplemente en obedecer. Un pastor norteamericano aconsejaba a las novias, a principios del siglo XIX:

Recordad siempre vuestra auténtica situación y tened las palabras del apóstol permanentemente grabadas en vuestros corazones. Vuestro deber es la sumisión: «La sumisión y la obediencia son las enseñanzas de vuestra vida y la paz y la felicidad serán vuestra recompensa.» Vuestro marido es, en virtud de las leyes tanto divinas como humanas, vuestro superior; no le déis nunca motivo para que os lo recuerde [4].

El orden patriarcal del hogar se extiende al gobierno de la aldea, la iglesia, la nación. En casa se trataba del padre, en la iglesia era el sacerdote o pastor, por encima estaban los «padres de la ciudad», la nobleza local o, como decían en la sociedad puritana, «los padres vigilantes del bienestar común»; sobre todos ellos gobernaba «Dios Padre».

Es decir, el patriarcado del antiguo orden quedaba reforzado por la organización y las creencias en todos los niveles de la sociedad. Para las mujeres era un sistema total del que no podían escapar. Si alguna se rebelaba podía ser golpeada en privado (con aprobación oficial) o castigada públicamente por los «padres» de la aldea, y cualquier mujer que intentara sobrevivir por su cuenta quedaba a merced de la violencia masculina indiscriminada.

Pero el dominio de los padres no se basa en la mera coacción. La autoridad patriarcal intenta justificarse en las mentes de cada uno de sus hijos mediante una religión que gira precisamente alrededor de la figura del padre. La religión proyecta el poder paterno en el firmamento, lo convierte en la suprema ley de la naturaleza y devuelve un reflejo lleno de majestad a cada padre en su hogar terrenal.

Él era su superior, el cabeza de familia, y ella le debía una obediencia basada en la reverencia. Ante ella, él representaba a Dios: ejercía sobre ella la autoridad divina y le suministraba los frutos de la tierra que Dios había provisto [5].

Pese a todo ello, el antiguo orden es también, en una medida prácticamente inimaginable desde nuestra posición de vèntaja en la sociedad industrial, *ginocéntrico*: las habilidades y el trabajo de las mujeres son indispensables para la supervivencia. La mujer es siempre una subordinada, pero está lejos de ser dependiente y desamparada. Las mujeres del mundo industrial contemplarían más tarde con envidia las vidas plenas y productivas de sus antecesoras. Pensemos en lo que hacía una mujer en la Norteamérica colonial:

> Era deber de la esposa, con la ayuda de las hijas y las criadas, plantar la huerta, alimentar a las aves y cuidar el ganado. Transformaba la leche en nata, mantequilla y queso, mataba a las reses y cocinaba las comidas. Además de sus faenas diarias, el ama de casa colocaba tejas, fabricaba encurtidos y conservas y hacía suficiente cerveza y sidra para todo el invierno.
>
> Pero no terminaban ahí las tareas femeninas. Para vestir a la población de colonos, las mujeres no sólo empuñaban la aguja, sino que manejaban las cardadoras de lana y las ruecas y participaban en la fabricación de hilos y tejidos, además de coser los vestidos. Las velas hechas por ella iluminaban la casa, las medicinas preparadas por ella devolvían la salud a su familia, su jabón casero limpiaba su hogar y su familia...[6].

No era sólo su productividad lo que daba importancia a la mujer en el antiguo orden. Ella conocía las hierbas capaces de sanar, las canciones para calmar a un niño con fiebre, las precauciones que debían tomarse durante el embarazo. Si poseía habilidades excepcionales, se convertía en comadrona, curandera o «mujer sabia», y su fama podía extenderse de casa en casa y de aldea en aldea. Y se daba por supuesto que todas las mujeres habían aprendido, de sus madres y abuelas, la habilidades necesarias para criar a los hijos, curar las enfermedades corrientes y cuidar a los enfermos.

No podía existir «cuestión femenina» en el antiguo orden. El trabajo de la mujer estaba cortado a su medida; las líneas de autoridad que debía seguir estaban claras. Era difícil que se considerara una «inadaptada» en un mundo que tanto dependía de su capacidad y de su trabajo. Tampoco podía imaginarse tomando dolorosas decisiones sobre qué dirección dar a su vida dado que, dentro del orden patriarcal, todas las decisiones importantes las tomaba *por* ella el padre o el marido, si es que no estaban ya determinadas por la tradición. La cuestión femenina espera a la llegada de la era industrial que, en el espacio de unas cuantas generaciones, tirará por la borda todas las «relaciones establecidas y congeladas» del antiguo orden. La unidad entre vida biológica y económica, pública y privada, se hará añicos;

los antiguos patriarcas serán derribados de sus tronos y, al mismo tiempo, se expropiarán los viejos poderes de las mujeres.

La transformación social fundamental, de la que incluso la industrialización fue un correlato y no una causa, fue el triunfo de la economía de mercado. En el antiguo orden la producción se regía por factores naturales: las necesidades humanas de alimento y refugio o las limitaciones de la mano de obra y los recursos disponibles. Sólo se vendían o trocaban los ocasionales excedentes. Pero en la economía de mercado, las leyes del intercambio comercial iban a dictar el empleo de esa mano de obra y esos recursos. La mentalidad pueblerina de la producción casera iba a descomponerse para dar paso a una amplia red de interdependencias económicas que uniría las vidas del campesino y el ciudadano, de la gente del norte y la del sur. Esta red de dependencias —el mercado— había ido ganando terreno, muy poco a poco, desde finales de la Edad Media. Pero durante largo tiempo este naciente capitalismo había sido un producto urbano. La mayoría de la gente —más del 95 por 100— seguía viviendo de la tierra, de la «economía natural» del antiguo orden. Sólo en el siglo XIX, con la industrialización y el desarrollo del capitalismo moderno, empezó el mercado a sustituir a la naturaleza como fuerza rectora de las vidas de la gente corriente: los precios regulan la existencia de manera tan firme como antes lo hacían la lluvia y la temperatura, y parecen igualmente arbitrarios. Las depresiones son calamidades equiparables a las hambres o las epidemias, que sobrepasan las fronteras y atacan a las víctimas más inocentes, más insignificantes.

Con el triunfo del mercado, los patrones de vida establecidos que definían el antiguo orden se vinieron abajo irrevocablemente. La antigua unidad entre trabajo y hogar, producción y vida familiar, se vio necesaria y decisivamente quebrada. A partir de ese momento, el hogar no iba a ser ya una unidad más o menos autosuficiente, que mantenía a sus miembros unidos en un trabajo común. Cuando la producción entró en la fábrica, al hogar no le quedaron sino las actividades biológicas de tipo más personal: la comida, el sexo, el sueño, el cuidado de los niños pequeños y (hasta el auge de la medicina institucional) hechos como el nacimiento, la muerte y el cuidado de enfermos y ancianos. La vida se iba a dividir en dos esferas bien distintas: una esfera «pública» de trabajo, gobernada esencialmente por el mercado, y una esfera «privada» de relaciones íntimas y existencia biológica individual.

Esta nueva ordenación del mundo no debe considerarse una mera distribución en compartimentos con líneas divisorias neutras. Las dos esferas *se oponen* entre sí con arreglo a sus valores fundamentales, y la línea entre ellas está cargada de tensión moral. En sus operaciones más importantes, el mercado desafía a siglos de moral religiosa que (al menos, en principio) exaltaba el altruismo y la generosidad y condenaba la codicia y la avidez. En el antiguo orden el comercio era considerado deshonroso y prestar dinero con intereses se denunciaba como usura. Pero el mercado que domina el nuevo orden rechaza todas las categorías morales con fría indiferencia. Para que unos obtengan beneficios es necesaria la pobreza de otros, y no hay espacio para el afecto humano, la generosidad ni la lealtad. Los hechos más espectaculares del mercado —beneficios, pérdidas, bancarrotas, inversiones, ventas— se pueden narrar con bastante exactitud como una serie de cifras; los momentos más brillantes quedan registrados en libros de cuentas; y los costes humanos, «al final», no representan ninguna diferencia.

Frente al mercado, todos los aspectos «humanos» de la persona deben agolparse en la esfera de la vida privada, y limitarse como mejor puedan a las actividades personales y biológicas que en ella se encuentran. Sólo en el hogar o, en general, en la vida privada, se puede esperar encontrar el amor, la espontaneidad, los cuidados y la alegría que el mercado rechaza. La sensiblería puede hacer exagerar la nobleza emotiva del hogar y oscurecer sus realidades biológicas, pero es cierto que la vida privada invierte, casi por necesidad, los valores del mercado; en ella lo que se produce, como las comidas diarias, no tiene otro objetivo que satisfacer necesidades humanas inmediatas; las personas son verdaderamente valoradas «por sí mismas» y no por sus cualidades comerciales; los servicios y el afecto se dan gratis, o por lo menos se dan. Para los hombres, que pasan diariamente de una a otra esfera, la vida privada adquiere ahora un atractivo sentimental proporcional a la frialdad e impersonalidad del mundo «exterior». El hogar les permite responder a las necesidades corporales que se le niegan en su lugar de trabajo y encontrar la solidaridad humana que está prohibida en el mercado.

Simultáneamente, las fuerzas que dividen la vida en «pública» y «privada» ponen en duda el sitio y la función de las mujeres. La mano de hierro del patriarcado ha caído, abriendo posibilidades insospechadas. Pero las tareas de las mujeres, sobre las que se basaba la economía del antiguo orden, les han sido arrancadas, eliminando lo que había sido el origen de la dignidad femenina hasta en las circunstancias más opresivas. Examinemos estos cambios, con sus implicaciones contradictorias para la situación de la mujer:

Era el fin del orden ginocéntrico. Las tradicionales atribuciones productivas de las mujeres —fabricación de tejidos, fabricación de prendas de vestir, transformación de alimentos— pasaron a las fábricas. Las mujeres de la clase obrera podrían proseguir en el nuevo mundo industrial con su antigua tarea, pero ya no controlarían el proceso de producción. Acabarían olvidando sus antiguas habilidades. Con el tiempo, como veremos, hasta la actividad femenina por excelencia, la de curar, se convertiría en una mercancía y se introduciría en el mercado. Los tónicos caseros de hierbas serían sustituidos por productos químicos de compañías farmacéuticas multinacionales, y las comadronas serían reemplazadas por cirujanos.

Pero, al mismo tiempo, era el fin del dominio del padre. El privilegio patriarcal, por supuesto, permite que los hombres reclamen como propio el nuevo mundo público de la industria y el comercio. Pero la antigua red de relaciones sociales patriarcales había quedado irremediablemente dañada por la nueva economía. A medida que la producción de los bienes necesarios sale del hogar, los lazos orgánicos que mantenían unida la jerarquía familiar se van soltando. El padre no controla ya los procesos productivos del hogar; ahora es un asalariado, como puede serlo su hijo, su hija o incluso su esposa. Puede exigir sumisión, puede tiranizar a su mujer y a sus hijos, puede invocar las sanciones de la religión patriarcal, aún poderosas, pero, por mucho que vocifere, ahora es la empresa quien aporta «los frutos de la tierra» y organiza el trabajo productivo de la familia. A principios del siglo XX, el historiador Arthur Calhoun hablaba de que había aumentado el índice de divorcios (y abandonos), se había incrementado la ausencia masculina del hogar y las esposas y los hijos gozaban de más independencia, y concluía afirmando que «sólo en lugares apartados puede mantenerse un patriarcado arcaico». El ocaso de la autoridad patriarcal dentro de la familia fue un tema constante en la literatura sociológica de comienzos de siglo [7].

Estas transformaciones —la división de la vida en esferas pública y privada, la caída del ginocentrismo y el patriarcado *— no deben considerarse meros resultados de la revolución industrial. Constituyeron, junto a las chimeneas y la energía de vapor, los ferrocarriles y las líneas de montaje, la *definición* de la cataclísmica reorganización de la vida que tuvo lugar en el norte de Europa y en Norteamérica durante el siglo XIX, una reorganización que fue total y revolucionaria. Pasar de una sociedad organizada alrededor de la producción familiar a otra organizada en torno a la producción a gran escala, en factorías, de una sociedad regida por las estaciones y el clima a otra gobernada por el mercado, era penetrar hasta el corazón de la vida social humana y arrancar de raíz sus más profundos presupuestos. Todo lo «natural» fue derrocado. Lo que hasta entonces había sido parte indudable de la «naturaleza humana» parecía repentinamente arcaico; lo que durante siglos se había aceptado como destino humano ya no era admisible ni incluso, en la mayoría de los casos, posible.

Las vidas de las mujeres —siempre mucho más limitadas por la naturaleza y las expectativas sociales que las de los hombres— se vieron envueltas en confusión. En el antiguo orden, las mujeres se habían ganado su supervivencia participando en el trabajo compartido de la familia. Fuera de la casa, sencillamente, no había forma de ganarse la vida, y para una mujer no había ni vida. Las mujeres podían ser, a distintas edades o según las diferentes clases, esposas, madres, hijas, siervas, o tías «solteronas», pero éstos no eran más que diversos

* Conviene advertir al lector que, al contrario que otras autoras feministas, no usamos la palabra «patriarcado» para referirnos al dominio masculino en general. Empleamos «patriarcado» para hablar de una organización histórica concreta de la vida social y familiar (*vid.* pág. 17). De modo que, al hablar del «declive del patriarcado», no estamos sugiriendo, en absoluto, que haya declinado el *dominio masculino*, sino sólo que ha adoptado una forma histórica diferente.

grados dentro de la jerarquía doméstica. Las mujeres nacían, crecían y envejecían dentro del denso recinto humano de la familia.

Pero, con la caída del antiguo orden, se empezaba a vislumbrar algo parecido a una elección, aunque resultara muy lejana para la mayoría de las mujeres. Ahora era posible que una mujer entrara en el mercado y ofreciera su trabajo a cambio de los medios para su supervivencia (aunque en menor medida que un hombre). En Europa, en Rusia, en Norteamérica, en cualquier sitio donde la industria exigía mano de obra, surgía una oleada de «mujeres solas» como las homenajeadas por la dirigente bolchevique Alexandra Kollontai:

> Hay jóvenes y mujeres que libran una feroz lucha por la existencia, que pasan sus días sentadas en una silla de oficina, que aporrean los aparatos del telégrafo, que permanecen tras mostradores. Mujeres solas: son jóvenes frescas de corazón y de mente, llenas de audaces fantasías y planes que ocupan los templos de la ciencia y el arte, que pueblan las aceras, buscando con sus pasos vigorosos y viriles lecciones baratas y trabajos temporales de oficina [8].

Entrar en el mercado como trabajadora podía significar salarios bajos y condiciones miserables de trabajo, soledad e inseguridad, pero también significaba la posibilidad —inimaginable en el antiguo orden— de independizarse del dominio familiar.

Sin embargo, esta existencia atomizada e independiente no parecía demasiado «natural» a mujeres cuyas madres habían vivido y muerto en la intimidad de la familia. Desde luego, seguía estando el hogar, una vida dedicada al marido y los niños. Pero ese hogar había quedado muy disminuido por el alejamiento del trabajo productivo. Mujeres como Charlotte Perkins Gilman se preguntaban si podía haber dignidad en una vida doméstica que ya no se basaba en las habilidades peculiares de las mujeres, sino en la mera existencia biológica. La lógica del mercado en el siglo XIX llevaba a algunas feministas sin pelos en la lengua a dar una respuesta bastante cínica: que la relación entre una esposa que no trabajaba fuera y el marido que la mantenía no era muy diferente a la prostitución. ¿Podía ser «natural» esa forma de existencia, pese a su semejanza con el modo tradicional de vida de las mujeres?

Tales eran las ambiguas opciones que las mujeres empezaron a plantearse a finales del siglo XVIII y principios del XIX. En la mayoría de los casos, desde luego, la «elección» la hacían las propias circunstancias: algunas mujeres se veían obligadas a buscar un empleo pagado sin tener en cuenta las perturbaciones que pudiera provocar en la familia, otras estaban inevitablemente atadas a las responsabilidades familiares por mucho que desearan o necesitaran trabajar fuera. Pero la caída del antiguo orden había roto el patrón que ligaba a cada mujer a un solo destino incuestionable, y este cambio tuvo un doble impacto: no se podía juzgar simplemente como un adelanto o un retroceso para las mujeres (aun suponiendo que ese juicio fuera válido para todas las mujeres: una criada negra, la esposa de un industrial, la empleada de una fábrica, etc.). Las transformaciones fueron, por su propia naturaleza, contradictorias. El capitalismo industrial liberó a las mujeres de la inacabable rutina del trabajo productivo casero, pero al mismo tiempo les arrebató las atribuciones que habían constituido su peculiar motivo de dignidad. Soltó las ataduras del patriarcado, pero impuso las cadenas del trabajo asalariado. «Liberó» a algunas mujeres para permitirles mantener una soltería autosuficiente, pero encerró a otras en una esclavitud de tipo sexual. Y así sucesivamente.

Estos cambios —tanto los pasos adelante como los pasos atrás— proporcionaron las bases materiales para el nacimiento de la cuestión femenina. Para las mujeres en general, desde las duras trabajadoras de las clases más bajas hasta las hijas mimadas de las clases superiores, la cuestión femenina era un problema de experiencia personal inmediata: el conocimiento de las posibilidades se oponía a las prohibiciones, las oportunidades se oponían a las antiguas obligaciones, los instintos a las necesidades externas. La cuestión femenina era nada menos que el problema de cómo iban a sobrevivir las mujeres y qué iba a ser de ellas en el mundo moderno. Las mujeres que perdieron años de juventud en una depresión nerviosa, las primeras que probaron la «liberación» de los trabajos agobiantes y el sexo explotador, las que volcaron los corazones en sus diarios mientras su fuerza se iba en parir y criar hijos, nuestras bisabuelas y tatarabuelas, vivieron la cuestión femenina en su propia carne y con sus propias vidas.

Al tiempo que surgía como dilema subjetivo de las mujeres, la cuestión femenina entraba en el dominio de la vida pública como «tema» para deliberación de estudiosos, hombres de estado y científicos. No existe un reconocimiento más claro del problema que el de Freud:

> A lo largo de la historia la gente ha topado repetidamente con el enigma de la naturaleza de la feminidad... Tampoco *vosotros* habréis dejado de preocuparos por la cuestión —los que seáis hombres; esto no se refiere a las que seáis mujeres—; y el problema está en vosotros mismos [9].

Por muy paternalista que suene esta afirmación, no es un ejemplo de pensamiento *patriarcal*. Freud proyecta la obsesión de su época por la cuestión femenina en una categoría universal e intemporal. Sin embargo, los antiguos patriarcas no se habrían planteado jamás una cuestión de este tipo. Para ellos, la naturaleza y el objetivo de las mujeres no encerraba ningún enigma. Pero los viejos modos de pensamiento —que postulaban un orden social jerárquico y estático presidido por el Padre Celestial— estaban perdiendo su credibilidad cuando escribía Freud. Los «milagros» de la tecnología habían dejado verdaderamente atrás a los de los santos; las chimeneas de las ciudades industriales habían superado en altura a las agujas de las iglesias. La nueva era necesitaba una nueva forma de explicar la sociedad y la naturaleza humana. Y este nuevo modo, desarrollado en los tres siglos anteriores, no consistía en aceptar, sino en cuestionar; no era una actitud religiosa, sino científica. El problema de Freud no representa una tradición que se remonte a los tiempos patriarcales. La mentalidad que enmarcó la cuestión femenina, y que posteriormente esbozó sus principales respuestas, nació con la aparición del nuevo orden, en la lucha *contra* la autoridad patriarcal.

Si la historia de Occidente entre los siglos XVI y XVIII pudiera condensarse en una simple alegoría, ésta sería el drama de la derrota del otrora todopoderoso padre *. En política, en ciencia, en filosofía, ha-

* En este sentido, la teoría freudiana del complejo de Edipo asume un sig-

bía un tema dominante: la lucha contra las viejas estructuras de la autoridad patriarcal, representada por el rey, los señores feudales, el Papa y, muchas veces, el padre de familia. Por decirlo de otro modo, el antiguo orden no se hundió por las buenas bajo el peso de las fuerzas impersonales, sino que fue derrotado en verdaderas confrontaciones humanas. El mercado no era un «sistema» abstracto cuya expansión se debiera a misteriosas presiones internas. Estaba formado en cada momento por hombres reales que actuaban a través de una red de relaciones económicas. La expansión de esta red requería en cada etapa confrontaciones hostiles sobre las limitaciones impuestas por la autoridad patriarcal; restricciones feudales sobre el comercio, restricciones gremiales sobre la fabricación, prohibiciones religiosas contra la usura y la obtención de beneficios. Era una época, muy alejada de nuestros días de predominio empresarial, en la que los miembros de la clase media en ascenso —la «burguesía»— no eran aún la clase establecida, sino los rebeldes. En las revoluciones inglesa, norteamericana y francesa empuñaron las armas y guiaron a gran número de personas corrientes contra las fuerzas que se oponían al comercio y la obtención de beneficios individuales («la búsqueda de la felicidad»). La Revolución Francesa supuso el acto definitivo de parricidio colectivo: el asesinato del rey y, hecho menos espectacular, pero no menos significativo, el cierre de las iglesias. Los vencedores revolucionarios se sacudieron el yugo del padre y se declararon una *fraternidad* de ciudadanos libres.

Mientras los revolucionarios de la pujante clase media luchaban contra las restricciones del antiguo orden en materia de negocios, derribando cabezas coronadas y tonsuradas siempre que podían, los pensadores y los eclesiásticos trabajaban para desarrollar sistemas de pensamiento que se ajustaran a la nueva era. La filosofía (especialmente en Gran Bretaña y Estados Unidos) abandonó su búsqueda de

---

nificado histórico. Freud vivió en una época en la que los «hijos» de la burguesía triunfante estaban en ascenso y los «padres» —las autoridades de la sociedad tradicional— estaban en declive. Freud fue capaz de discernir los rasgos característicos del combate —la envidia, la culpa y el esfuerzo de ser como el padre— en la elaboración psicológica de los hijos. Intelectualmente, el propio Freud fue uno de los «hijos» más audaces.

Dios y la Verdad y firmó una tregua pragmática con el materialismo e individualismo de la economía de mercado. La religión aprendió a volverse ciega en cuestiones éticas ante el mercado y limitarse a los asuntos de la vida privada. Pero el modo de pensamiento que mejor se ajustaba a las condiciones del mercado y a las inclinaciones de los hombres que lo dominaban no llegó de la filosofía ni de la religión; se produjo en la ciencia.

La ciencia había dirigido el asalto intelectual a la ideología patriarcal. Desde que Galileo, a comienzos del siglo XVII, se había enfrentado a la Inquisición sobre el problema de si la tierra era el centro del universo, la ciencia se había situado como antagonista o, al menos, se había mostrado desdeñosa ante la doctrina religiosa y la autoridad tradicional en todos los campos. Galileo y, con él, los científicos posteriores reclamaron todo el mundo observable —estrellas, mareas, rocas, animales y el mismo «hombre»— como área para una investigación sin trabas, del mismo modo que los comerciantes delimitaban el mercado como zona laica, libre de interferencias religiosas o feudales. La física de Newton, la química de Lavoisier o, posteriormente, la biología de Darwin, no necesitaban dioses ni otras fuerzas inaprehensibles para explicar la naturaleza (excepto, tal vez, para la primera puesta en marcha de todas las cosas). La ciencia creció con el mercado. Se apropió de los aspectos más revolucionarios de la mentalidad comercial —su lealtad al hecho empírico, su tenaz pragmatismo, su tendencia a la abstracción numérica— y los convirtió en una herramienta de precisión para entender y dominar el mundo material.

La ciencia se burlaba de la vieja ideología patriarcal, despojada de sus pretensiones y expuesta tal como la conocemos hoy: un legado de ritos, leyendas y cuentos que se narran a los niños para dormir. La ciencia, en los siglos XVIII y XIX, fue el enemigo declarado de los fantasmas, el misterio y los conjuros —las trampas tradicionales del patriarcado— y una buena amiga de los revolucionarios. Socialistas como Karl Marx y feministas como Charlotte Perkins Gilman fueron devotos de la ciencia como fuerza liberadora contra la injusticia y la dominación. «No olvidemos nunca que, mucho antes que nosotros —proclamaba un miembro de la Comuna de París—, lucharon las ciencias y la filosofía contra los tiranos» [10].

Estamos en deuda, por tanto, con el espíritu crítico y científico nacido con el mercado, que acabó con la ideología patriarcal que durante siglos había sostenido a los tiranos. Pero oponerse a las estructuras patriarcales de la autoridad no era necesariamente tener una intención o sensibilidad *feminista*. La visión del mundo que nació con los nuevos tiempos era, en realidad, claramente *machista*. Era una concepción derivada del mercado, del área de la vida económica o «pública». Resultaba, por naturaleza, externa a las mujeres, y capaz sólo de considerarlas «ajenas», distintas.

La ideología patriarcal también convertía a las mujeres en subordinadas, por supuesto. Pero el campo del que surgía era el habitado por las propias mujeres, ya que la vida en el antiguo orden no estaba fragmentada en áreas distintas. Por el contrario, la concepción machista se fraguaba en un terreno alejado de las mujeres. Procedía de la mitad masculina de lo que se había convertido en un mundo sexualmente segregado. No reflejaba ninguna inclinación masculina innata, sino la lógica y los presupuestos de esa esfera, es decir, la lógica y los presupuestos del mercado capitalista.

La visión machista de la naturaleza humana excluye de forma casi automática a la mujer y sus peculiaridades. Tanto expresada en opiniones corrientes como a través de la ciencia, no sólo está orientada hacia el hombre desde un punto de vista biológico, sino en concreto hacia el hombre capitalista, el «hombre económico» descrito por Adam Smith, el hombre que lleva una existencia profundamente solitaria, que, como los pequeños átomos de la física dieciochesca, atraviesa el espacio siguiendo su propia trayectoria, relacionándose sólo de forma ocasional con la multitud compuesta por otros hombres atomizados, cada uno ligado a su propio camino, todos impulsados por la urgencia de su propio interés, guiados por una mente puramente racional y calculadora.

Para el hombre económico, los objetos inanimados del mercado —el dinero y las mercancías que lo representan— están vivos y poseen una importancia casi sagrada. Por el contrario, las cosas verdaderamente vivas no poseen, desde un punto de vista estrictamente «racional», ningún valor, excepto en la medida en que influyen en el mercado y afectan al propio interés económico: los empleados son «factores de producción»; una buena esposa es un «activo», etc. Un hombre económico de éxito, un capitalista, transforma sin cesar la vida —el trabajo y el esfuerzo humano— en capital sin vida, una actividad que él considera eminentemente racional, sensata y «humana». Al final, las leyes del mercado llegan a parecer las leyes de la naturaleza humana.

Desde esa posición superior, la mujer resultaba inevitablemente ajena, misteriosa. Ella habitaba (o así se suponía) en el «otro» terreno, el de la vida privada, que desde el mercado parecía un lugar atrasado y preindustrial o un espejo en el que se reflejaba invertido todo lo que resultaba normal en el mundo «real» de los hombres. Las limitadas funciones que se reservaban a ese terreno se asociaban con la persona de la mujer y la hacían aparecer como un anacronismo, como un curioso reverso de la normalidad. Tanto biológica como psicológicamente, la mujer parecía contradecir los principios básicos del mercado. Este último transformaba las actividades y necesidades humanas en objetos sin vida —mercancías—, mientras que la mujer creaba vida. El hombre económico es un individuo, una mónada, conectada a otras sólo mediante una red de relaciones económicas impersonales; la mujer está metida en la familia, y no puede tener identidad individual aparte de sus relaciones biológicas con otros. El hombre económico actúa puramente en su propio interés; una mujer no puede fundar sus relaciones dentro de la familia en el principio del *quid pro quo*: es ella la que da.

Desde una perspectiva machista, parecería que la mujer era una versión más primitiva del hombre, no porque hubiera una evidencia *prima facie* de su inferior inteligencia, sino a causa de su carácter afectivo y generoso, que en sí mismo se consideraba una prueba de esa inferioridad. El «buen salvaje» de Rousseau era, como su mujer ideal, compasivo y dadivoso. Y Darwin consideraba que:

> La mujer parece diferenciarse del hombre por su disposición mental, sobre todo por su mayor ternura y su menor egoísmo...
>
> Se admite generalmente que en la mujer los poderes de la intuición, la percepción y quizá la imitación, son más señalados que en el hombre; pero algunas de estas facultades, al menos, son características de las razas inferiores y, por consiguiente, de un estado de civilización pasado y menos desarrollado [11].

Todo lo específicamente femenino se convirtió en un reto para la mente científica y racional. El cuerpo de la mujer, con sus ritmos autónomos y sus posibilidades engendradoras, resultaba para la visión machista una «frontera», otra parte del mundo natural que debía explorarse y explotarse. En el siglo XIX, una nueva ciencia —la ginecología— empezó a estudiar ese extraño territorio y dedujo que el cuerpo femenino era, no sólo primitivo, sino profundamente patológico (ver capítulo 4). La psique femenina, por supuesto, se convirtió en un enigma científico reconocido, como la esencia interior de la materia o la forma del universo. El psicólogo norteamericano G. Stanley Hall lo llamó *terra incognita* y, cuando Freud mencionó el «enigma de la naturaleza femenina», hablaba en nombre de generaciones de científicos perplejos ante la extraña asimetría de la naturaleza que había hecho sólo a uno de los sexos completamente normal.

El descubrimiento de la mujer como anomalía —como una «cuestión»— fue el componente esencial de la percepción machista. La ideología patriarcal había considerado a las mujeres *inferiores*, pero siempre orgánicamente unidas a la jerarquía que se extendía desde el hogar hasta el cielo. Ahora esos lazos se habían roto: la ideología patriarcal, que había sido el principio rector durante siglos, yacía rota y desmoralizada pero, sin embargo, la mujer no había quedado libre con esa caída, sino que se había convertido en una curiosidad, un problema social que debía resolverse de un modo u otro.

Respuestas racionalistas y románticas

Dentro del marco de la nueva ideología machista no había más que dos respuestas posibles a la cuestión femenina, que denominaremos «racionalista» y «romántica». Muchos las llamarían, a primera vista, «feminista» y «de chauvinismo masculino». Pero no es tan sencillo. Se trata de concepciones opuestas entre sí, pero su origen fue el mismo y su desarrollo fue unido y paralelo al de la cultura machista. En cada momento habría defensores para cada «solución», y ninguna se dejaría completamente de lado. Pero al final una dominaría la cultura anglosajona y occidental, desde comienzos del siglo XIX hasta el ascenso del movimiento de liberación de la mujer en nuestros días. La victoria de la solución romántica sería abrumadora y se vería reforzada, en la vida real, por todo el peso de la economía y la capacidad de persuasión de las autoridades científicas.

La respuesta *racionalista* consistía, esquemáticamente, en admitir a las mujeres en la sociedad moderna en plano de igualdad con los hombres. Si el problema era que las mujeres estaban, en cierto sentido, «fuera», no había más que dejarles «entrar». El racionalismo sexual comparte el espíritu crítico de la ciencia: desprecia los mitos patriarcales de la inferioridad femenina, denuncia los «papeles sexuales» modernos como invención social arbitraria y sueña con un orden social en el que mujeres y hombres no sólo sean iguales, sino, en la medida de lo posible, funcionalmente intercambiables. Nacido en la exuberancia y clarividencia de la Revolución Francesa, y alimentado por las sucesivas oleadas de movimientos sociales, el racionalismo sexual es una ideología radical que lleva los ideales del liberalismo burgués —libertad individual e igualdad política— a una conclusión que incluso los revolucionarios franceses y americanos del XVIII habrían encontrado, en conjunto, peligrosamente extremista.

Pero, pese a su radicalismo, el racionalismo sexual no dejaba de ser machista. Miraba el mundo de las mujeres desde el mercado, con una actitud crítica hacia el primero pero bastante complaciente hacia el segundo, excepto por el hecho de que hasta el momento había excluido a las mujeres. Charlotte Perkins Gilman, quizá la más brillante defensora de la posición racionalista en Norteamérica, sostenía que el hogar era «primitivo» y que las mujeres, como resultado de su confinamiento en él, padecían un «desarrollo detenido» hasta el punto de que se habían convertido casi en una especie separada. Betty Friedan, la más conocida racionalista sexual de nuestra época, consideraba el hogar como una «trampa» que atrofiaba a las amas de casa en mente y espíritu. Pero al rechazar justificadamente la «esfera de las mujeres» y, no tan justificadamente, a las mujeres que en ellas estaban, el racionalismo sexual se apresuraba demasiado a volcarse en la esfera pública tal como la habían definido los hombres. La feminista surafricana Olive Schreiner, racionalista sexual en la línea de Charlotte Perkins Gilman, escribió:

Exigimos nuestra participación en un trabajo humano honorable y socialmente útil, nuestra mitad del esfuerzo de los hijos de mujer. No exigimos más que eso, y no aceptaremos nada menos. ¡Es nuestro DERECHO DE MUJERES! [12].

La feminista de tipo racionalista no suele cuestionar la naturaleza de ese «esfuerzo» ni a quién sirve. Gilman y, en mayor grado, Friedan, veían a las mujeres desarrollando carreras «satisfactorias», con toda probabilidad en los negocios y las profesiones liberales, sin preocuparse aparentemente porque todas las mujeres tuvieran acceso a tales trabajos y mucho menos aún por el propósito social, en sentido más amplio, de los puestos de trabajo existentes. El programa del racionalismo sexual consiste en la *asimilación*, con una serie de transformaciones auxiliares (las guarderías, por ejemplo) como elementos necesarios para fomentar la rápida integración de las mujeres en lo que había sido el mundo masculino.

Si el asalto ideológico a la autoridad patriarcal había hecho imaginables las ideas racionalistas, la revolución industrial hizo que el programa racionalista fuera asequible, e incluso inevitable. El grueso del antiguo trabajo de las mujeres había sido trasladado a las fábricas; ¿por qué no iban a seguirle las restantes actividades domésticas? Gilman urgía a que se crearan restaurantes, guarderías, servicio doméstico «en plan comercial», para que se hicieran cargo de los deberes femeninos. Liberada de esta «pesada maraña de tareas rudimentarias», la familia se convertiría en una asociación voluntaria de individuos. Las mujeres no se identificarían ya a través de una mera relación sexual o biológica con otras personas, sino por sus esfuerzos independientes en el mundo público. Desde la perspectiva del siglo XIX, parecía probable que tales acontecimientos se fueran desarrollando por sí solos: las máquinas estaban eliminando la importancia de las diferencias físicas entre los sexos y la fábrica estaba demostrando ser mucho más eficaz que el hogar. El mercado había asumido tantas actividades femeninas, desde hacer vestidos hasta transformar alimentos, que ¿quién iba a impedirle que engullera el hogar y la familia y en su lugar produjera individuos autónomos y sin sexo?

Fue, en gran parte, el horror de tal perspectiva lo que inspiró la otra respuesta a la cuestión femenina: el romanticismo sexual. Igual que el espíritu machista, el romanticismo sexual ve a las mujeres como anómalas, casi fuera del mundo masculino. Pero, mientras que el racionalista se rebelaba contra esta situación, el romántico se encontraba cómodo en ella. El romanticismo sexual amaba el misterio de la mujer y proponía mantenerla fuera del mundo para que *siguiera* siendo misteriosa.

Así como el racionalismo sexual está históricamente ligado a una corriente más amplia de pensamiento racionalista, el romanticismo sexual surgió con el «movimiento romántico» de los siglos XVIII y XIX. El racionalismo daba la bienvenida a la nueva era del capitalismo industrial: el romanticismo retrocedía con repugnancia. La revolución industrial, tal como nos muestra un paseo por cualquier gran ciudad, fue una tragedia estética. Las verdes praderas dieron paso, de la noche a la mañana, a las «fábricas oscuras y satánicas» que atormentaban a Blake; aldeas pintorescas, bosques, arroyos, se desvanecieron bajo la carga del «progreso» industrial. En el mundo del mercado capitalista e industrial, las relaciones humanas no alcanzaron nunca la impersonal benevolencia que había previsto Adam Smith. La «mano invisible» que invocaba Smith para mantener un orden social que transcurriera con fluidez y justicia no consiguió aliviar a empresarios en bancarrota, trabajadores hambrientos ni granjeros apartados de sus tierras. Era un mundo brutal, que ni siquiera estaba suavizado por el paternalismo caritativo y el *noblesse oblige* de la época feudal. Aunque las revoluciones burguesas habían liberado a los hombres, esa libertad consistía en el derecho solitario a nadar o hundirse, a «salir adelante» o ser aplastado por los que estaban lográndolo. El espíritu romántico aportó la nostalgia por el antiguo orden, o por versiones imaginarias de él: una sociedad que no estaba atomizada, sino orgánicamente unida en la confianza y la mutua necesidad, animada por el calor de las pasiones «irracionales» y enriquecida por la belleza de una naturaleza virgen.

Nada podía ser más aberrante, desde un punto de vista romántico, que el programa del racionalismo sexual. Disolver el hogar (mediante la eliminación de las últimas tareas domésticas y la incorporación de las mujeres al trabajo exterior) sería acabar con el último refugio frente a los horrores de la sociedad industrial. Los comedores colectivos, las guarderías y el servicio doméstico terminarían siendo avanzadillas de la odiada fábrica o fábricas ellas mismas, que impondrían sus operaciones frías y reguladas sobre los detalles más íntimos y personales de la vida. Y liberar a la mujer sería eliminar la única cosa que protegía al hombre de su destrucción psíquica en el duro mundo del mercado. Si ella se convertía en una versión femenina del «hombre económico», otro individuo en busca de su propio camino, éste sería un mundo sin amor ni calor humano. La solitaria perspectiva que se extendía ante el hombre económico —«... un desierto helado y amenazador que debe ser vencido con dolor y bajo el cielo solitario»— [13] tenía que aceptarse como una realidad inexcusable.

Pero eso era, desde luego, lo que no podía hacer un romántico. El hombre debía tener un refugio contra la salvaje lucha del mercado, tenía que haber consuelo para su solitaria búsqueda como «hombre económico». El romanticismo sexual aseguraba que el hogar era ese refugio, la mujer ese consuelo. El escritor y crítico inglés John Ruskin expuso exactamente lo que el romanticismo sexual buscaba en la «esfera de las mujeres»:

> Esta es la verdadera naturaleza del hogar: es el terreno de la paz, el refugio, no sólo frente a todo daño, sino frente a cualquier terror, duda y división. En la medida en que no sea eso, no es un hogar; en la medida en que las angustias de la vida exterior entren en él y el marido o la mujer dejen que la sociedad incoherente, desconocida, odiada u hostil del mundo exterior traspase el umbral, dejará de ser un hogar; entonces no será más que una parte de ese mundo exterior en la que hemos colocado un techo y un fuego. Pero mientras sea un lugar sagrado, un templo de vestales, un templo casero protegido por los dioses familiares... entonces honra el nombre y justifica el elogio del hogar [14].

En este texto, el mundo de la vida privada y la existencia biológica han quedado bajo una aureola de santidad. Ni un murmullo procedente del mercado debe ser autorizado a entrar en este «templo» en el que la mujer vive sus días en estado de inocencia *. De ese

---

* La nostalgia romántica del siglo XIX no estaba reservada a las mujeres. Los pueblos primitivos descubiertos por el capitalismo euroamericano en expansión vivían, como las mujeres de los países industriales, en los terrenos en penumbra que rodeaban el mercado. Para la imaginación romántica, com-

modo se conservará una versión singular y doméstica del patriarcado, como si nada hubiera ocurrido en el mundo exterior. En el espíritu romántico hay un rechazo apasionado y humanista del mercado, pero sólo una rebelión furtiva y a medias: no pretende vencer al mercado, sino sólo escapar de él para refugiarse en brazos de la mujer. La deidad que sacraliza el hogar ideal de Ruskin no es ningún patriarca vengador, capaz de barrer a prestamistas o idólatras, sino un simple «dios familiar».

La imaginación romántica se aplicó febrilmente a la tarea de construir una mujer digna de ocupar el «templo de las vestales» de Ruskin. Las líneas maestras eran sencillas: la mujer debía ser el contrapunto del mercado en todos los aspectos, la antítesis del hombre económico. Desde nuestra perspectiva, hay una base real para esta construcción romántica: existe una fuerza en la entrega femenina que contradice verdaderamente las normas y los presupuestos del mercado y que es potencialmente opuesta a él. Pero los románticos no estaban interesados por descubrir los genuinos impulsos y la fuerza de las mujeres, como tampoco lo estaban, en la mayoría de los casos, por atacar de verdad lo que de inhumano tenía el mercado. La construcción romántica de la mujer es tan artificial como las faldas en cintura de 40 cm y aros de un metro de anchura, tan populares a mediados del siglo XIX. El hombre económico es racional; por consiguiente, la mujer romántica es intuitiva, emocional e incapaz de razonar en términos cuantitativos. El hombre económico es competitivo; ella es tierna y sumisa. El hombre económico es intere-

---

partían con las mujeres, en general, las cualidades humanas que el mercado negaba, y alegraban el mundo con su simplicidad pastoral. En palabras del psicólogo G. Stanley Hall: «Casi todos los salvajes son, en muchos aspectos, niños o jóvenes de tamaño adulto... Son naturalmente amables, pacíficos, afectivos, alegres, de buen carácter, y los defectos que vemos en ellos son los que nosotros hemos provocado. Viven una vida de sentimiento, emoción e impulso, y todos los testimonios de aquellos que les conocen íntimamente y que no tienen predilección por concepciones como la de Rousseau están de acuerdo en que conocer a un salvaje típico es amarlo» [15].

Hall criticó los intentos imperialistas de «comercializarlos y hacerlos trabajar en exceso». Había que permitirles permanecer fuera del mercado, «demorarse en el paraíso de la niñez», ya que, sin su encanto refrescante, «nuestro hogar terrenal quedaría verdaderamente desolado».

sado; ella es altruista, incluso masoquista. Un poema popular de la época victoriana retrata el resultado de todas esas negaciones: una criatura que debía ser todo lo que es «humano» (en oposición a «económico») y termina siendo infrahumana, pareciéndose más a una muñeca que a una sacerdotisa:

> Su alma, que otrora vibraba con placer
> Cuando unos ojos poseían su belleza,
> Ahora se pregunta cómo se atreven a mirar
> Lo que sólo a él pertenece;
> La indignidad de aceptar regalos
> Regocija su pecho amante;
> Un arrebato de sumisión eleva
> Su vida a un reposo celestial;
> No queda nada de lo que era;
> Siendo de nuevo una niña muere la mujer,
> Y todo el saber que posee
> Es amarlo a él por ser sabio * [16].

Un racionalista incapaz de tomarse a broma estos versos podría reaccionar con cierta impaciencia llena de cinismo: la dulce esposa llena de románticos anhelos es, en realidad, una pupila que depende económicamente de su marido. Charlotte Perkins Gilman afirmaba que era una especie de combinación de ama de llaves y prostituta, que se ganaba su sustento. Y la heroína de Olive Schreiner, Lyndall, declara desafiante:

---

* Hoy se ha hecho corriente confundir este tipo de sentimentalismo romántico con la ideología patriarcal. Pero las dos visiones de las mujeres son incompatibles. Las mujeres del patriarcado no eran criaturas efusivas y poco enérgicas; eran duras trabajadoras y compañeras estrictas. Y la ideología patriarcal no soñó, ni por un momento, en atribuir a las mujeres la superioridad moral que les dieron los románticos al convertirlas en custodias de lo Sagrado. La ideología patriarcal mantuvo el supuesto de la *inferioridad* moral de las mujeres y de su absoluta dependencia de los varones como mediadores e intérpretes de la escritura. El romanticismo sexual se basa enormemente en la imaginería arcaica, pero no es más que nostalgia, un producto de la nueva época, no una continuación del antiguo orden.

> ... una mujer que se ha vendido, aunque sea por un anillo y un nuevo nombre, no tiene por qué mirar por encima a ninguna chica de la calle. Las dos ganan su pan del mismo modo [17].

Cubrir de «arrebatos» y «regocijo» la reconocida «indignidad de aceptar regalos» era, desde el punto de vista racionalista, una perversa negación de la realidad económica. El racionalismo sexual podía ser cínico, en general, en cuanto a las relaciones de familia y encuanto a aceptar las interacciones «libres» del mercado, pero tenía el valor de reconocer el mundo social que había creado el mercado; no se apartaba tímidamente de los hechos que le resultaban desagradables.

El romanticismo sexual, por el contrario, estaba ligado por su propia naturaleza a las mentiras y la evasión. El hogar mitificado ofrecía al romántico un modo de huir del mercado, y su intensa necesidad de ese hogar, precisamente como escape, le obligaba a mentir sobre la realidad de las relaciones humanas en su interior. Marx y Engels se habían alegrado prematuramente de que el triunfo del capitalismo «por fin obligaba [al hombre] a enfrentarse con los cinco sentidos a sus verdaderas condiciones de vida y a sus relaciones con sus iguales». El romanticismo sexual enturbiaba los sentidos, oponía cortinas de encaje al paisaje industrial del exterior y ofrecía un sueño encantador en el que los hombres eran hombres y las mujeres —a Dios gracias— eran otra cosa.

La ciencia y el triunfo del romanticismo sexual

Pero fue el romanticismo sexual el que triunfó, desde el ideal victoriano del siglo XIX hasta la mística feminista de mediados del XX. Cuando terminó la revolucionaria transformación del antiguo orden en Estados Unidos y Europa, cuando la sociedad empezó a reconstituirse en algo que pudiera llamarse otra vez un «orden», un modo de vida establecido y reproducible, este nuevo «orden» se basó en gran medida en la concepción romántica de la mujer y el hogar. El racionalismo sexual, que en cierto momento había parecido tan inevitable como el progreso tecnológico, permaneció como corriente heterodoxa, asociada a la bohemia, el radicalismo y el feminismo *.

La ideología dominante definía a la mujer como una perpetua extraña, y el hogar como un refugio idílico frente al desagradable pero «real» mundo masculino. El romanticismo sexual triunfó, no sólo porque resultaba psicológicamente cómodo para la mayoría de los hombres (y para muchas mujeres), sino por una razón práctica que los racionalistas sexuales del primer período industrial no habrían podido prever. El romanticismo sexual encajaba perfectamente con las necesidades de la economía que estaba madurándose, y que iba a depender cada vez más del modelo económico de consumo doméstico individual para alimentar su crecimiento. Y, una vez que la ideología del romanticismo sexual le ha dado forma, la mujer se convierte en una trabajadora más adecuada cuando la industria la necesita: la mujer «romantizada» debe trabajar por poco sueldo, normalmente en tareas que requieren sumisión y entrega, y vuelve rápidamente al sitio al que «pertenece» cuando acaba el trabajo.

La legitimidad de este nuevo orden sexual y económico no ha podido asegurarse más que a través de grandes esfuerzos. La solución romántica no puede justificarse aplicando directamente las leyes e hipótesis del mercado. No hay nada en la lógica del mercado que permita distinguir entre hombre y mujer (o blanco y negro), obreros, consumidores, propietarios o inversores. Desde el punto de vista del capitalismo duro, las únicas distinciones que importan, en definitiva, son las que se pueden medir en moneda: las variaciones de la anato-

---

* El feminismo ha oscilado entre las ideas románticas y las idealistas: la primera generación de feministas norteamericanas (Susan B. Anthony, Elizabeth Cady Stanton, etc.) fueron racionalistas sexuales inquebrantables, pero la segunda generación, que llegó a su madurez en los años ochenta y noventa, adoptó sin dudarlo el romanticismo sexual, asegurando que las mujeres debían tener el voto, no porque tuvieran *derecho*, sino porque eran madres, «las guardianas de la raza». El feminismo contemporáneo es abrumadoramente racionalista, pero no carece de corrientes románticas, las representadas por quienes rechazan la «integración» y aspiran a resucitar un matriarcado pretecnológico, el gobierno femenino. Las mujeres han puesto sus esperanzas en el «progreso» tecnológico o han buscado su justificación en un pasado remoto e imaginario; todo ello, en nombre del feminismo.

mía humana o de color no suponen diferencias en el libro de cuentas. Y las nuevas ideas revolucionarias de «derechos» y «libertad» que la burguesía ascendiente había gritado en otro tiempo a la cara de los monarcas dejaban de lado implícitamente el sexo, como se han apresurado a recordar siempre las feministas. De hecho, los principios del mundo de los negocios y las ideas políticas de la clase que dominaba ese mundo habían abierto el camino para el racionalismo sexual. El romanticismo se vio obligado a buscar su legitimidad fuera del mundo laboral normal de los hombres, en alguna autoridad superior al realismo económico o el idealismo político.

Esa autoridad fue la ciencia. Durante más de cien años, la respuesta romántica a la cuestión femenina se articularía, no en términos políticos, estéticos o morales, sino en el lenguaje científico. Y en ello hay una dolorosa ironía. La ciencia había sido una fuerza revolucionaria, opuesta al prejuicio, la locura y la ofuscación donde quiera que surgían. Pero, a medida que el antiguo orden se desvanecía en el pasado y la «clase media en ascenso» se convertía en la nueva clase dominante, la ciencia firmó la paz con el orden social. La ciencia que asumió la defensa del romanticismo sexual era un descendiente pálido, y no completamente legítimo, de la que en otro tiempo había desafiado la autoridad de reyes y papas.

Los expertos científicos que se comprometieron en la defensa del romanticismo sexual —médicos, psicólogos, especialistas en ciencia doméstica, educadores de padres, etc.— aseguraban tener un corpus especializado de conocimiento científico, y su carrera se basaba en esta afirmación. Sin su relación con la ciencia, no tenía legitimidad, ni público para sus ideas ni mercado para su oficio. Pero la ciencia, en sus manos, sufrió extrañas distorsiones y se degradó hasta ser irreconocible, como mostrará este libro.

La ciencia había atacado en otro tiempo a la autoridad atrincherada, pero el nuevo experto científico se convirtió en la autoridad. Su trabajo no consistió en buscar lo *verdadero*, sino en pronunciarse sobre qué era *lo adecuado*.

La toma del poder sobre las vidas femeninas por parte de los expertos no fue rápida ni sencilla. Había que destruir o desacreditar las viejas redes mediante las que las mujeres habían ido aprendiendo unas de otras. Había que invocar el poder de la riqueza frente a las fuentes rivales de información y conocimientos. La autoridad de la ciencia debía ser promovida como si ésta no fuera un método crítico sino una nueva religión. Muchas mujeres se resistieron, aferrándose a la vieja sabiduría y las tradiciones o, en el caso de las más radicales, organizando nuevas redes de apoyo mutuo y estudio.

Pero los expertos no habrían podido vencer si no hubieran tenido la acogida de tantas mujeres que les buscaron e incluso (a comienzos del siglo XX) se organizaron para extender su influencia. Y no se trataba exclusivamente de mujeres crédulas o conservadoras, sino de mujeres independientes, progresistas, incluso feministas. Los expertos eran «científicos» y parecía que sólo la ciencia podía acabar con la ignorancia y la injusticia. ¿No se había enfrentado la ciencia a las autoridades patriarcales del antiguo orden y, por consiguiente, a toda la maraña de limitaciones que habían oprimido a la mujer durante siglos? Esa fue la base del «idilio» entre las mujeres y los nuevos expertos: la ciencia había estado de parte del progreso y la libertad. Ignorar sus dictados era, con seguridad, permanecer en la «era de las tinieblas», mientras que seguirlos era unirse al avance imparable de la historia. Charlotte Perkins Gilman, Ellen Richards, Margaret Sanger y posiblemente Jane Addams, fueron todas, cada una a su manera, firmes defensoras de que la ciencia y sus expertos representaban el progreso. Harían falta otras dos generaciones para que el «idilio» se deshiciera y las mujeres descubriesen que, en realidad, los expertos les habían traicionado a la ciencia y a ellas.

La ascensión de los expertos

Dos

Brujas, sanadoras y médicos caballeros

La historia de la ascensión de los expertos psicomédicos —médicos, psicólogos y otros profesionales relacionados— podría narrarse como una alegoría de la ciencia contra la superstición: por un lado, el clarividente y masculino espíritu científico; por el otro, un oscuro pantano de superstición femenina, historias de comadres, rumores transmitidos como hechos. En esta versión alegórica, el triunfo de la ciencia era tan inevitable como el progreso humano o la evolución natural: los expertos vencieron porque *tenían razón.*

Pero la historia real no es tan sencilla, ni el resultado tan claramente «progresista». Es cierto que los expertos representaban una visión menos pueblerina que la del ama de casa sumergida en su familia y en el hogar: los expertos habían estudiado y estaban en situación de aprovechar una mayor variedad de conocimientos humanos que cualquier mujer concreta. Pero, en demasiadas ocasiones, las teorías de los expertos eran globalmente acientíficas, mientras que el saber tradicional de las mujeres se basaba en siglos de observación y experiencia. La ascensión de los expertos no fue el triunfo inevitable de la razón sobre el error, del hecho sobre el mito; empezó con una amarga lucha que enfrentó a mujeres contra hombres, a una clase contra otra. Las mujeres no aprendieron a buscar orientación en una «ciencia» externa hasta después de que les arrebataran sus viejos conocimientos y las «mujeres sabias» que los habían conservado hubieran sido silenciadas o muertas.

El conflicto entre la sabiduría tradicional de las mujeres y la pericia masculina se centró en el derecho a sanar. Para todos, excepto los muy ricos, sanar había sido tradicionalmente prerrogativa de las mujeres. El arte de sanar estaba ligado a los deberes y el espíritu de la maternidad: combinaba sabiduría y entrega, ternura y habilidad. Cualquier mujer que no fuera una privilegiada debía conocer, al menos, el lenguaje de las hierbas y las técnicas de curar; las más eruditas incluso viajaban a lugares lejanos para compartir sus conocimientos. Las mujeres que se distinguían como sanadoras no eran sólo comadronas que cuidaban de otras mujeres, sino «médicas generales», herbolarias y consejeras que ayudaban tanto a hombres como a mujeres.

El antagonista histórico de la sanadora sin títulos fue el profesional masculino de la medicina. La noción de la medicina como *profesión* era, en ciertos aspectos, un avance respecto a la tradición de las curanderas, si se miraba por encima: una profesión exige una formación sistematizada y, al menos en principio, ciertos mecanismos formales de responsabilidad. Pero una profesión se define también por su *exclusividad*, y así ha ocurrido desde que la medicina y el derecho empezaron a configurarse como tales en la Europa medieval. Mientras que la sanadora lega trabajaba dentro de una red de intercambio de conocimientos y apoyo mutuo, el hombre profesional atesoraba su saber como una especie de posesión que debía ponerse a disposición de clientes acomodados o venderse en el mercado como un artículo más. Su objetivo no era difundir el oficio de sanar, sino concentrarlo en un grupo elitista. De modo que el triunfo de la profesión médica masculina tiene una importancia crucial para nuestra historia: supuso la destrucción de las redes de ayuda mutua que tenían las mujeres dejándolas en situación de aislamiento y dependencia, y estableció un modelo de experto que se convirtió en prerrogativa de una élite social.

La lucha por la capacidad de curar en la Norteamerica decimonónica tuvo sus raíces en las épocas más oscuras de la historia europea. Las sanadoras americanas como Anne Hutchinson, conocida comadrona además de dirigente religiosa, representaban una tradición que procedía del otro lado del océano y de incontables generaciones de mujeres. Y los primeros médicos profesionales en Norteamérica, como el enérgico doctor Benjamin Rush, extrajeron su aristocrático ideal de la profesión de una tradición que se remontaba a las universidades medievales.

En Europa el conflicto entre las mujeres sanadoras y la profesión médica había adoptado una forma particularmente salvaje: las cazas de brujas que durante siglos marcaron la historia de Inglaterra, Alemania, Francia e Italia. Estas cazas de brujas estaban, a su vez, unidas a numerosos acontecimientos históricos: la reforma, el inicio del comercio y un período de levantamientos contra la aristocracia feudal. Pero, para nuestros fines, lo importante es que los objetivos de las cacerías fueron casi exclusivamente mujeres campesinas, y entre ellas sanadoras sin títulos que sufrieron especiales persecuciones. Sobre este aspecto de la cuestión vamos a tratar brevemente ahora.

LAS CAZAS DE BRUJAS

Las dimensiones de la obsesión por las brujas fueron increíbles: a finales del siglo XV y principios del XVI hubo miles y miles de ejecuciones —normalmente sacrificios en la hoguera— en Alemania, Italia y otros países. A mediados del XVI el terror se extendió a Francia y posteriormente a Inglaterra. Un autor ha calculado el número de ejecuciones en una media de 600 anuales en algunas ciudades alemanas, es decir, dos diarias, «excepto los domingos». En la región de Wurzburg murieron 900 brujas en un solo año, y mil en la de Como. En Toulouse fueron ejecutadas 400 en un día. En la diócesis de Tréveris, en 1585, dos pueblos quedaron con sólo una mujer cada uno. Muchos autores han calculado el número total de muertes en millones. Las mujeres, tanto jóvenes como viejas, e incluso niñas, representaron hasta el 85 por 100 de las ejecuciones [1].

Las acusaciones vertidas contra las «brujas» incluían cualquier fantasía misógina que pudieran albergar los monjes y sacerdotes encargados de las persecuciones: las brujas copulaban con el diablo, volvían a los hombres impotentes (generalmente cortándoles los penes, que luego encerraban las brujas en jaulas o cestos), devoraban a los recién nacidos, envenenaban el ganado, etc. Pero, una y otra vez, los «crímenes» incluían lo que hoy se considerarían actos legítimos de medicina: suministrar métodos anticonceptivos, realizar abortos, facilitar drogas que aliviaran los dolores del parto. En realidad, dentro de la peculiar teología legal de tales inquisidores, el hecho de que una mujer practicara curaciones era en sí mismo un crimen. Como decía un importante cazador de brujas inglés:

> Pues hay siempre que recordar, como conclusión, que por brujos entendemos, no sólo aquellos que matan y torturan, sino todos los adivinos, encantadores, prestidigitadores, magos, que vulgarmente se llaman sabios y sabias... y en ese grupo incluimos a todos los brujos buenos, que no causan males sino bienes, que no dañan ni destruyen, sino que salvan y asisten los partos... Sería mil veces mejor para la tierra que todos los brujos, especialmente los brujos benefactores, sufrieran la muerte [2].

Los monjes alemanes Kramer y Sprenger, cuyo libro *Malleus Maleficarum* [El martillo de brujos], fue el texto oficial de la Iglesia Católica en materia de brujos durante tres siglos, denunciaban a las brujas «notoriamente maléficas», como las que «usan medicinas de brujo y curan a los hechizados con métodos supersticiosos» [3]. Clasificaban a las brujas en «tres grados»: «Pues algunas sanan y causan daño; otras dañan, pero no saben sanar, y otras parecen capaces sólo de sanar, es decir, de eliminar las heridas» [4]. Kramer y Sprenger no mostraban simpatía por quienes consultaban a las curanderas:

> Aquellos que recurren a tales brujas piensan más en su salud corporal que en Dios, y Dios, además, acorta sus vidas para castigarles por haber asumido ellos mismos la venganza de sus propios errores [5].

Los inquisidores reservaban su máxima ira para las comadronas:

> Las mayores injurias a la fe en cuanto a la herejía de las brujas son las cometidas por las comadronas; y esto queda más claro que la luz del día en las confesiones de algunas que después fueron quemadas [6].

En realidad, la mujer sabia, o bruja, como la etiquetaban las autoridades, poseía multitud de remedios que se habían experimentado a lo largo de años de utilización. *Liber Simplicis Medicinae*, el compendio de métodos curativos naturales escrito por Santa Hildegard de

Bingen (1098-1178 d. C.), da una idea del alcance que tenían los conocimientos de las sanadoras a principios de la Edad Media. Su obra enumera las propiedades curativas de 213 variedades de plantas y 55 árboles, además de docenas de derivados minerales y animales [7]. Indudablemente, muchos de los remedios de estas brujas-sanadoras eran pura magia, como el empleo de amuletos y encantamientos, pero otros soportan el examen de la moderna medicina científica. Tenían eficaces analgésicos, digestivos y anti-inflamatorios. Usaban cornezuelo de centeno para los dolores del parto en una época en la que la Iglesia consideraba que tales dolores eran el justo castigo del Señor por el pecado original de Eva. Los derivados del cornezuelo se siguen empleando hoy para acelerar el parto y como ayuda en la recuperación posterior. La belladona era usada por las curanderas para inhibir las contracciones uterinas cuando había amenaza de aborto, y se dice que la digitalina, una droga todavía fundamental para el tratamiento de las enfermedades de corazón, fue descubierta por una bruja inglesa.

Mientras tanto, los médicos varones educados en la universidad, que ejercían con la aprobación de la Iglesia, tenían poco en que basarse excepto especulaciones y mitos. Entre la gente más acomodada, la medicina había alcanzado la categoría de ocupación de caballeros mucho antes de que tuviera ninguna relación con la ciencia o con cualquier tipo de estudio experimental. Los estudiantes de medicina pasaban años leyendo a Platón, Aristóteles y la teología cristiana. Sus concepciones médicas se limitaban en gran parte a las obras de Galeno, el antiguo médico romano que había expuesto la teoría de las «complexiones» o los «temperamentos» de los hombres, según la cual, «los coléricos son iracundos, los sanguíneos son amables, los melancólicos son envidiosos», y así sucesivamente. Los estudiantes de medicina no solían ver a ningún paciente, y no se les enseñaba a realizar ningún tipo de experimento. La medicina estaba claramente diferenciada de la cirugía, que en casi todas partes era considerada como un oficio menor, degradante, y la disección de cuerpos era algo de lo que casi no se había oído hablar.

Las teorías médicas se basaban muchas veces más en la «lógica» que en la observación: «Ciertos alimentos aportan buenos humores y otros, malos humores. Por ejemplo, la capuchina, la mostaza y el ajo producen una bilis rojiza; las lentejas, la col y la carne de cabra y vaca vieja acaban en una bilis negra.» La sangría era una práctica común, incluso en el caso de heridas. Las sanguijuelas se aplicaban según la época, la hora, el aire y otras consideraciones semejantes. Los encantamientos y rituales casi religiosos se mezclaban con los tratamientos más «científicos» heredados de Grecia y Roma. Por ejemplo, el médico de Eduardo II, que tenía título de bachiller en teología y un doctorado en medicina por Oxford, pretendía curar un dolor de muelas escribiendo en la mandíbula del paciente «En el nombre del Padre, del Hijo y del Espíritu Santo, Amen», o tocando una oruga con una aguja que después llevaba a la muela. Un tratamiento frecuente para la lepra era un caldo hecho con la carne de una serpiente negra cogida en un pedregal.

Ese era el estado de la «ciencia» médica mientras las curanderas eran perseguidas por practicar magia diabólica. Fueron las brujas quienes ampliaron la comprensión de los huesos y músculos, las hierbas y drogas, mientras los médicos seguían basando sus pronósticos en la astrología y los alquimistas intentaban convertir el plomo en oro. Eran tan grandes los conocimientos de las brujas que en 1527 Paracelso, considerado el «padre de la medicina moderna» quemó su manual de farmacia con la confesión de que «había aprendido de la Hechicera todo lo que sabía» [8].

Ya mucho antes de que empezasen las cazas de brujas, la profesión médica había intentado eliminar a las sanadoras. El objeto de esos primeros conflictos no fue la curandera rural, sino la sanadora erudita, acomodada, que competía por la misma clientela urbana que los médicos universitarios. Veamos, por ejemplo, el caso de Jacoba Felicie, llevada a juicio en 1322 por la Facultad de Medicina de la Universidad de París, acusada de práctica ilegal. Era una mujer culta y había recibido cierta «formación especial», no especificada, en medicina. Que sus pacientes estaban bien situados se deduce del hecho de que (como atestiguaron en el tribunal) habían consultado a famosos médicos educados en la universidad antes de dirigirse a ella. Las acusaciones fundamentales contra ella eran que

> ... curaba a su paciente de enfermedades internas y de heridas o abscesos externos. Visitaba al enfermo asiduamente y continuaba exami-

nando la orina a la manera de los médicos, tomando el pulso y palpando cuerpo y extremidades [9].

Seis testigos afirmaron que Jacoba les había curado, incluso después de que numerosos doctores se hubieran dado por vencidos, y un paciente declaró que ella era más experta en el arte de la cirugía y la medicina que cualquier maestro médico o cirujano de París. Pero estos testimonios se usaron contra ella, ya que la acusación no era que fuese incompetente, sino el mero hecho de que, pese a ser mujer, se atreviera a practicar curaciones.

En esa misma línea, los médicos ingleses enviaron una petición al Parlamento quejándose de las «mujeres indignas y presuntuosas que usurpan la profesión» y solicitando la imposición de multas y «largas penas de prisión» a cualquier mujer que intentara «ejercer la práctica de la medicina». En el siglo XIV, la campaña de la profesión médica contra las sanadoras cultivadas y urbanas había alcanzado prácticamente a toda Europa. Los médicos habían obtenido un claro monopolio del ejercicio de la medicina entre las clases superiores (excepto en obstetricia, que siguió siendo dominio de las comadronas incluso en las clases elevadas durante otros tres siglos) y estaban listos para asumir un importante papel en la persecución contra el componente fundamental de las sanadoras: las «brujas».

Se pidió a los médicos que distinguieran entre las enfermedades causadas por brujerías y las provocadas por «algún defecto físico natural». También se les pidió que juzgaran si determinadas mujeres eran brujas. Muchas veces, se desnudaba y afeitaba a la acusada para que los médicos pudieran examinarla en busca de «marcas del diablo». A través de las cazas de brujas, la Iglesia confirió autoridad a la profesión médica, denunciando las curaciones no profesionales como equivalentes a una herejía: «Si una mujer osa curar *sin haber estudiado*, es una bruja y debe morir.» (Por supuesto, no había ningún modo de que una mujer pudiera asistir a la universidad y realizar los estudios necesarios.)

Los juicios de brujería situaban al médico en un plano moral e intelectual muy superior al de la sanadora. Lo colocaban del lado de Dios y la Ley, un profesional equiparable a los abogados y teólogos, mientras que a ella la encerraban en el terreno de la oscuridad, el mal y la magia. Las cazas de brujas fueron un antecedente intenso y espectacular del choque entre médicos y sanadoras en la Norteamérica del siglo XIX.

El conflicto sobre el oficio de sanar llega a América

El modelo europeo de medicina como ocupación de élite no fue fácil de trasplantar al nuevo mundo. Los médicos de formación universitaria no emigraban a las colonias, y la enseñanza autóctona de la medicina —como cualquier otro tipo de enseñanza superior— se popularizó muy lentamente. En general, la práctica de la medicina estaba abierta a cualquiera que pudiera demostrar la capacidad de sanar, al margen de la educación formal, la raza o el sexo. El historiador de la medicina Joseph Kett relata que «uno de los médicos más respetados de fines del siglo XVIII en Windsor, Connecticut, era un negro liberado llamado "Doctor Primus". En Nueva Jersey el ejercicio de la medicina, salvo en casos extraordinarios, estaba sobre todo en manos de las mujeres incluso en 1818...» [10]. La atención médica en las áreas rurales estaba dominada por sanadores sin título: médicos de «raíces y hierbas» que empleaban remedios indios, «ensalmadores» y comadronas.

La tradición de las mujeres curanderas floreció en la Norteamérica colonial y en los primeros tiempos republicanos. Las mujeres de la colonia llegaron de sus países de origen con un saber medicinal de siglos, conocimientos que ellas revisaron cuidadosamente y adaptaron a las condiciones de su nueva tierra. Para obtener información sobre las hierbas dependían de los indios, únicos que conocían las propiedades curativas de las plantas nativas. La mezcla de ciencia india, africana y europea produjo una nueva y enriquecida tradición de curación entre las mujeres, con un conocimiento muy complejo de las plantas y las estaciones, cómo encontrar o cultivar hierbas curativas, cómo cogerlas y secarlas, cómo administrarlas y mezclarlas o cómo combinarlas con el uso del vapor, el ejercicio y los masajes. El polvo o té de sello de oro y el penique real, aún considerados como poderosos remedios, se conocen también, respectivamente, como pintura india o raíz amarilla y como «menta india». La pimienta de cayena, otra medicina legendaria, procedía, según un herbolario de la época, de los «negros de las Indias Occidentales» [11].

La escritora Sarah Orne Jewett hizo un vago retrato de la mujer sanadora de fines del siglo XIX en un relato que incluso entonces sonaba a nostalgia. «Esta cabeza está demasiado seca», afirma la vieja sanadora Mrs. Goodsoe rechazando una hierba, y continúa:

> ¡Allí, allí! Puedo asegurarte que hay filas de jóvenes médicos que presumen de haber estudiado en los libros y que ignoran por completo qué hacer por los enfermos, o cómo señalar los caminos que llevan a la gente sana hacia la enfermedad. Locos de los libros les llamo a esos jóvenes, y algunos de ellos no vivirán lo suficiente para aprender algo más, aunque lleguen a la edad de Matusalén. En mi época cualquier mujer de mediana edad que hubiera criado una familia tenía ideas apropiadas sobre cómo luchar contra el sufrimiento. No digo que no hubiera tontas entre *ellas*, pero habría estado dispuesta a correr el riesgo, siempre que no hubieran abandonado las hierbas para trabajar con productos comerciales. Mi madre sí que sabía como usar las hierbas y raíces. Nunca he visto a nadie que la igualara... [12].

La sanadora norteamericana, al contrario que la bruja europea, no fue eliminada mediante la violencia. Ningún Gran Inquisidor la persiguió, ninguna llama destruyó su almacén de hierbas ni sus conocimientos *. La curandera de Norteamérica fue vencida en una lucha que, en el fondo, fue de tipo económico. En el siglo XIX la medicina estaba saliendo al mercado, convirtiéndose en un artículo de compraventa, como las agujas, los lazos o la sal. La curación fue asunto de mujeres mientras fue un servicio vecinal, de comunidades establecidas en las que los conocimientos podían pasar de generación

* Hubo cazas de brujas en la Nueva Inglaterra colonial, y el lector puede preguntarse si incluyeron la persecución de sanadoras. Por lo que sabemos, la respuesta es no. Los juicios de Salem, que ocurrieron mucho después del apogeo de las cazas de brujas en Europa, fueron el reflejo de rivalidades comerciales y sociales entre los ciudadanos. Es interesante, sin embargo, que la brujería se incluyera entre las acusaciones del Gobernador Winthrop contra Anne Hutchinson, y que su asistencia al nacimiento de un niño deforme se citara como prueba del desagrado de Dios ante sus herejías.

en generación y donde la curandera conocía a sus pacientes y a las familias. Cuando los esfuerzos por sanar a la gente se apartan de las relaciones personales para convertirse en una mercancía, en una fuente de riqueza, el oficio de curar se convierte en una actividad masculina.

Pero nada de esto ocurrió de manera automática. En Norteamérica, el desposeimiento de las mujeres sanadoras tuvo lugar a lo largo de un siglo de lucha que sufrió los altibajos correspondientes a las profundas transformaciones sociales de la época. Aunque los métodos no fueran la tortura y la ejecución, sino la represión y las calumnias, al final la eficacia fue la misma.

Los principales oponentes de las sanadoras, los hombres que, desde fines del siglo XVII, se vieron atraídos por la posibilidad de ejercer la medicina como carrera lucrativa, no eran precisamente «profesionales» en el sentido europeo y distinguido del término, pero no por ello dejaban de ser exclusivistas. La gran mayoría de tales doctores «regulares», como se llamaban a sí mismos, se habían formado como aprendices con un médico de más edad que, a su vez, se había educado probablemente del mismo modo. Otros habían asistido a dos o tres cursos de conferencias en una escuela de medicina; otros unían el aprendizaje y la formación académica. No existían reglas formales, se podía llegar a ser médico «regular», sobre todo, mediante la aprobación de uno o varios preceptores escogidos entre los médicos «regulares» en ejercicio. Estos formaban una especie de círculo al que las mujeres no podían unirse porque ningún médico estaba dispuesto a aceptar a una mujer como aprendiza y ninguna escuela a admitirla como alumna.

Entre los «regulares» figuraba un pequeño grupo de escogidos que habían culminado su educación con unos cuantos años de estudio en Gran Bretaña y un *grand tour* por el Viejo Continente. En Europa tenían una tentadora visión de la medicina como una profesión establecida, de caballeros, un ideal al que, desde finales del XVIII, aspiraría la medicina norteamericana durante los cien años siguientes. Tal meta se basaba en la triunfante figura del médico británico que, sin ser aún un hombre de ciencia, era indudablemente un caballero. Igual que en el caso de los médicos medievales que le habían precedido, su educación clásica no se había visto demasiado mancillada por la formación práctica (aunque había pasado varios años «leyendo» medicina, normalmente en latín); sólo se mezclaba con la mejor gente, y no ejercía ninguna tarea indigna de su rango [13], como podían ser la cirugía o la confección de medicamentos. Para subrayar su categoría de caballeros, los médicos londinenses llevaban enormes pelucas y bastones con puños de oro, y «a menudo caminaban de una manera ridículamente pomposa y hablaban con absurda solemnidad» [14].

Todo ello causó una terrible impresión a estudiantes americanos como el joven Benjamin Rush, que descubrió que, en calidad de licenciado en medicina, tenía acceso a la crema de la sociedad en los salones parisinos y londinenses [15]. Hombres como Rush (que posteriormente se distinguió como médico en el ejército revolucionario) y su contemporáneo algo mayor, John Morgan, intentaron trasplantar el refinamiento de ese modelo profesional a Filadelfia. Exigieron que en su país se adoptara el sistema británico y se diera más categoría a los médicos que a cirujanos y boticarios; Morgan confiaba en poder reservar dicho título para hombres que tuvieran una educación clásica completa antes de emprender su formación en medicina. La idea era que el médico «se elevara por encima de los sórdidos juicios de las mentes vulgares» [16].

Pero como centro de la medicina profesional seguía habiendo un aterrador vacío teórico. Los médicos culpaban al aire y el agua de atraer las enfermedades, y los hombres vivían en el temor de mojarse o verse sorprendidos por una brisa que les hiciera «coger frío». Por consiguiente, se consideraba que bañarse era una actividad peligrosa, y las casas estaban cerradas y sin ventilar, llenas de pesados cortinajes que mantenían fuera el sol y el aire, mientras las mujeres se protegían con velos y parasoles. Los médicos consideraban que el agua, el aire y la luz eran especialmente dañinos en caso de enfermedad, hasta el punto de no dejar agua potable al alcance de los enfermos.

Ni siquiera la más completa formación médica en Gran Bretaña o Francia podía transmitir a un médico norteamericano algo que fuese útil o, por lo menos, acertado. Se sabía, por ejemplo, que la sangre circulaba, pero no se sabía cómo ni por qué [17]. La teoría médica seguía estando compuesta, en gran medida, por intentos de clasificar todas las enfermedades conocidas —de acuerdo con sus síntomas— para descubrir «la enfermedad» que subyacía bajo todos los males humanos. Rush, en una época en la que se habían identificado alrededor de dos mil enfermedades, fue capaz de anunciar en una conferencia:

> He afirmado anteriormente que no había más que una fiebre en el mundo. No se sorprendan, caballeros, síganme y declararé que hay una sola enfermedad en el mundo. La causa próxima de la enfermedad es una actividad irregular, convulsiva o errónea en el sistema afectado. Esta, caballeros, es una visión concisa de mi teoría de la enfermedad...[18].

Rush, actualmente considerado como el médico más notable de finales del siglo XVIII en Norteamérica, era un hombre cuya imaginación teórica no conocía límites. Una vez observó a un negro cuya piel se había vuelto blanca en el curso de cierta enfermedad. ¡Rush dedujo inmediatamente que todos los negros padecían una enfermedad que les había oscurecido, y que él acababa de ser testigo de una «cura» espontánea!

Las sanadoras no tenían ninguna teoría racional sobre causas de enfermedades ni sobre terapias, pero no presumían tampoco de «haber aprendido en los libros». Lo que poseían ellas era experiencia, una experiencia debatida y revisada durante generaciones. Desde todos los puntos de vista, un paciente tenía muchas más probabilidades de salir bien parado con una sanadora sin estudios que con un costoso médico regular capaz de escribir las recetas en latín. Las sanadoras, que no habían estudiado, al menos sabían lo suficiente para fiarse de la naturaleza:

> La situación existente fue claramente expuesta por E. M'Dowell de Utica, Michigan. «En 1840, vigilada por un conocido alópata [médico regular], me iba consumiendo bajo la fiebre. En un lecho de plumas, con las puertas y ventanas cerradas en un caluroso día estival, yacía asada casi sin pulso ni aliento. Mis amigos estaban alrededor "viéndome morir".
>
> En ese crítico momento llamó una mujer que quería verme. Ordenó que se abrieran de par en par tanto puertas como ventanas, y con una palangana de agua fresca y una toalla empezó a lavarme. A me-

dida que me pasaba la toalla fría, podía sentir cómo me abandonaba la fiebre; en menos de cinco minutos me encontraba a gusto, con pulso y respiración regulares y, aunque estaba débil, pronto sanaría» [19].

Las bebidas de hierbas que la sanadora prescribía ocasionalmente eran suaves, en general, y ella sabía cuándo retrasar y esperar un parto difícil o una fiebre obstinada. Como conocía a sus pacientes, que eran sus vecinos, conocía también las desilusiones, las angustias y la sobrecarga de trabajo que podían parecer una enfermedad o provocarla. Si no siempre podía curar, tampoco podía causar gran daño, y muchas veces *podía* dar alivio. El doctor Douglass, pensando al parecer en ella, observaba pesaroso a mediados del siglo XVIII:

Con frecuencia hay *más peligro* en el médico que en el malestar... pero a veces, a pesar de la *acción* masculina, la Naturaleza extrae lo mejor del doctor y el paciente se recupera [20].

La curación como mercancía

Los peligros de la «acción masculina» no residían tanto en el sexo de sus practicantes como en los aspectos económicos de su situación. Los primeros médicos regulares americanos no eran, en la mayoría de los casos, hombres acomodados como los británicos cuyo modelo habían adoptado. Su supervivencia dependía de su capacidad para convencer a un gran número de personas de que curar era una mercancía y que merecía la pena pagar por ella. Para eso era necesario, primero, que el acto de curar fuera tangible y diferenciado —para que se pudiera ver qué se estaba pagando— y, en segundo lugar, que fuera cuantificable, de modo que se pudiera persuadir a la gente para que pagara diversas cantidades de dinero por diversas «cantidades» de curación.

De ahí parte una contradicción que sigue persiguiendo a la medicina profesional hasta nuestros días, ya que sanar no es algo que pueda sujetarse fácilmente a ese molde. Hoy todos consideramos indudablemente la asistencia médica como una mercancía, algo producido por una «industria», negociado por los sindicatos y pagado por los «consumidores» (cada vez más a menudo, con las mismas tarjetas de crédito que sirven para pagar billetes de avión, comidas en restaurantes o zapatos); pero ese tipo de asistencia médica está muy lejos de la antigua noción global de curación. *Sanar* no puede ser algo diferenciado ni tangible; incluye demasiados detalles de amabilidad y de aliento, demasiados datos acumulados sobre el miedo y la entereza de cada paciente (lo que hoy se trivializa como «estilo de médico de cabecera»). No se puede cuantificar: la comadrona no cuenta el número de veces que ha enjugado la frente de la parturienta o le ha apretado la mano. Y, sobre todo, no se puede arrancar ni apartar de la red de relaciones humanas que se teje entre la sanadora y aquellos a quienes ayuda.

De modo que el problema al que se enfrentaban los primeros médicos formales (lo que podríamos denominar el defecto congénito de la medicina comercial) no consistía sólo en convencer a la gente de que tenían algo beneficioso en venta, sino incluso de que tenían algo que vender. John Morgan lo descubrió al hacer campaña para llevar la distinción británica entre médicos y boticarios a la América colonial. Intentó convencer a sus pacientes de que pagaran sus servicios aparte de los medicamentos que recetaba (en aquella época era costumbre hacer una sola factura para ambas cosas). Pero los pacientes se negaron: una cosa eran las drogas, pero ¿qué eran sus «servicios»? ¿Por qué había que pagar por los consejos o las visitas de un hombre que de todas formas tenía el deber de preocuparse por uno? Incapaz de venderse a sí mismo, Morgan tuvo que conformarse con vender las medicinas.

La solución que los médicos regulares de finales del XVIII hallaron a este dilema fue un sistema terapéutico que llegó a conocerse como medicina «heroica», por las drásticas medidas que empleaba el doctor (aunque igualmente habría podido ser por el heroísmo que se exigía a los pacientes). Se trataba de producir en el paciente el efecto más fuerte posible, del tipo que fuera, como si el médico compitiera con la enfermedad para ver cuál de los dos —la enfermedad o el médico— podía producir los síntomas más violentos. De ese modo no cabía duda de que el médico estaba haciendo algo: algo visible, tangible y más o menos mensurable.

Por desgracia para la salud de la joven república, este enfoque heroico contenía una tendencia inherente hacia el homicidio. Puesto que había que probar que el tratamiento podía más que la enfermedad, parecía que, cuanto más arriesgado fuera un tratamiento o medicina, más poderoso era como remedio, a juicio de muchos médicos. Por ejemplo, las ampollas (provocadas por emplastos de mostaza, etc.) eran un tratamiento común para muchas enfermedades. En un documento de 1847 un médico observaba que el exceso de ampollas tenía muchas veces efectos desastrosos en los niños y que en ocasiones causaba convulsiones, gangrena o incluso la muerte. Su conclusión era que ¡las ampollas «debían ocupar una posición fundamental» en el tratamiento de las enfermedades infantiles! [21].

Los remedios más corrientes usados por los profesionales eran las sangrías y las purgas, que consistían en «limpiar» mediante vómitos, laxantes y enemas. Las sangrías, que muchos médicos siguieron defendiendo hasta bien entrado el siglo XX, se usaban para cualquier mal posible, incluyendo las heridas de accidentes, la malaria, las fiebres puerperales, las molestias del embarazo y la anemia. Y no consistía en pinchar un dedo. Muchos médicos de principios del siglo XIX sangraban al paciente hasta que, o bien se desmayaba, o cesaba su pulso. Durante la gran epidemia de fiebre amarilla de 1793, el doctor Rush logró excesos dignos de Transilvania. De acuerdo con su biógrafo,

> Hacia el final de la epidemia Rush extraía entre setenta y ochenta onzas de un paciente en cinco días, y en algunos casos mucho más. Mr. Gribble, un fabricante de sidra de Front Street, perdió 100 onzas en diez sangrados; Mr. George, un carretero, perdió la misma cantidad en cinco días; y Mr. Peter Mierken, 114 onzas en cinco días [22] *.

El historiador Rothstein cita la siguiente anécdota:

> Recuerdo que un caballo me dio una coz cuando el doctor Colby pasaba por delante de casa. No resulté demasiado herido, pero mi madre llamó al doctor y él procedió inmediatamente a sangrarme, supongo que como medida de tipo general. Había visto muchas veces cómo sangraban a mi madre. El médico lo hacía siempre con ella sentada en la cama y, cuando ella se desmayaba y caía en el lecho, él aflojaba las

* 1 onza equivale a 28 gramos. *(N. de la T.)*

vendas. El doctor hizo que me sentara en la cama y, en cuanto salió una pequeña cantidad de sangre, cerré los ojos y caí. Recuerdo que le aseguró a mi madre que nunca había visto a nadie reaccionar con tanta rapidez al sangrado. Esa fue la única ocasión en la que me lo hicieron [23].

Las purgas laxantes solían efectuarse mediante la administración de calomel, una sal de mercurio. Como ocurría con la sangría, el calomel se consideraba un remedio para todo, algo que ningún doctor concienzudo debía omitir, fuese cual fuese el problema del paciente. Se usaba en grandes dosis para males agudos como las fiebres y en pequeñas dosis diarias para enfermedades crónicas; se usaba para la diarrea, para los dolores de dentición, para todo. No obstante, era venenoso, probablemente tan venenoso como los «tónicos» de arsénico, entonces tan de moda. Su uso durante largo tiempo hacía que las encías y dientes e incluso, finalmente, la lengua y la mandíbula, se erosionaran y se desprendieran. De acuerdo con Rothstein, los doctores conocían estos efectos secundarios, pero ese conocimiento no les inhibía. Durante una epidemia de cólera en San Luis, los médicos circulaban con el calomel suelto en sus bolsillos y lo dosificaban simplemente con cucharillas de té [24].

Es imposible calcular el daño causado por los médicos regulares de finales del XVIII y principios del XIX. William Cobbett, que asistió como testigo al ascenso de la medicina heroica encabezada por Rush, describió la nueva terapéutica como «uno de esos grandes descubrimientos que se hacen, de vez en cuando, para despoblar la tierra» [25]. Pero la medicina heroica sí cumplió una misión: dio a los médicos regulares algo que hacer, algo dinámico, masculino y más vendible de forma inmediata que los tés de hierbas y la simpatía que desplegaban las sanadoras rurales. Algunos de los médicos regulares adquirieron una posición considerable y llegaron, como Rush, a codearse con políticos, comerciantes y terratenientes. El sueño patricio —que el oficio de sanar quedara limitado a los profesionales y que éstos, a su vez, no pudieran ser más que «caballeros»— brilló con fuerza en las primeras décadas del nuevo siglo. Entre 1800 y 1820, las fuerzas organizadas de la medicina regular pudieron obligar a diecisiete estados a aprobar leyes sobre la concesión de títulos que restringían la práctica de la medicina. En la mayoría de los casos, las sociedades médicas regulares, tanto locales como estatales, obtuvieron el poder de conceder licencias; en diez estados, el ejercicio no autorizado de la medicina pasó a ser castigado con multas o con prisión [26].

Fue un avance prematuro por parte de los médicos regulares. No había un respaldo muy extendido a la idea de la profesionalidad de los doctores, y menos aún al grupo concreto de sanadores que la reclamaban. Además, no había forma de obligar a la aplicación de las nuevas leyes sobre la concesión de títulos: no se podía impedir, sólo por decreto, que ejercieran las ubicuas curanderas. Y, lo que fue aún peor para los «regulares», tan temprano intento de acaparar el monopolio de la medicina inspiró un movimiento radical de salud cuyo fin era, no sólo acabar con el ideal patricio, sino arrebatar el oficio de curar al mercado.

EL MOVIMIENTO DE SALUD POPULAR

Ya fuera por respeto hacia la supuesta educación del médico regular o hacia su sexo, a principios del siglo XIX miles de americanos corrientes habían estado expuestos alguna vez a la medicina formal (heroica). En la década de 1830, las cosas habían ido tan lejos que, según se aseguraba, el calomel había sustituido a la mantequilla en el pan de las familias de colonos [27]. Era inevitable algún tipo de reacción pública ante los riesgos —y las pretensiones— de la medicina regular. En el siglo XX, probablemente, esa reacción habría consistido en presiones de las organizaciones de consumidores, a través de conductos conocidos, para obtener una normativa más rígida, un «control de calidad», etc. Pero a comienzos del siglo XIX no había conductos que contuvieran la reacción. El asalto a la medicina regular se convirtió en un masivo movimiento contra la profesionalización de los médicos y contra cualquier forma de experto: el «Movimiento de salud popular».

Pequeños granjeros y tenderos, artesanos independientes y, en cualquier caso, sus laboriosas mujeres, fueron los componentes del Movimiento de salud popular. Era gente con una tradición de autosuficiencia e independencia que se remontaba a las primeras granjas llenas de escollos en la colonia de Plymouth. Para garantizar esa tradición, sus padres y abuelos habían luchado en una guerra revolucionaria. Pero ahora, a principios del siglo XVIII, las fuerzas del mercado estaban reduciendo a ciudadanos libres a una situación de dependencia, a veces incluso de servidumbre. En las ciudades, el sistema de fábricas estaba acabando con los artesanos y reduciéndolos a una condición de meros «esclavos asalariados». Mientras tanto, las depresiones y las manipulaciones financieras de los bancos demostraban a los pequeños campesinos y comerciantes que trabajar duro ya no bastaba como garantía contra la ruina. En todas partes se agudizaban las divisiones sociales. La clase alta urbana se pavoneaba con la última moda de Londres, como si nunca hubiera habido una guerra de independencia. Los ideales de «libertad, igualdad y fraternidad» seguían en el aire, pero ese aire estaba ahora contaminado por los olores desconocidos del humo de las fábricas y los perfumes extranjeros.

De estos cambios y transformaciones surgieron los dos movimientos —el «movimiento de trabajadores», formado por pequeños campesinos, artesanos y obreros de las primeras fábricas, y el movimiento de mujeres— que convergieron en el Movimiento de salud popular de la década de 1830. Esos movimientos eran tan americanos como Davy Crockett o Betsy Ross, pero al mismo tiempo eran profundamente subversivos. Sin la ayuda de Karl Marx (que entonces no tenía más que unos doce años), el movimiento de trabajadores llegó a la conclusión de que todos sus problemas tenían origen en el sistema capitalista. La sociedad, de acuerdo con su análisis, estaba dividida en una clase trabajadora, que producía toda la riqueza real, y la clase alta «parásita» que vivía a costa del trabajo de otros. Esta última clase, la clase adinerada, era la que parecía controlar los tribunales, las legislaturas y otras instituciones de la sociedad; y eso, para aquellos primeros radicales norteamericanos, era cuando menos una violación de los principios de la Declaración de Independencia. «Lo que distingue ésta de todas las luchas que ha emprendido la raza humana —declaraba Fanny Wright, dirigente de los trabajadores y de las mujeres— es que la actual es, clara, abierta y reconocidamente, una guerra de clases, y que esta guerra es universal...» [28].

Era sencillo imaginar de qué lado iban a estar los médicos regulares en la guerra de clases que se avecinaba. Las afirmaciones que hacían sobre su superioridad en materia de educación molestaban especialmente a los miembros de la clase trabajadora. Los hombres que trabajaban jornadas de catorce horas se quejaban de que no les quedaba tiempo para leer ni discutir, ni dinero para educar a sus hijos. La ausencia de escuelas públicas gratuitas significaba que los hijos de obreros crecían semianalfabetos, preparados exclusivamente para el trabajo manual, mientras que los hijos de la clase acomodada disfrutaban de la educación clásica que permitía ejercer profesiones de caballeros. Los miembros de las agrupaciones de trabajadores percibían el nacimiento de una aristocracia al estilo europeo, compuesta por los grandes propietarios y los «pensadores improductivos». Con igual fervor denunciaban «el oficio de rey, el oficio de sacerdote, el oficio de abogado y el oficio de médico».

El movimiento de mujeres (y nos referimos a algo más amplio que el movimiento sufragista, ya que el sufragio no se convirtió en la cuestión central del feminismo hasta mediados de siglo) llegó al problema de la medicina desde una perspectiva diferente. Con la creciente importancia del mercado, las mujeres empezaron a encontrarse en un mundo monosexual apartado del de los hombres, y frecuentemente confinadas al hogar y la iglesia. Incluso las mujeres que trabajaban se encontraron en gran parte segregadas en un mundo solo para ellas, como el de las primeras ciudades fabriles de Nueva Inglaterra. Al verse solas, las mujeres activistas de principios del siglo XIX se apoyaron, unas y otras, en su energía e inspiración para organizar cientos de instituciones benéficas, instituciones de caridad y grupos de asistencia mutua. Esta «febril congregación de mujeres en grupos extrafamiliares», como la define la historiadora Mary Ryan, puso las bases del posterior nacimiento del movimiento sufragista y abolicionista [29].

Dentro de la subcultura femenina en desarrollo, las mujeres descubrieron de forma inevitable su común aversión a la medicina heroica y empezaron a buscar alternativas. Elizabeth Cady Stanton, por ejemplo, narra en su autobiografía un encuentro temprano con la medicina masculina que fortaleció su conciencia feminista. Su niño de cuatro días de edad (tuvo siete hijos) tenía una clavícula dislocada.

El médico, con la intención de hacer presión sobre el hombro, enrolló una venda alrededor de la muñeca. «Déjelo así —ordenó— diez días,

> y todo pasará.» Nada más irse él, me di cuenta de que el niño tenía la mano azul, lo que demostraba que la circulación estaba cortada [30].

Stanton quitó la venda y probó con un segundo doctor, que vendó también al niño de un modo ligeramente distinto. Cuando éste se fue, ella se dio cuenta de que el niño tenía los dedos morados, así que le arrancó el vendaje y se sentó a pensar su propia forma de vendar la clavícula.

> Al cabo de diez días, los dos sucesores de Esculapio aparecieron, hicieron un examen y dijeron que todo iba bien, de modo que les conté el mal resultado de sus vendajes y lo que había hecho. Se sonrieron y uno de ellos declaró: «Bueno, después de todo, el instinto de madre es mejor que el raciocinio de un hombre.» «Gracias, caballeros, pero el instinto no tuvo nada que ver. Pensé bastante hasta dar con la forma de ejercer presión sobre el hombro sin impedir la circulación como ustedes habían hecho.»
>
> ... Después de esto no confié ni en los hombres ni en los libros para nada relacionado con el cielo ni con la tierra, sino que seguí empleando mi «instinto de madre», si es que «razón» es un término demasiado digno para aplicarlo a los pensamientos de una mujer... [31].

De intercambiar historias de horrores médicos, los círculos de mujeres pasaron a intercambiar remedios caseros y de ahí a buscar formas más sistemáticas de construcción de sus conocimientos y habilidades. Hubo «Sociedades fisiológicas de damas» en las que las mujeres se reunían en la intimidad para estudiar la anatomía y el funcionamiento del cuerpo femenino, algo semejante a los cursos de conocimiento del propio cuerpo que hoy ofrecen los movimientos de mujeres. Hubo conocidas conferenciantes, como Mrs. A. Nicholson, que daban lecciones de higiene femenina. Masas de mujeres, muchos de cuyos maridos participaban en las agrupaciones de trabajadores, se vieron atraídas por estas nacientes actividades de salud feminista en un tiempo en el que la exigencia del sufragio femenino estaba aún muy poco extendida. En esa etapa de la historia, según el historiador de la medicina Richard Shryock, los movimientos de salud y los feministas fueron «indistinguibles» [32].

El feminismo, la lucha de clases y el fermento social general de la década de 1820 a 1830 se unieron en una figura, Fanny Wright. Fue una importante dirigente intelectual del movimiento de trabajadores; fue también mujer y feminista. Su concepción revolucionaria era despiadada y, sorprendentemente para la época, racionalista: no sólo había que derrocar a las «clases parásitas», sino que había que abolir la familia para liberar a los seres humanos. La crianza de los hijos debía ser arrebatada a la familia y colectivizada, con el fin de que todos los niños recibieran la mejor educación posible desde la infancia. El sexo debía ser liberado de las garras inhibidoras de la dependencia económica y familiar, para dejar paso al amor libre. Para los periódicos conservadores era «la gran ramera roja», tanto por su no disimulada relación con el socialista Robert Owen como por sus ideas políticas. Sin embargo, de acuerdo con el historiador Arthur Schlesinger, «sus seguidores la adoraban. Mecánicos y obreros de manos rudas llenaban las salas cuando daba conferencias y estudiaban copias del *Free Enquirer* [el periódico que ella editaba] bajo luz vacilante hasta altas horas de la noche» [33]. Cinco años antes de que las hermanas Grimke se burlaran del dominio patriarcal y hablaran de su abolición, Fanny Wright emocionaba a la audiencia con las noticias del inminente cataclismo:

> ... El sacerdote tiembla por su oficio, el rico por sus tesoros, el político por su influencia... Del pueblo, ¡ay! del pueblo se alza el murmullo y la agitación de la inteligencia, la curiosidad y la preparación que se despiertan [34].

Fanny Wright ayudó a centrar el movimiento de trabajadores en el tema de la educación y el dominio del conocimiento. El problema, a su juicio, no era sólo que la educación fuera más asequible sino liberarla de los prejuicios de clase. Lo que los norteamericanos tenían entonces era «un sistema educativo falso, robado a la Europa aristocrática» [35]. Para que la clase obrera lograra sus objetivos iba a necesitar la creación de un nuevo tipo de educación, una nueva *cultura* que le fuera propia, que no fuera puesta a disposición del pueblo por «aristócratas profesionales». A modo de ejemplo, Fanny Wright creó un «Aula de ciencia» para el pueblo en el distrito de Bowery, en Nueva York, que ofrecía, entre otros muchos servicios, instrucción pública en materia de fisiología [36].

Mientras Fanny Wright incitaba a la gente a pensar por sí misma, y mientras las protestas contra las injusticias de clase y de sexo iban subiendo de volumen en los salones, las fábricas y los lugares públicos, un pobre granjero de New Hampshire reunía las piezas del método curativo que se convertiría en la base esencial de la alternativa obrera y feminista a la medicina regular. Samuel Thomson había visto sufrir a su mujer y morir a su madre a manos de los médicos. Indignado por los efectos violentos de la medicina regular, empezó a reconstruir la medicina tradicional que, de niño, había aprendido de una sanadora y comadrona llamada Mrs. Benton:

> Todo su trabajo se basaba en raíces y hierbas, aplicadas al paciente o mezcladas en bebidas calientes para producir una transpiración que siempre respondía a lo que se buscaba... Debido a la atención que prestaba a la familia y a los beneficios que obteníamos de su habilidad, nos encariñamos mucho con ella; y cuando salía a recoger raíces y hierbas me llevaba consigo y me enseñaba sus nombres, diciendo para qué era buena cada una... [37].

El método de Thomson no era mucho más que una sistematización de la combinación de hierbas y vapor hecha por Mrs. Benton, que a su vez se derivaba de la sabiduría curativa de los nativos americanos. Pero tuvo un gran éxito entre la gente que Thomson visitaba, quizá porque, para entonces, mucha gente había tenido ya roces con la medicina regular. Thomson podría haberse establecido entonces y haberse convertido en un sanador local muy respetado, pero su filosofía médica implicaba mucho más que una serie de técnicas. Su objetivo era apartar el oficio de curar del mercado y democratizarlo por completo; todo el mundo debería ser su propio médico. Con tal fin, decidió difundir su método entre el pueblo americano de la forma más amplia posible. En 1822 publicó por primera vez su *New Guide to Health*, que recogía todo el método y que para 1839 había vendido 100.000 ejemplares [38], y en las décadas que siguieron creó cientos de «Sociedades de amigos de la botánica» en las que la gente se reunía para compartir informaciones y estudiar el método thomsoniano.

En su mejor momento, el movimiento thomsoniano aseguraba tener cuatro millones de miembros, de una población total de 17 millones en Estados Unidos [39]. El movimiento tenía su máxima fuerza entre los granjeros del Medio Oeste y el Sur (el gobernador de Mississippi declaró en 1835 que la mitad de la población del estado era thomsoniana) [40] y entre la clase obrera de las ciudades. Se publicaban cinco diarios thomsonianos, y, en una época en la que casi nadie viajaba mucho más allá de la ciudad vecina, las Sociedades de amigos de la botánica atraían a gran número de participantes a sus conferencias nacionales una vez al año. Aunque hacia 1830 surgieron otros métodos de salud como el de Sylvester Graham, que se basaba en el cereal integral, ninguno rivalizó en popularidad con el de Thomson. El thomsonismo fue, desde todos los puntos de vista, el germen del Movimiento de salud popular.

El thomsonismo se interesaba, al menos al principio, por muchos asuntos además de la salud. Los periódicos thomsonianos incluían debates sobre los derechos de la mujer y ataques contra afrentas a la salud femenina tales como los lazos apretados y la obstetricia «heroica». El propio Thomson desaprobaba enormemente el ejercicio regular de la obstetricia por hombres. Los doctores, a su juicio, tenían menos experiencia que las comadronas (en esa época, la mayoría de los médicos obtenían sus títulos sin haber presenciado un parto) y eran demasiado aficionados a apresurar las cosas con los fórceps, una costumbre que muchas veces producía niños aplastados o deformes. Las mujeres eran sanadoras «naturales», según los thomsonianos. John Thomson (hijo de Samuel) escribía:

> No podemos negar que las mujeres poseen capacidades superiores para la ciencia médica y, si bien los hombres deberían reservarse el derecho exclusivo de arreglar miembros rotos y cráneos fracturados, así como de recetar cualquier tipo de remedio para su propio sexo, tendrían que ceder a las mujeres la función de asistir a las mujeres [41].

Las mujeres se sintieron atraídas por el thomsonismo en número suficiente como para que los médicos regulares aseguraran que el éxito del movimiento se debía totalmente a la credulidad del sexo femenino. En él, las mujeres fueron capaces de encontrar un método digno y cercano para cuidar de sí mismas, además del reconocimiento público de su papel tradicional como sanadoras de sus familiares y amigos.

El thomsonismo se identificó con el movimiento de trabajadores hasta el punto de que un historiador pudo escribir, desde una perspectiva negativa, que «... apelaba a los prejuicios y a la conciencia de clase de una forma que resultaba inaceptable para muchos americanos» [42]. Igual que la filosofía del movimiento de trabajadores, la literatura thomsoniana atacaba a las clases parásitas e improductivas y glorificaba el trabajo manual. Las universidades que formaban a los expertos de diversos tipos no merecían más que desprecio:

> Ellos [los estudiantes universitarios] aprenden a mirar el trabajo como servil y degradante, y buscan su modo de vida en lo que consideran las clases superiores de la sociedad [43].

En el clima radical de 1830 crecieron otros métodos de salud que también se oponían a la práctica regular. Sylvester Graham (al que hoy sólo se recuerda, ignominiosamente, por haber dado nombre a unas galletas integrales) fundó un movimiento para la «reforma fisiológica» —el movimiento Higienista— que rechazaba incluso los remedios botánicos de los thomsonianos, junto a las drogas de cualquier tipo. Graham proponía una dieta vegetariana llena de frutos y hortalizas crudas, panes y cereales integrales (ideas de largo alcance en su día, cuando la profesión médica solía advertir que los alimentos no cocinados eran dañinos y el pan blanco se consideraba un índice de categoría social). El movimiento grahamiano fue popular e influyente. Se abrieron restaurantes, pensiones y «tiendas de alimentación sana» según el método de Graham; se creó una mesa grahamiana en la utópica Brook Farm y en Oberlin College.

Los grahamianos eran tan radicales como los thomsonianos y para ellos los hábitos naturales de vida equivalían a la libertad y la abolición de las clases. Un dirigente posterior del movimiento higienista, el doctor Herbert Shelton, expresó su visión de un mundo en el que la gente no sometiera su autonomía a los expertos:

> Cualquier sistema que, por sí solo, cree una clase privilegiada que, por ley o de otra forma, pueda dominar a sus congéneres, destruye la verdadera libertad y la autonomía individual. Cualquier sistema que enseñe a los enfermos que sólo podrán curarse mediante la práctica de un oficio por parte de otra persona, y que sólo permanecerán vivos

gracias a la misericordia de la clase privilegiada, no tiene hueco en el esquema de la naturaleza y, cuanto antes quede abolido, mejor será la humanidad [44].

Tanto thomsonianos como grahamianos se indignaron ante el intento de los regulares de obtener el monopolio de las curaciones; el monopolio de la medicina, como de cualquier otra área de esfuerzos humanos, era antidemocrático y opresivo para la gente corriente. Todo esto encajaba exactamente en las afirmaciones del movimiento de trabajadores; en realidad, el thomsonismo no fue, al principio, más que el aspecto sanitario de un movimiento más general. Los activistas de la clase obrera se unieron al ataque thomsoniano contra las leyes sobre autorización de la medicina. En Nueva York, cuyas leyes señalaban las mayores penas contra la medicina irregular, la batalla legislativa fue encabezada por Job Haskell, del Partido de los Trabajadores.

Fue una terrible derrota para los médicos regulares, algo que los historiadores contemporáneos de la medicina prefieren olvidar a menudo. Estado tras estado, las fuerzas del Movimiento de salud popular vencieron a los «monopolistas de la medicina». Hacia 1830, todos los estados que poseían leyes restrictivas las suavizaron o abolieron. Algunos, como Alabama y Delaware, cambiaron simplemente sus leyes con el fin de que los thomsonianos y otros tipos de sanadores populares quedaran excluidos de la persecución [45]. Fue una gran victoria para la «medicina del pueblo». Al menos uno de los principios del movimiento —el antimonopolismo— había llegado a buen puerto.

Pero al mismo tiempo, irónicamente, la vida se estaba apartando del Movimiento de salud popular. Hacia 1840, el movimiento thomsoniano empezó a convertirse en un culto. Una importante facción del thomsonismo comenzó a anhelar la respetabilidad y algo muy parecido a la profesionalidad, aunque esto significaba volver del revés los dogmas originales del movimiento. Para que el thomsonismo encajara con las ambiciones personales de estos sanadores en busca de ascenso, iba a tener que romper con la vieja filosofía del «hágalo usted mismo» y con la serie de causas radicales que habían ido asociadas a los inicios del movimiento.

Así Alva Curtis, un sanador thomsoniano de Virginia, denunció públicamente a algunos compañeros que estaban implicados en una insurrección de esclavos en Mississippi, en 1835:

> Mucho nos tememos que una serie de prácticantes de la botánica en Mississippi han sido llevados por su ciega fatuidad a embarcarse, con otros ciudadanos errados, en un plan loco y desquiciado que no sólo ha atraído la venganza de una comunidad exasperada sobre sus cabezas, sino que, con justicia, cubrirá sus nombres y su memoria de escarnio e infamia [46].

A continuación, los futuros profesionales dentro del movimiento maniobraron para arrebatar el thomsonismo de manos de las masas y concentrarlo en unos cuantos sanadores autorizados. En 1835, John Thomson (hijo de Samuel) fundó la Sociedad Médica Thomsoniana de Nueva York basándose en dos grados de pertenencia: uno para los legos y otro para los practicantes autorizados por la sociedad. Alva Curtis fue más allá: en la convención anual de los thomsonianos en 1838 se separó con el fin de crear la Sociedad Botánica Thomsoniana independiente para practicantes del thomsonismo con aspiraciones profesionales. Cuando Curtis fundó la primera escuela médica thomsoniana (El Instituto Literario y Botánico-Médico de Ohio), el viejo Samuel Thomson farfulló:

> Habíamos oído muchas cosas acerca del doctor Curtis y su escuela... pero nunca pensamos que su intención fuera convertir el arte de sanar en un monopolio odioso e imitar a la profesión médica regular concediendo diplomas en un pergamino [47].

Thomson protestó enérgicamente por que sus descubrimientos estuvieran «siendo sustraídos al pueblo en general y, como todos los demás oficios, siendo monopolizados por unos cuantos individuos eruditos». Pero la tendencia era irresistible. Brotaban constantemente colegios de medicina botánica post-thomsoniana; grupos que habían hecho campaña contra las leyes sobre la concesión de títulos exigían ahora acreditaciones para sus propias escuelas.

El Movimiento de salud popular había avanzado siempre apoyándose en una corriente mucho más profunda de malestar social.

Ahora esa corriente se había calmado o había tomado otras direcciones. El feminismo, a medida que se fue convirtiendo en una fuerza más organizada y articulada, se alejó de la salud y de los «problemas del cuerpo» y se concentró en la lucha por los derechos de la mujer dentro del mundo público controlado por los hombres. A mitad de la década de 1830, el movimiento de trabajadores no representaba ya un empuje diferenciado en la política norteamericana. Su análisis radical acabó disolviéndose en el Partido Demócrata de Andrew Jackson, y no en una revolución socialista *. Sin el impulso de un componente de masas, los thomsonianos sucumbieron con facilidad a las mismas fuerzas a las que habían desafiado en un principio. Los que antes habían denunciado la conversión de las curaciones en una mercancía, intentaban ahora presentar su propia alternativa como otro nuevo artículo. Si una vez habían denunciado el elitismo de los médicos, ahora buscaban una exclusividad aristocrática para ellos solos.

El Movimiento higienista también se eclipsó. Sus principios eran incompatibles con el éxito comercial. El doctor Russell Trall, un médico regular que se había pasado a las curaciones sin medicamentos y que había sistematizado los principios grahamianos en una escuela, había afirmado:

> No podemos practicar nuestro método sin educar a la gente en sus principios. Tan pronto como los comprenden se encuentran capaces de desenvolverse, excepto en unos cuantos casos extraordinarios, sin nuestra ayuda. No sólo eso, sino que nuestros clientes aprenden, con nuestros ejemplos, enseñanzas y prescripciones, a vivir de un modo que evite, en gran medida, cualquier tipo de enfermedad. Cuando os convirtáis en médicos, deberéis enseñar constantemente a la gente a arreglárselas sin vosotros [48].

* El historiador del trabajo Philip Foner explica este acontecimiento por lo reducido de la clase a la que representaba el movimiento de trabajadores; eran la «vieja» clase obrera, compuesta por artesanos libres y cualificados, y no por el nuevo proletariado industrial procedente del sur y el este de Europa. En comparación con éstos, los adherentes al movimiento de trabajadores eran una élite. En las décadas siguientes, los hijos de los artesanos tendrían cada vez más ocasión de educarse de una u otra forma, e incluso acabarían abriéndose paso, irónicamente, en las filas cada vez más amplias de la profesión médica regular.

La ética comercial y profesional del movimiento higienista había conducido, por tanto, a la petición de que no hubiera comercio ni profesión. Algunos higienistas abrieron escuelas que ofrecían un título de «Doctor en Medicina» y empezaron a definirse a sí mismos como «médicos» y practicantes de la «medicina higiénica». Pero estos débiles intentos de imitar a la profesión médica tuvieron escasa vida y posteriormente fueron lamentados dentro del propio movimiento como «un error muy desafortunado».

Mientras tanto, la medicina regular «adoptó la suficiente higiene para salvarse» [49]. El movimiento higienista asegura haber sido el causante de los avances que se incorporaron a la práctica habitual:

> La gente aprendió a bañarse, a comer más frutas y hortalizas, a ventilar sus casas, a hacer ejercicio diariamente, a aprovechar los beneficios de la luz solar, a olvidar su miedo al aire de la noche, el aire húmedo, el aire frío y las corrientes, a comer menos carne y a adoptar mejores métodos de preparación de los alimentos.
>
> Ahora se ha olvidado quien promulgó estas reformas; se ha perdido la noticia de la tremenda oposición que la profesión médica mantuvo frente a tales avances; se cree que la profesión médica fue la responsable de la disminución de enfermedades y muertes, el descenso de la mortalidad infantil, la implantación de medidas sanitarias y el aumento de la esperanza de vida [50].

Las médicas entran en competencia

Los ataques del Movimiento de salud popular dejaron a los médicos regulares —que aún aspiraban a ser *la* profesión médica— tan debilitados como si se hubieran visto obligados a sufrir sus propios tratamientos heroicos. Pero aún faltaba lo peor. Entre 1840 y 1870, la bandera de la profesionalidad, ya hecha jirones por los ataques populistas, cayó en el fango de la competencia comercial. El intento de los regulares de mantener el monopolio se convirtió en una operación defensiva.

Primero estuvo el problema de la competencia «irregular». Donde antes había habido un movimiento de salud, ahora se encontraba un grupo de sectas médicas organizadas —eclécticos, botánicos, homeópatas, hidrópatas—, cada una con sus escuelas, diarios y afirmaciones de superioridad científica. Los sanadores de formación botánica y los eclécticos (así llamados porque pretendían combinar lo mejor de la medicina regular y del enfoque thomsoniano) heredaron la fidelidad de la que había gozado el thomsonismo entre los pequeños granjeros y la clase obrera urbana. Otra amenaza contra los regulares, aún peor, fue la homeopatía: en primer lugar, porque se popularizó entre los consumidores de clase alta, en unos días en los que todavía no existían Medicaid ni Medicare * y los médicos gustaban de considerar tímidamente sus ganancias como «honorarios» que se les pagaban por gratitud, con lo que el consumidor de clase alta era el que contaba en la lucha por la supervivencia laboral. La segunda característica competitiva de la homeopatía era que no causaba daño a la gente. (Las prácticas de curación botánica del Movimiento de salud popular también eran inocuas, pero eran inaceptables para los consumidores de clase alta debido a sus implicaciones de tipo radical.)

La terapia homeopática era, en cierto sentido, el reverso de la terapia heroica. Mientras que el médico regular aumentaba con osadía las dosis y mezclaba medicamentos para producir el máximo ataque posible a la fisiología humana, la máxima del homeópata era: cuanto menos, mejor. El médico homeópata empezaba por diluir la medicina de base (normalmente algún extracto vegetal) hasta 1/100 de su densidad original; la segunda dilución llegaba a 1/10.000 de su poder inicial; la tercera, a 1/1.000.000. De acuerdo con Hahnemann, el fundador de la homeopatía, había que continuar hasta la *trigésima* dilución [51]. Después se podía administrar al paciente una gota en un terrón de azúcar. Como sabe cualquier estudiante de química, las posibilidades de que esa gota contuviera ni siquiera una molécula del medicamento original serían infinitesimales. Pero los homeópatas aseguraban haber descubierto un nuevo principio físico: que las sustancias ganaban en poder curativo a medida que se diluían.

Desde luego habían descubierto algo muy valioso: cómo obtener una mercancía sin hacer nada. El médico regular se aplicaba febrilmente a dosificar, probar y (cada vez más a medida que avanzaba el

* Sociedades de seguros médicos. *(N. de la T.)*

siglo) cortar a su paciente. Todo ello producía un despliegue de esfuerzos digno de elogio y, en conjunto, comercializable, pero con el riesgo de que el paciente resultara mortalmente herido. Un médico honrado e inteligente podía haber admitido su desamparo en la mayoría de los casos y no haber hecho nada, pero entonces no habría merecido que le pagaran. De modo que los homeópatas consiguieron llegar a un compromiso: empleaban gran cantidad de esfuerzos y de tiempo sin hacer ningún daño. Para el paciente que había conocido la amargura del calomel, los terrones de azúcar empapados del homeópata debieron de ser verdadero bálsamo.

Bastante alejado de las sectas y sus rivalidades, había un problema creciente de competencia en las filas de los propios médicos regulares. Para abrir una escuela de medicina, un grupo de doctores no tenía más que alquilar un edificio, conseguir un esqueleto, un feto en conserva y quizá algún otro elemento de ayuda visual, y después anunciarse al público. Los estudiantes pagaban a los profesores por las clases y tenían prácticamente garantizado el título al cabo de unos dos años, siempre que siguieran realizando sus pagos. Gracias a estas fábricas de títulos en medicina, sobre todo, el número de médicos regulares en Estados Unidos subió de unos cuantos miles en 1800 a más de 40.000 a mitad de siglo [52]. Y, por supuesto, cuanto más dura era la competencia por los clientes de pago, más médicos se sentían tentados por el negocio de reproducir la profesión —enseñar medicina— para complementar sus ingresos. De esa forma se continuaba un ciclo en el que la pobreza y la «superpoblación», como afirmaban los médicos, corrían paralelas a medida que la profesión iba hacia la ruina.

En la segunda mitad del siglo XIX el prestigio de la profesión era tan bajo que los días en que Benjamin Rush había conversado con hombres de estado y tomado té con condesas empezaron a parecer un paraíso perdido. En 1847 los médicos regulares se unieron para formar su primera organización de ámbito nacional, pretenciosamente titulada *la* Asociación Médica Americana [American Medical Association]; una de las primeras tareas de la AMA fue vigilar la competencia entre los 40.000 titulados más una «larga lista de practicantes irregulares que se extienden como langostas por todos los lugares del país». El informe concluía: «No es extraño que la profesión de la medicina haya dejado ostensiblemente de ocupar la elevada posición que antes tenía; no es extraño que hasta la más mísera de las remuneraciones les sea escatimada incluso a los más trabajadores de nosotros» [53].

Los médicos regulares se vieron atrapados en una contradicción que ellos mismos habían creado. La medicina había estado inserta en una red de relaciones familiares y comunitarias. Después había sido desarraigada y transformada en una mercancía que, en principio, cualquiera podía reclamar como mercancía, una vocación que cualquiera podía supuestamente profesar. Mientras la formación médica fuera barata y las tarifas por el ejercicio de la medicina *no* fueran demasiado baratas, no había límites para el número de médicos regulares. Por consiguiente, el ideal patricio del médico aristocrático no podría realizarse nunca. Y, por supuesto, cuanto más se hundieran los médicos en el aspecto comercial y más se multiplicaran en suelo tan fértil —produciendo nuevos médicos por el mero beneficio—, más improbable sería que lograran la categoría y autoridad de sus sueños colectivos. El doctor C. H. Reed, de Toledo, escribía con mordacidad en el *Journal of the American Medical Association* acerca de «un médico al que se encontró llorando porque estaba hambriento» [54].

Gran parte —es imposible decir exactamente qué proporción— de la competencia que hacía llorar a los médicos regulares procedía de *mujeres*. A mitad de siglo no sólo debían rivalizar con sanadoras sin títulos, sino que había una nueva generación de mujeres de clase media que aspiraban a entrar en el mercado como médicos regulares y profesionales. Igual que las mujeres que habían participado anteriormente en el Movimiento de salud popular, estaban impulsadas por un espíritu reformista: se oponían a los excesos de la medicina heroica y —asimismo importante— les indignaba la indecencia implícita de la relación entre el hombre-médico y la mujer-paciente. La drástica separación entre la «esfera de hombres» y la «esfera de las mujeres» había colocado al médico en una situación verdaderamente extraña. ¿Cómo podía una mujer, especialmente una dama, mostrar sus zonas más privadas a su curiosidad y sus miradas? Los médicos solían hablar de pacientes femeninas que preferían morir en tranquila agonía que someterse a los cuidados de un hombre. «Si me hubiera podido tratar una doctora, me habría evitado los peores sufrimientos» [55], confiaba una amiga a la joven doctora Elizabeth Blackwell.

Hacia el medio siglo los horrores privados de las entrevistas médicas entre ambos sexos se habían convertido en una cuestión pública. Samuel Gregory, médico «irregular», afirmó en 1850 que los tocólogos de sexo masculino, con su sola presencia, creaban en sus pacientes la angustia suficiente como para alargar el proceso de parto [56]. El libro de Gregory, *Man-midwifery Exposed and Corrected; or the Employment of Men to attend women in childbirth, shown to be a modern innovation, unnecessary, unnatural and injurious to the physical welfare of the community, and pernicious in its influence on Professional and Public Morality* *, obtuvo un enorme éxito, y en 1852 «varias damas de Filadelfia» se organizaron en torno a su creencia de que «la BIBLIA reconoce y aprueba sólo a las mujeres en el sagrado oficio de partera» [57]. Y Catherine Beecher elevó la acusación de que ocurrían seducciones y abusos sexuales en las prácticas de los médicos aparentemente más bondadosos, honorables y piadosos:

> ... Una terrible característica de estos acontecimientos ha sido el *completo desamparo* de mi sexo, en medio de los actuales sentimientos y costumbres, para poder corregir tales errores, y la impunidad audaz y consciente de la que disfrutan los malhechores a ese respecto. ¿Qué puede hacer una mujer refinada, delicada y sensible cuando se le insulta de ese modo? El tremendo miedo a la *publicidad* cierra sus labios y restringe las amistades... *Cuando mujeres como éstas* han sido ultrajadas así, ¿quién puede estar a salvo? [58].

La popular revista *Godey's Lady's Book* encabezó una amplia campaña en favor de las mujeres médicas:

> ¡Decir que ésta es la esfera adecuada para el hombre, y sólo para él!

---

* [Obstetricia masculina expuesta y corregida: o el empleo de hombres para asistir a las mujeres en el parto, que demuestra ser una innovación moderna, innecesaria, antinatural y dañina para el bienestar físico de la comunidad, además de tener influencia perniciosa sobre la moralidad pública y profesional.] *(N. de la T.)*

Con mucha más lógica y razón podríamos afirmar que es la esfera apropiada para la mujer, y sólo para ella.

Las médicas darán lugar a una nueva era en la historia de las mujeres... Con todos los perdones, sugerimos que, en primer lugar, habrá una sinceridad de la paciente con la facultativa que no podía esperarse cuando existía tal sentido de la delicadeza y la modestia que se prefería sufrir antes que divulgar los síntomas [59].

Dados el compromiso moral y las tensiones que se asociaban con la asistencia médica masculina, el movimiento de mujeres para la formación médica a mediados del siglo XIX adoptó los rasgos de una *cruzada* por la salud femenina, la moralidad y la decencia.

Esa sensación de participar en una cruzada moral es lo que explica la determinación de nuestras primeras médicas. Elizabeth Blackwell, por ejemplo, solicitó el ingreso en más de 16 escuelas antes de encontrar una que la aceptara pero, en palabras suyas, «la idea de obtener un título de doctor fue asumiendo gradualmente el aspecto de una gran batalla moral, y esa lucha moral poseía gran atractivo para mí» [60]. El mismo año que Blackwell obtuvo la admisión, Harriet Hunt era aceptada por el Harvard Medical College, una decisión que hubo que revocar porque los estudiantes amenazaban con amotinarse si asistía. (Harvard había admitido a tres estudiantes negros el año anterior y con eso bastaba, según la mayoría de varones blancos). Sin desanimarse, Hunt buscó su formación médica en una escuela «irregular» *. Gracias a los esfuerzos de mujeres como Blackwell, Hunt, Marie Zakrzewska, Lucy Sewall, Sarah Adamson, Ann Preston, Helen Morton y Mary Putnam Jacobi —por mencionar sólo unas pocas—, hacia 1900 había alrededor de cinco mil mujeres con formación médica en el país [62], 1.500 mujeres estudiando medicina [63] y siete escuelas médicas exclusivamente para mujeres.

Los médicos varones reconocieron que tener mujeres en la profesión representaba una amenaza de proporciones mucho mayores

* Un ejemplo extremo de determinación femenina en la práctica de la medicina en el siglo XIX, procedente de Cuba: Henrietta Faber ejerció la medicina en La Habana durante años, disfrazada de varón. En 1820 cometió el error de «salir a la luz», para casarse con un hombre, y la sentenciaron inmediatamente a diez años de cárcel por haber practicado la medicina [61].

que su número real. La paciente que se consideraba socialmente superior a las sanadoras, pero que sentía aversión por la medicina masculina, acogería naturalmente con agrado a una profesional de su sexo. Ante esta amenaza que se cernía sobre su trabajo, los médicos respondieron con todos los argumentos que se les ocurrieron: ¿Cómo podía, una dama que era demasiado refinada para la asistencia médica masculina, trasladarse de noche por una urgencia médica? ¿O bien operar cuando estuviera indispuesta (por ejemplo, con la menstruación)? Si las mujeres eran demasiado modestas para aceptar la asistencia médica del otro sexo, ¿cómo podían esperar sobrevivir a las realidades de la formación médica, las vulgares revelaciones de la clase de anatomía, las espantosas verdades de la reproducción humana, y otras cosas semejantes? * (Elizabeth Blackwell admitía que al principio la idea de la formación médica le había parecido «desagradable») [64].

La incongruencia de que una dama ejerciera la medicina fue un motivo de inspiración frecuente para los dibujantes. En 1872, una imagen de la revista inglesa *Punch* muestra a una elegante y femenina «Doctora Evangeline» que mira al alto y viril «Mr. Sawyer» (en Gran Bretaña los cirujanos no reciben tratamiento de «doctor»):

> Doctora Evangeline: Por cierto, Mr. Sawyer, ¿tiene algo que hacer mañana por la tarde? Tengo que efectuar una operación bastante delicada, una amputación, sabe usted.
>
> Mr. Sawyer: Me agradará enormemente hacerla por usted.
>
> Doctora Evangeline: ¡Oh, no, no se trata de *eso*! Pero ¿podría venir para administrar el cloroformo en mi lugar? [65]

(La gracia, desde luego, se ha perdido en una época en la que ya

---

* Esta concepción de la incompatibilidad entre las mujeres y la medicina no ha desaparecido entre los ginecólogos norteamericanos actuales. Uno de ellos, entrevistado en enero de 1977 para la revista *Ms.*, explicaba: «Hay que estar bastante loco para dedicarse a esto, porque es un ejercicio difícil y físicamente exigente. Tuve que ser muy obsesivo y compulsivo para conseguirlo. Y este tipo de conducta no parece adecuado para una mujer. Estoy tan seguro de que la tocoginecología es una especialidad masculina, que me cuesta admitir a las mujeres en ella. No me parece que les aporte una imagen muy femenina. No conozco más que una o dos que sean femeninas a la vez que buenas médicas.»

no se huelen sales, no hay cinturas de 40 centímetros ni gentiles desmayos.)

En 1872 el doctor Augustus Gardner, importante ginecólogo norteamericano, resumía la opinión paternalista sobre la ineptitud de las mujeres para la medicina:

> Más particularmente desagradable es la medicina para las mujeres, acostumbradas a las blanduras y al lado suave de la vida. Se las protege con diligencia de la contemplación de los horrores y repugnancias de la vida. Sólo en contadas ocasiones se enfrentan a las luchas, los tumultos, la sangre y el lodo, los malos olores y las malas palabras, los hombres falsos y las mujeres intolerables, y entonces, como parte de los privilegios de su feminidad, están autorizadas, obligadas hasta ahora, a evitarlos mediante una huida que en su caso no es deshonrosa [66].

Había contradicciones en esta argumentación decimonónica y romántica contra la presencia de las mujeres en la medicina. Hasta la más protegida dama victoriana —por no hablar de la madre de clase obrera que luchaba para sacar adelante a su familia en un piso alquilado de una o dos habitaciones— sabía algo de «sangre y lodo». Una mujer se enfrenta necesariamente a la sangre más a menudo que un hombre, si se descuentan los cirujanos y los soldados. Las madres saben mucho más de lodo y malos olores, aunque estén arropadas por criados, que los hombres de negocios o los profesores. El argumento romántico contra las mujeres en la medicina parecía afirmar que incluso la esfera que se suponía debían habitar las mujeres era demasiado dura para ellas, como si las menstruaciones, los partos, las defecaciones, etc., no tuvieran suficiente dignidad para que los experimentara una mujer. Los médicos varones tenían que hacerse cargo del cuerpo femenino para protección de las propias mujeres. La vagina, que durante demasiado tiempo había mancillado la «esfera de las mujeres», debía ser trasladada al reino de la medicina profesional.

Bajo los argumentos románticos contra las mujeres en la medicina, y no demasiado lejos, había cierta desagradable misoginia. Si las mujeres eran, por naturaleza, demasiado delicadas para desear una formación médica y, desde luego, demasiado modestas para sobrevivir a ella, la conclusión era que cualquier mujer que triunfara en medicina no podría ser una dama, sino una especie de monstruo. En su discurso de 1871 como presidente de la AMA, el doctor Alfred Stillé observaba lo siguiente acerca de la presencia de las mujeres:

> Ciertas mujeres pretenden rivalizar con los hombres en los deportes masculinos... y las de mente enérgica los imitan en todo, incluso en la vestimenta. Al actuar así, pueden despertar una especie de admiración como la que inspiran todos los monstruos, especialmente cuando tienden hacia una figura superior a la suya propia [67].

No aclaraba qué era más repulsivo: la mujer aspirante a médico «enérgica» pero «monstruosa», o sus hermanas que se conformaban con su condición genéticamente inferior. Un editorial del *Buffalo Medical Journal* adoptaba una postura menos ambigua:

> Si quisiera planear, lleno de odio y malicia, la mayor maldición que se me ocurriera contra las mujeres, si quisiera apartarlas de la protección masculina y hacerlas, en la medida de lo posible, odiosas y desagradables para el hombre, apoyaría la llamada reforma que propone convertirlas en doctoras [68].

Los médicos regulares no emplearon sólo la persuasión para desanimar a las mujeres de que se formaran en medicina. La mujer que pretendía ser doctora afrontaba obstáculos muy sólidos en cada etapa de su carrera. En primer lugar, era difícil obtener la admisión en una escuela «regular» (las sectas «irregulares», descendientes del Movimiento de salud popular, mantenían sus simpatías feministas y se abrían a las mujeres estudiantes). Una vez dentro, las alumnas se encontraban con el acoso de los estudiantes varones, que iba del «lenguaje insolente y ofensivo» a «proyectiles de papel, papel de estaño [y] tabaco mascado» [69]. Había profesores que no hablaban de anatomía en presencia de una dama y manuales como el texto de obstetricia de 1848 que declaraba que «ella [la mujer] tiene una cabeza, quizá demasiado pequeña para lo intelectual, pero suficientemente grande para el amor» [70].

Tras completar su labor académica, la futura doctora encontraba el paso siguiente bloqueado. Los hospitales estaban normalmente cerrados para las médicas e, incluso cuando no lo estaban, las mujeres no podían ser internas. Cuando por fin conseguía empezar a ejercer, encontraba a sus colegas poco dispuestos a enviarle pacientes y absolutamente contrarios a que perteneciera a sus sociedades médicas. Hasta 1915 la AMA no admitió mujeres médicas.

Si parece que los hombres estaban exagerando su reacción, hay que recordar las circunstancias históricas. En Estados Unidos, la mujer de clase media empezó a llamar a la puerta de las escuelas médicas en una época en la que la profesión padecía lo que, a juicio de sus miembros, era una enorme superpoblación *. Los médicos masculinos temían la competencia y, dada la desconfianza popular que había hacia ellos, no sin razón. La médica irregular Augusta Fairchild, M. D. [doctora en medicina], se vanagloriaba en el *Water Cure Journal*, en octubre de 1861:

> Los cometas se consideraron durante un tiempo como augurios de guerra. Las médicas pueden ser vistas bajo una luz muy similar porque, en cualquier lugar donde han hecho aparición, el resultado ha sido un levantamiento general del pueblo para darles la bienvenida y el intento más enérgico de sofocar la insurrección por parte de los dignatarios masculinos regulares de la «profesión» [71].

El movimiento de mujeres para la formación médica tenía toda una serie de asociaciones desagradables para los médicos varones regulares. El feminismo, la medicina «irregular» y el asalto populista a la medicina profesional habían estado indisolublemente unidos en el decenio del Movimiento de salud popular. A lo largo de todo el siglo, las escuelas botánicas y eclécticas continuaron acogiendo a las mujeres, de forma que la causa femenina siempre estuvo teñida de «irregularidad», o la causa «irregular», de feminismo, según como se mi-

* Por el contrario, el historiador de la medicina Shryock asegura que las mujeres en Rusia empezaron a recibir formación médica en una época de *escasez* de médicos; hoy en día, en la Unión Soviética, más del 70 por 100 de los médicos son mujeres.

rase *. Irregulares como Mary Gove Nichols, Harriet Austin, M. D., Susannah W. Dodds, M. D., y otras redondearon esa asociación con su actividad en movimientos reformistas en pro de la abstinencia, la educación sexual de los jóvenes y, especialmente, la reforma del vestido. Las doctoras Austin y Dodds llevaban pantalones y Mary Gove Nichols llevaba pololos, experiencia que recordaba en 1853:

> Reconozco que se me ha acosado por mi vestimenta. Hace catorce años varias personas decidieron llenarme de alquitrán y de plumas si osaba dar una conferencia en una pequeña ciudad determinada... Los años han mejorado enormemente el estilo de los asaltantes, pero más de un pícaro ha sentido el peso del bastón de mi marido en esta ciudad [72].

Finalmente, la argumentación feminista y moralista contra que los médicos varones trataran a pacientes femeninas había sacado a relucir el punto más vulnerable de los médicos. No había confianza general en que los doctores fueran «caballeros». Un médico se quejó en el *Journal of the American Medical Association* de que:

> la verdad patente es que muchos de sus miembros son personas de inferior capacidad, carácter dudoso y naturaleza vulgar y ruda.

Y en su discurso presidencial ante la American Medical Association en 1903, el doctor Billings declaró su preocupación porque las escuelas nocturnas de tipo comercial estaban permitiendo que «el oficinista, el conductor de tranvías, el portero y otros empleados durante el día obtuvieran un título» [73]. El sueño patricio se había estrellado contra la realidad comercial. Sin embargo, en ese mismo momento, las angustias sexuales victorianas hacían más urgente la necesidad de hallar una síntesis. Si era difícil, casi prohibitivo para una dama, ser examinada por un médico que fuera un caballero, ¿cómo podía ponerse en manos de un antiguo portero o conductor de tranvías? Las mismas palabras —«dama» y «caballero»— tienen connotaciones morales, además de las de clase, y sugieren una capa-

---

* Del mismo modo, a mitad del siglo XX, el antisemitismo de la mayoría de las escuelas médicas regulares obligó a muchos estudiantes judíos a entrar en las escuelas de osteopatía.

cidad de elevarse por encima del sexo de una forma que no podía esperarse de las clases «inferiores». Si la medicina regular recurría demasiado a personas «inferiores», no sólo perdería categoría, sino posibilidades económicas. El logro del ideal patricio, a finales del siglo XIX, se estaba convirtiendo en una necesidad comercial.

El Código Ético de la AMA, aprobado en 1847, obligaba a los médicos «a unir *ternura con firmeza, condescendencia* con *autoridad*, con el fin de inspirar en las mentes de sus pacientes gratitud, respeto y confianza» [74]. [El subrayado es original.] Pero para ello hacía falta algo más que el oficio del médico de cabecera. La añorada autoridad tendría que llegar de alguna parte. Mantener apartadas a las mujeres para avanzar en la dirección adecuada (en una sociedad dominada por el hombre, las mujeres son, por naturaleza, menos autoritarias que los hombres). Pero a finales del siglo XIX la tradición patriarcal no era ya en sí misma una base firme para el poder profesional. El médico regular típico (y había cada vez más doctores típicos a medida que avanzaba el siglo) podía ser varón, blanco y anglosajón, pero no era una figura pública más importante que el boticario o el agente de la propiedad. Para que la medicina se convirtiera en una autoridad dentro de las vidas de las mujeres, tenía que encontrar la forma de «elevarse por encima de las sórdidas opiniones de las mentes vulgares», de flotar por encima del mercantilismo barato e incluso del sexo.

Tres

La ciencia y la ascensión de los expertos

A finales del siglo XIX, la solución parecía estar cercana. Según Sir William Osler, único médico norteamericano con título de nobleza, «el espíritu de la ciencia se cernía sobre las aguas» [1]. La ciencia fue la fuerza trascendente a la que los doctores dirigieron su mirada para sacar la medicina fuera del fango del mercantilismo y aprestarla a luchar contra sus enemigos.

Pero no sólo los médicos tenían sus miras profesionales puestas en la ciencia. Esta empezaba a convertirse en un valor sagrado para toda la nación, y cualquier grupo que pretendiera constituirse como «experto» en un área concreta tenía que demostrar su rigor científico. La asistencia social había sido hasta 1880 una actividad voluntaria, dejada en gran parte a merced del empuje caritativo de las damas de clase alta. A medida que empezaron a ocuparse de ella mujeres de clase media con intenciones profesionales, que insistían en que la asistencia social fuera considerada como un oficio, toda la literatura sobre esta materia empezó a verse invadida por palabrería «científica». El enfoque sentimental, del tipo Doña Generosa, iba a tener que ceder paso a la «caridad científica» basada en un estudio sistemático de cada caso y en una intervención profesional minuciosamente calculada. Incluso la ley, con su angustia por la superpoblación profesional y la desconfianza pública, empezó a buscar una base «científica». En todos los campos, lo «científico» se hizo sinónimo de «reforma». Entre 1880 y 1920, los norteamericanos progresistas lucharon, no sólo en favor de la medicina científica, sino de la presencia científica en la gestión, la administración pública, el gobierno de la casa, la crianza de los hijos, la asistencia social. Estados Unidos era, de acuerdo con *Atlantic Monthly*, una «nación de ciencia».

El celo por «reformar» las viejas profesiones y por diseñar otras nuevas procedía de un grupo de personas muy concreto, una «nueva clase media», según algunos historiadores [2]. Se trataba de los hijos e hijas de la alta burguesía (pequeños y medianos empresarios, profesionales de éxito, y otros semejantes) que había ocupado las escalas superiores de la jerarquía social en la joven república. Desde la Guerra Civil, la rápida industrialización y el feroz crecimiento de los monopolios habían creado una nueva polarización de la sociedad norteamericana: los «tiburones» hundieron a cientos de pequeños y medianos empresarios mientras construían sus monopolios y cárteles, mientras la inmigración hacía aumentar las filas de los pobres. Los hijos de la antigua burguesía se encontraron en medio de un mundo hostil, muchas veces con poco más que sus títulos universitarios y su «buena educación» como ayuda. La educación y el bagaje cultural les hacían sentirse superiores, pero no seguros de sí mismos. Por encima, veían a una «plutocracia» atiborrándose a costa de la riqueza robada a los pequeños empresarios; por debajo, a un proletariado indómito y amenazador:

> Dos enemigos, desconocidos hasta ahora, han surgido como espíritus de las tinieblas en nuestro horizonte social y político: un proletariado ignorante y una plutocracia a medio educar [3].

El problema de estas dos clases, desde el punto de vista de la nueva burguesía, no consistía sólo en que fueran toscas, sino en que estaban envueltas en una guerra que parecía ir a destruir todo el orden social. Durante las décadas de 1870 y 1880 las huelgas, los motines y las insurrecciones armadas llenaron los periódicos y las pesadillas de la clase media. Cualquiera podía ver, aseguraban, que había una urgente necesidad de que los expertos científicos y los gobernantes

> ... medien desinteresadamente y con inteligencia entre [los] intereses en conflicto. Ahora que las palabras «clases capitalistas» y «el prole-

tariado» [*sic*] pueden usarse y comprenderse en América, es seguramente el momento de desarrollar hombres cuyo ideal sea el servicio al Estado, y que puedan ayudar a destruir la fuerza de estos choques [4].

Los «expertos» podían resolver los problemas de la sociedad porque, como hombres de ciencia, eran por definición totalmente objetivos y estaban por encima de cualquier interés específico. A lo largo de ese proceso, podrían resolverse también los propios problemas de la nueva burguesía. Los oficios especializados, «expertos», que sólo podían desempeñarse tras larga formación, les ofrecerían un campo laboral seguro y una participación en el poder mucho mayor de lo que correspondía a su número. Voces visionarias que hablaban en nombre de su clase profetizaban una sociedad en la que no gobernarían la «plutocracia a medio educar» ni el «proletariado ignorante», sino los propios expertos. Esa sería, a su juicio, la culminación ideal de la civilización humana, ya que los expertos, sin duda, gobernarían de modo científico, es decir, por el bien de todos [5] *. Como explicaba un importante ingeniero, «la norma dorada se pondrá en práctica gracias a la regla de cálculo del ingeniero» [6].

Para esta clase media, la ciencia no era sólo un método o una disciplina, sino una especie de religión. El observador social Thaddeus Wakeman se preguntaba en 1890 qué «credo» se adecuaba más a los norteamericanos, para contestar:

> La respuesta es: lo que sabe que es verdad, y eso, en una palabra, es la *Ciencia*. La mayoría del pueblo americano es ya *materialista en la práctica*, gente de este mundo... Nuestro pueblo está inconscientemente dando la bienvenida al inminente dominio de la Ciencia y el Hombre; y así lo demuestra su ausencia de las Iglesias [7].

---

* Incluso en esa época, este proyecto mostraba con demasiada claridad que defendía los intereses de la clase media y no recibió mucho apoyo. Edward A. Ross, fundador de la sociología americana e importante defensor de que se ampliara la función de los expertos, se vio obligado a retirarse en 1920 con la réplica defensiva de que «por supuesto, no existe el "gobierno de los expertos". Esa expresión malintencionada no es más que un sarcasmo lanzado por los intrigantes egoístas para quienes la inexorable realidad de los investigadores modestos supone un obstáculo en su camino».

LA SALVACIÓN MORAL DE LA MEDICINA

Si la transformación de la medicina regular en «medicina científica» volviera a narrarse como la historia de una conversión religiosa, *Arrowsmith*, de Sinclair Lewis, sería su *Pilgrim's Progress* *. La novela de Lewis se basaba en las experiencias reales de un joven investigador médico, y captaba en forma de ficción el fervor moral de los reformadores científicos como no lo había hecho ningún estudio histórico. En la escuela de medicina de la Universidad de Winnemac, el joven Martin Arrowsmith se encuentra con los extremos de la pureza científica y el mercantilismo médico, personificados en sus profesores. A un lado está el doctor Roscoe Geake, que acaba de abandonar su cátedra de otorrinolaringología para ocupar la vicepresidencia de la New Idea Medical Instrument and Furniture Company, en Jersey City, y que exhorta a los estudiantes de medicina a «estimular su capacidad de vendedores»:

> ... Tengan macetas con palmeras y bellos cuadros; para un médico en ejercicio, son una parte tan necesaria de su equipo de trabajo como un esterilizador o un baumanómetro. Pero, en la medida de lo posible, tengan todo en un color blanco que dé una imagen de higiene, y piensen en los juegos de colores que pueden crear, ustedes o la esposa que tengan, si es que ella está dotada de gusto artístico. ¡Ricos cojines dorados o rojos, sobre sillones Morris pintados del más puro color blanco! ¡Un suelo de esmalte blanco, con un sencillo borde de delicadas rosas! ¡Ejemplares recientes e inmaculados de revistas caras, con artísticas portadas, dejadas encima de una mesa! Caballeros, ésa es la idea que deseo dejarles acerca de cómo venderse con imaginación... [8].

En el otro extremo, el doctor Max Gottlieb, «el misterio de la Universidad», ya que es un judío, un extranjero, y un científico obsesionado por su trabajo:

> No era consciente de lo que le rodeaba. Miró a Martin y vio a través

* *The Pilgrim's Progress*: novela alegórica escrita por Bunyan en el siglo XVII que, en cierto modo, se considera el comienzo de la novela como género en Inglaterra y cuya influencia se extendió a Estados Unidos. *(N. de la T.)*

de él; se alejó, murmurando para sí, con los hombros encorvados y las manos unidas a la espalda. Se perdió en las sombras, como una sombra él mismo.

Llevaba un abrigo raído de profesor pobre y, sin embargo, Martin le recordaba envuelto en una capa de terciopelo negro con una arrogante estrella plateada sobre el pecho [9].

Martin y su amigo Clif juran, en una borrachera, seguir el solitario camino de la ciencia:

«... Estoy tan harto del mercantilismo y las tonterías como tú», confió Clif.

«Claro. No hay duda —aprobó Martin con alcohólica indulgencia—. Eres exactamente como yo... ¡El ideal investigador! ¡No conformarse nunca con lo que *parece* auténtico! ¡Estar solo, sin importarte nada, firme como un capitán sobre el puente, trabajar toda la noche, llegar al fondo de las cosas!» [10].

Pero el camino es más tortuoso de lo que prevén los jóvenes. Por todas partes aparecen elementos de distracción: dinero fácil, poderes mundanos, mujeres ligeras, incluso los aprietos del humanitarismo sentimental. Arrowsmith no es más que un hombre, cae una y otra vez. Pero siempre comprende que ha perdido su alma (su trabajo) y se levanta para seguir persiguiendo el austero ideal de la ciencia. Al final, tiene que renunciar a todas las cosas mundanas —riqueza, posición, una esposa rica y espléndida— y retirarse a un laboratorio construido en un desierto lejano.

Las ciencias biológicas no siempre habían tenído el aura mística y de poder que atraía a Martin Arrowsmith. En las décadas de 1870 y 1880, cuando empezaron a circular entre la burguesía norteamericana las ideas de la nueva biología, fueron recibidas con una suspicacia que a menudo rayaba en la repugnancia moral. La teoría de la evolución de Darwin —el adelanto más brillante en materia de síntesis teórica en la biología del siglo XIX y posiblemente del XX— «sacudió el cosmos cristiano». No se trataba sólo de que la teoría violara la letra del Antiguo Testamento; el darwinismo iba más allá y aseguraba que el mundo de las criaturas vivientes podía haberse convertido en lo que era sin la intervención de Dios, sin el esfuerzo consciente de nadie, en realidad. Lo que quedaba, a juicio de los principales cristianos americanos, era un universo ateo, un desierto moral:

> Vida sin sentido; muerte sin sentido; el universo sin sentido. Una raza torturada sin ningún objeto, sin ninguna esperanza salvo la aniquilación. Los muertos, los únicos bendecidos; los vivos están quietos como fieras acorraladas y gritan, mitad desafiantes, mitad asustados [11].

Las implicaciones espirituales de la nueva verdad biológica eran, en palabras de un pastor protestante, «brutales».

En un plano menor, la segunda gran contribución de la biología a la cultura popular —la teoría de la enfermedad a través de los gérmenes— socavó aún más los fundamentos religiosos de la moralidad. La religión tradicional veía cada enfermedad como el precio de los fracasos morales y las epidemias como actos de un Dios vengativo. A mediados del siglo XIX, Albert Barnes, destacado ministro presbiteriano, declaró que el cólera era un castigo por las «vanidades de la ciencia natural», especialmente el darwinismo. Pero, a través de las lentes de los nuevos y poderosos microscopios de la época, la enfermedad empezó a tener el aspecto de algo natural que dependía menos de Dios que de las tasas de crecimiento de lo que parecían ser especies muy amorales de microbios. Si las enfermedades se distribuían como en una lotería microbiana, y no por razones morales, ésta era verdaderamente «una raza torturada sin ningún objeto».

Para llegar a ser una fuerza moral dentro de la sociedad, las mismas ciencias biológicas tuvieron que sufrir una transformación moral. Los divulgadores del darwinismo consiguieron identificar «evolución» con «progreso», como si la historia natural fuera una larga y penosa peregrinación moral. Con esta estratagema se disculpaban los aspectos más salvajes de la selección natural y, lo que es más importante, quedaba espacio para que se ejecutara un plan divino. Las leyes que iba descubriendo la ciencia acabarían siendo la expresión de la voluntad de Dios, revelaciones de ese Plan. Así la ciencia podía ofrecer directrices morales para la vida: por ejemplo, que uno tenía el «deber evolutivo» de «hacer progresar la raza» mediante una selección correcta de la pareja, buenos hábitos de salud, etc. Hacia 1880 es difícil encontrar ningún fragmento ni artículo de divulgación sobre cualquier tema —educación, sufragio, inmigración, relaciones exteriores— que no esté adornado con metáforas darwinianas. La obra clásica de Charlotte Perkins Gilman, *Women and Economics*, que supuso *la* revolución teórica para toda una generación de feministas, no apelaba al bien ni a la moralidad, sino a la teoría de la evolución. El confinamiento de las mujeres a las actividades domésticas las había vuelto más «primitivas» y subdesarrolladas que los hombres. Si las mujeres no se emancipaban, argumentaba, toda la raza se vendría abajo (con el ingenuo racismo típico de su época):

> Al reducirla a esta base primitiva de vida económica, hemos mantenido a media humanidad atada en la línea de salida, mientras la otra media corría. Hemos formado y educado un tipo de cualidades en la mitad de la especie, y otro tipo en la otra mitad. ¡Y ahora nos admiramos ante las contradicciones de la naturaleza humana...! Hemos criado una raza de híbridos psíquicos, y las cualidades morales de los híbridos son bien conocidas [12].

La teoría de los gérmenes atravesó una transformación moral semejante. Si los gérmenes, y no el pecado, eran la causa inmediata de la enfermedad, el pecado podía seguir considerándose, de todos modos, como causa fundamental. La teoría de los gérmenes se convirtió en una doctrina de la culpa individual que no distaba mucho de un anticuado protestantismo. Cualquiera que transgrediera «las leyes de la higiene» merecía enfermar, y cualquiera que caía enfermo había quebrantado probablemente esas leyes. La médica inglesa Elizabeth Chesser, en su libro *Perfect Health for Women and Children* [Salud perfecta para mujeres y niños], advertía que «ha llegado casi la hora en la que no se nos va a permitir no estar sanos» [13].

Si, para el público burgués, la ciencia era una fuente de preceptos morales, una especie de religión laica, el científico fue su profeta. En él encontraron los norteamericanos progresistas un héroe cultural para el nuevo siglo. El general Francis A. Walker, presidente del MIT, proclamó en 1893 que los científicos americanos sobresalían entre todos los demás grupos profesionales por su «sinceridad, sencillez, fidelidad y generosidad de carácter, por la nobleza de sus objetivos y la honradez de sus esfuerzos» [14].

El científico experimental era un paradigma moral adecuado para la era moderna. Era una especie de intelectual; es decir, realizaba un «trabajo cerebral», pero no poseía el decadente alejamiento que tanto desagradaba a los americanos en profesores de filosofía, poetas y demás individuos poco prácticos. En realidad, el hombre de laboratorio era tan implacablemente terco, materialista y pragmático como cualquier empresario capitalista, «un verdadero hombre». Pero, al mismo tiempo, era un altruista cuya generosidad alcanzaba alturas sobrehumanas: Metchnikoff bebió vasos de vibriones del cólera para probar sus efectos, como luego los «cazadores de microbios» se expusieron alegremente a los portadores de la fiebre amarilla, la malaria o la tuberculosis.

Con su desinterés, su empuje obsesivo, su aparente desdén por las recompensas materiales, el científico asumía, en parte, las cualidades del Redentor cristiano: se echaba sobre los hombros (encorvados por las muchas horas pasadas ante el microscopio) los pecados —y las enfermedades— de la multitud. «Dentro de estos muros —dice una inscripción en el Sloan-Kettering Institute de Nueva York para el estudio del cáncer— unos cuantos trabajan sin cesar para que muchos puedan vivir.» Y fue en el altar de la biología donde los primeros billonarios de Norteamérica, Rockefeller y Carnegie, fueron a expiar su culpa mediante la filantropía, como si en la atmósfera ascética del laboratorio las ganancias de una acumulación pecaminosa pudieran convertirse en *vida.*

¿Qué era lo que había elevado a la ciencia biológica, la ciencia en general, de la categoría de rebeldía atea a tal estado de gracia? Parte de la respuesta se resume en «buenas obras». Los «milagros» de la ciencia moderna sobrepasaron todo lo que el Dios decimonónico de los cristianos se hubiera dignado realizar. Sir William Osler describía la imagen de la ciencia vertiendo de una cornucopia, sobre la cabeza del hombre, «bendiciones que no pueden ni enumerarse...». Tras el fin de siglo, tan tonto era que un evangelista denunciara que la ciencia era obra del demonio como que previera los micrófonos, la luz eléctrica o los vehículos basados en el principio de combustión interna. Pero la ciencia no venció sólo a través de sus obras. De hecho, a veces ocurrió lo contrario: el prestigio de la ciencia era tan grande que a veces se le atribuían innovaciones procedentes de otros campos. Fue un mecánico, y no un científico, quien inventó el motor de vapor; dos mecánicos de bicicletas diseñaron el primer aeroplano; un mayor nivel de vida acabó por disminuir la tasa de mortalidad infantil, y no las vacunas ni las antitoxinas. Es decir, que el «cientifismo» —el culto a la ciencia— de los siglos XIX y XX no fue sólo cuestión de apreciación pragmática. La ciencia pudo convertirse en una neo-religión gracias a sus especiales cualidades como ideología: era ardua pero trascendente, práctica y viril, pero capaz de «elevarse por encima de» la realidad comercial.

Nadie podía poner en duda la virilidad, la agresividad de la nueva biología. Las anteriores generaciones de biólogos se habían conformado con observar la naturaleza, catalogarla, describirla, etiquetar sus componentes. El nuevo científico perseguía la naturaleza, la atrapaba en su laboratorio, la rodeaba de condiciones experimentales que representaban diferentes realidades posibles, y estrechaba el círculo hasta que salían a relucir las respuestas. Oliver Wendell Holmes, Sr., médico regular y pionero en la defensa de la medicina científica, describía su actitud hacia la investigación científica en unos términos de franco sadismo sexual. «Me agradaba seguir la trayectoria de otra mente a través de estas investigaciones minuciosas y agotadoras —confió a su amigo y colega S. Weir Mitchell—, ver cómo un incansable observador atrapaba la naturaleza y la estrujaba hasta que ésta empezaba a sudar por todas partes y sus esfínteres se aflojaban...» [15].

Pero la agresividad de la ciencia —de la auténtica ciencia— es muy distinta de la agresividad comercial del mercado. El único valor que este último conoce es el propio interés; y, si fomenta las cualidades del racionalismo y el pensamiento cuantitativo, lo hace con el único fin de ponerlas al servicio de los beneficios. La ciencia, por el contrario, es la encarnación del desinterés (o, podríamos quizá decir, la desencarnación del egoísmo del mercado). Es racional y calculadora, pero sólo en aras de la verdad. En teoría, ni caprichos ni preferencias, ni el deseo de obtener fama, pueden nublar las deliberaciones del científico: el juicio de los «resultados» —los gráficos, las columnas de cifras, las mediciones comparadas— es definitivo. Esta imagen de desinterés y objetividad sin concesiones es lo que da a la ciencia su enorme fuerza moral ante la opinión pública. Se supone que la ciencia no sirve a ningún interés específico, a ninguna clase ni grupo privilegiado. Se alza por encima de todo lo mezquino, mundano, avaricioso, del mismo modo que el «McGurk Institute» para la investigación médica en *Arrowsmith* se yergue majestuosamente sobre 28 pisos de oficinas comerciales:

> El Instituto McGurk es probablemente la única organización de investigación científica en el mundo que se aloja en un edificio de oficinas. Posee los pisos 29 y 30 del edificio McGurk y tiene el tejado dedicado a su zona de animales y a una serie de paseos cubiertos en los que (por encima de un mundo de estenotipistas y contables, de honrados caballeros deseosos de vender trajes Better-bilt a los ricos hidalgos de Argentina) deambulan científicos absortos en sus sueños sobre la ósmosis de la spirogyra [16].

Con la transformación moral de la ciencia, el laboratorio asumió un carácter sagrado. Era el templo de la objetividad, desde el que la ciencia podía supervisar el mundo humano y la naturaleza, una especie de «zona libre de gérmenes» separada de la inmundicia, el mercantilismo y los sentimientos baratos del mundo. Los primeros momentos de Martin Arrowsmith en su nuevo laboratorio del «McGurk Institute» son tan refrescantes para su espíritu como una catedral para un peregrino:

> ... Después de cerrar la puerta y dejar que su espíritu vagara y llenase esa diminuta estancia con su esencia, se sintió seguro.
>
> Ningún Pickerbaugh ni Rouncefield podía irrumpir aquí y arrastrarle a explicarse, a ser lógico y público; tendría libertad para trabajar, en lugar de verse obligado a cumplir con ese envolver paquetes y dictar cartas superficiales que los hombres denominan trabajo...
>
> De pronto sintió por la humanidad el mismo amor que sentía por las limpias y decentes filas de tubos de ensayo, y rezó la plegaria del científico... [17].

La mística del laboratorio

Mientras el joven doctor Arrowsmith se afanaba en su peregrinar en busca de la pureza científica, otros médicos regulares —los más destacados de su profesión— empezaron a valorar el laboratorio como posible solución a sus problemas.

Los hombres que iban a reformar la medicina, es decir, a transformar la medicina regular en medicina «científica», procedían de la nueva clase media y compartían sus opiniones y ansiedades. Si tenían una mente científica, no era tanto por ser médicos como por ser miembros de una clase cuyo futuro se jugaba con la ciencia y la pericia. No se habían titulado en escuelas comerciales de medicina, sino que habían estudiado en facultades de Harvard, Johns Hopkins o Penn, y habían rematado sus estudios con un año o dos de estancia en Berlín o Heidelberg (Alemania había reemplazado a Inglaterra como meca de los jóvenes médicos). Habían escuchado respetuosamente a los grandes padres europeos de la biología experimental, bebido cerveza en las bodegas con los retoños de la nobleza europea y, quizá, tenido la ocasión de colarse en un laboratorio. Volvían a Estados Unidos, probablemente no con una formación exhaustiva en ciencia experimental, pero sí al menos con «la noción de experimento», como define el doctor S. Weir Mitchell, y la pasión de imprimir esa idea en la lóbrega silueta de la medicina regular.

La reforma científica de la medicina no fue un proyecto tan fácil como podría parecer visto desde el siglo XX, con nuestra medicina supertecnológica e invadida de instrumentos. Frente a la élite científica, el médico regular típico seguía teniendo mentalidad de pequeño empresario, más preocupado por la competencia cotidiana que por el futuro de la profesión a largo plazo. Como la mayor parte de la burguesía nacida en Norteamérica, sentía respeto por la ciencia, pero no porque la hubiera conocido de cerca. Pocos médicos en ejercicio habían visto alguna vez un microscopio o usado un termómetro, y tampoco debían de estar muy interesados en esas tecnologías «avanzadas». Como subrayó cínicamente un médico regular a propósito de la invención del oftalmoscopio, «lo que desvela el oftalmoscopio son circunstancias patológicas que, en su mayoría, no pueden curarse sólo con verlas» [18].

Las sangrías y purgas «heroicas» habían disminuido algo a fines del siglo XIX, pero la terapia normal seguía dominada por la necesidad de producir una mercancía tangible. Los médicos habían incorporado a su repertorio la cirugía, gracias a la introducción del éter y el cloroformo hacia 1840, y la practicaban en diversos órganos con cualquier excusa (*vid.* capítulo 4). En materia de drogas, el opio y la quinina erradicaron el calomel del maletín negro del doctor a partir de 1860. La quinina —que resulta útil en el tratamiento de la malaria, si se receta de forma adecuada— se dispensaba en dosis variables para cualquier fiebre en general. Pero con el opio y el alcohol, los médicos encontraron por fin algo que verdaderamente funcionaba. El opio, el alcohol y la cocaína sí «curaban» el dolor, y un médico con sentido práctico los empleaba con gran liberalidad para todo, ya fuera una neumonía o «nervios».

Por mucho que lo desearan, los reformadores científicos de la medicina no podían denunciar por las buenas a sus colegas regulares e insistir en que se les ilegalizara junto con las comadronas, las sanadoras y los médicos irregulares. Para empezar, aquel puñado de médicos científicos sabía que no se podía implantar ninguna reforma contra la voluntad de lo que era ya una densa masa de 120.000 hombres. En segundo lugar, no había terapias «científicas» con las que reemplazar las torpes técnicas de los doctores. La bacteriología europea había producido una antitoxina contra la difteria, pero poca cosa más de valor terapéutico.

Por consiguiente, la estrategia general de la reforma tuvo que consistir en ignorar el mar de incompetencia que representaba la práctica médica regular de fines de siglo, y centrarse en la formación de los nuevos médicos. El asalto a las escuelas tenía la ventaja de no ofender al grueso de la profesión evitando la cuestión de las terapias eficaces. En materia de educación, lo importante no era lo que *hacían* los médicos, sino quiénes eran y qué sabían. La táctica concreta empleada por la reforma fue, por supuesto, incluir la *ciencia* en las enseñanzas médicas. La escuela de medicina de Johns Hopkins —la primera escuela americana equiparable al nivel alemán— sirvio de modelo. Había sólidos cursos de bacteriología, química, patología, fisiología, clases clínicas con pacientes reales; profesores con plena dedicación que además eran científicos experimentales; y, sobre todo, laboratorios. Después de todo, para el público la ciencia era algo que tenía que ver con los laboratorios; y el «hecho científico», una información cuya trayectoria podía trazarse hasta una anotación clara (preferiblemente cuantitativa) en un sobado y manchado cuaderno de laboratorio. Para ser «científica», en todo su sentido evangélico, la medicina necesitaba laboratorios.

El mayor respaldo a la intención de convertir la medicina en «científica» fue el suministrado por la teoría de la enfermedad por gérmenes. Si todas las enfermedades tenían una causa única y conocida, como había afirmado Benjamin Rush, o si estaban motivadas por los «malos aires» o los «humores desequilibrados», como creía la mayor parte de los doctores precientíficos, no había razón para hacer sufrir a los estudiantes de medicina las pruebas de una formación científica. Si, por el contrario, estaban provocadas por verdaderas partículas físicas —los «gérmenes»—, como aseguraban Pasteur, Koch y las demas grandes figuras de la biología europea, entonces la ciencia era indispensable. Como todo el mundo sabía, los gérmenes eran invisibles para la gente corriente. Sólo podían ser vistos por científicos familiarizados con el microscopio, sólo podían ser manipulados por el más meticuloso hombre de laboratorio. Si los gérmenes provocaban enfermedades y sólo podían ser atrapados en un laboratorio bien provisto, una medicina sin laboratorios era como una ley sin tribunales o una teología sin iglesias.

Este era el razonamiento, aunque no había pruebas de que nadie fuera a ser mejor médico por haberse enfrentado una vez a un bacilo manchado de púrpura al extremo del cañón de un microscopio. Desde un punto de vista científico, existían otros problemas. La teoría de los gérmenes no forjó un lazo tan firme entre la medicina y la bacteriología como les gustaba pensar a los médicos científicos. Es cierto que hacia 1900 ya se habían relacionado gérmenes concretos con el tifus, la lepra, la tuberculosis, el cólera, la difteria y el tétanos; pero no estaba tan claro de qué forma *causaban* tales enfermedades los gérmenes.

Koch demostró que el bacilo de la tuberculosis se podía encontrar en los tejidos de todos los animales experimentales que padecían la enfermedad, pero no pudo explicar el hecho de que también se pudieran encontrar gérmenes causantes de enfermedades en tejidos de animales sanos. Ni supo explicar por qué Metchnikoff y sus colegas habían podido ingerir gérmenes del cólera sin más efecto que un vago malestar intestinal, ni por qué una persona contraía una enfermedad y otra no, pese a haber estado expuestas a los mismos gérmenes. De ahí que George Bernard Shaw no tuviera dificultades para derribar la bacteriología como «superstición» en su obra *The Doctor's Dilemma*:

> B. B. [Sir Ralph Bloomfield Bonington, médico científico]: ... Si no te encuentras bien, tienes una enfermedad. Puede ser ligera; pero es una enfermedad. ¿Y qué es una enfermedad? El alojamiento en el sistema de un germen patógeno y la multiplicación de dicho germen. ¿Cuál es el remedio? Uno muy sencillo: Encontrar el germen y matarlo.
>
> SIR PATRICK: Supongamos que no hay ningún germen.
>
> B. B.: Imposible, Sir Patrick. Tiene que haber un germen; si no, ¿cómo podría estar enfermo el paciente?
>
> SIR PATRICK: ¿Me puede usted mostrar el germen del exceso de trabajo?
>
> B. B.: No, pero ¿por qué? Porque, querido Sir Patrick, aunque el germen está ahí, es invisible. La naturaleza no le ha dotado de nada que nos sirva como señal de peligro. Estos gérmenes, estos bacilos, son cuerpos transparentes, como el cristal, como el agua. Para hacerlos visibles hay que mancharlos. Pero, mi querido Paddy, por mucho que haga, algunos no se manchan; no se impregnan con cochinilla, ni con azul de metileno, ni con genciana violeta: no captan ninguna sustancia colorante. Por consiguiente, aunque sabemos, como hombres de ciencia, que existen, no podemos verlos. Pero ¿puede usted refutar su existencia? ¿Puede usted concebir las enfermedades sin ellos? ¿Puede, por ejemplo, mostrarme un caso de difteria sin el bacilo?
>
> SIR PATRICK: No, pero puedo mostrarle ese mismo bacilo, sin la enfermedad, en su propia garganta.
>
> B. B.: No, no el mismo, Sir Patrick. Es un bacilo completamente diferente; sólo que los dos son, por desgracia, tan exactos que no puede verse la diferencia... Está el genuino bacilo de la difteria, descubierto por Loeffler; y está el pseudo-bacilo, exacto a él, que se puede encontrar, como dice usted, en mi propia garganta.
>
> SIR PATRICK: ¿Y cómo distingue uno de otro?
>
> B. B.: Bueno, evidentemente, si el bacilo es el verdadero Loeffler, el poseedor tiene difteria; si es el pseudo-bacilo, se encuentra bien. Nada más sencillo. La ciencia es siempre sencilla y siempre profunda [19].

Sin duda, la bacteriología había servido para iluminar la medicina, pero el haz de luz era demasiado pequeño. La teoría de los gérmenes produjo varias victorias espectaculares: métodos eficaces de inmunización, antitoxinas y, posteriormente, antibióticos, por citar sólo unos ejemplos. Pero, al mismo tiempo, la teoría de los gérmenes y los esfuerzos generales de la medicina científica en busca de una sola «causa» celular o molecular para cada enfermedad contribuyeron a distraer a la medicina de los factores ambientales y sociales en la salud humana: desnutrición, angustia, contaminación, etc. El resultado fue un tipo de medicina que, por ejemplo, se obsesiona por buscar la «causa» celular del cáncer, pese a que se calcula que el 80 por 100 o más de los casos de cáncer es producto del medio ambiente [20].

No obstante, ninguna de estas reflexiones detuvo a los médicos científicos de fin de siglo. La teoría de los gérmenes parecía ofrecer una sólida base científica para la medicina y, si quedaban agujeros que no se pudieran rellenar con «pseudo-bacilos» o arreglos teóricos semejantes, era sólo porque no había suficientes hombres con la formación adecuada y que dedicaran todo su tiempo a la investigación. Lo importante era introducir la ciencia en las escuelas de medicina, y ese problema representaba ya por sí solo suficiente desafío para las mejores mentes científicas.

En primer lugar estaba el inconveniente del dinero. Los viejos honorarios de doscientos dólares anuales no bastarían para pagar el equipo de laboratorio y a profesores formados en Alemania. De modo que, para empezar, la matrícula tenía que subir espectacularmente. Ello tenía sus ventajas, sin duda. John S. Billings, uno de los más destacados reformistas de la enseñanza de la medicina, señalaba que la nueva escuela científica iba a ser tan cara que los chicos pobres no podrían ni intentar ser médicos [21]. Pero, en realidad, tampoco iban a poder los chicos de la burguesía. De modo que, a menos que la formación médica de tipo científico quedara restringida a los jóvenes Vanderbilts y Morgans, el aumento de las tarifas no iba a cubrir nunca los costes. Había que encontrar grandes fuentes externas de subvención.

La medicina y el gran dinero

La profesión médica había dependido en la Edad Media, tanto directa como indirectamente, del mecenazgo de la nobleza terrateniente. En la América colonial y la joven república no existió una concentración de riqueza equivalente y, por tanto, hubo escaso apoyo a las universidades, las profesiones elevadas o la «cultura» en general. Pero en 1900 llegó el dinero. El período de febril industrialización que siguió a la Guerra Civil había producido acumulaciones de riqueza inimaginables una generación antes. Y entre los nuevos plutócratas norteamericanos, nadie superaba a John D. Rockefeller o Andrew Carnegie. Gracias a una combinación de suerte, sagacidad y verdadero pillaje, Rockefeller (Standard Oil) y Carnegie (U. S. Steel) habían amasado fortunas que se elevaban a números de nueve cifras. Fue este dinero, ganado a costa del trabajo de miles de trabajadores norteamericanos y del hundimiento de cientos de pequeñas empresas, el que financió el triunfo de la medicina científica (antes conocida como «regular») a comienzos del siglo XX.

Sería fácil hablar de una conspiración capitalista en este caso. Tanto Rockefeller como Carnegie suscribían el «evangelio del bienestar», la idea de que algún poder superior les había encargado que dieran forma a la sociedad a través de la filantropía. (Rockefeller era baptista y creía que su nombramiento procedía de Dios; Carnegie, un devoto darwinista social, pensaba que había surgido de una selección evolutiva natural.) La medicina era una salida tradicional de la filantropía; y, dentro de ella, era de esperar que los dos tiburones convertidos en filántropos favoreciesen a una raza de médicos caballeros y científicos frente a la competencia generalizada («irregulares», regulares de clase baja, doctoras, comadronas, etc.).

Pero no es tan sencillo. Rockefeller, por ejemplo, confiaba personalmente en la homeopatía, la gran rival de la medicina regular. Aparte de que, como destaca un biógrafo, por lo demás poco crítico, Rockefeller «tenía graves limitaciones en materia de educación y conceptos; no era muy leído, no tenía gran interés por la literatura, la ciencia ni el arte...» [22]. Carnegie tenía otro tipo de inconveniente: desconfiaba profundamente de los «expertos» y había dejado muy claro que eran los «últimos hombres» que quería ver en la junta del Carnegie Institute de Pittsburgh [23]. A su juicio, los hombres de negocios eran la fuerza más progresista de la sociedad y debían ejercer control directo sobre las instituciones filantrópicas y educativas:

> Los americanos no confían su dinero a un montón de profesores y directores [rectores de universidad] que están vinculados a lo establecido y tienen un sentimiento de clase que les impide hacer reformas[24].

Pero dos cosas llevaron a Rockefeller y Carnegie, con su dinero, a caer en brazos de los reformadores científicos de la medicina. En primer lugar, estaba la propia insistencia de los filántropos en la absoluta imparcialidad y objetividad de sus donaciones. Recuérdese que estos dos hombres eran tan odiados, sin llegar a necesitar escolta para ir por la calle, por sus compatriotas como podía serlo un americano. Su caridad tenía que parecer tan imparcial y despegada como despiadada había sido su acumulación de dinero. Rockefeller, por ejemplo, se negó a hacer una donación a una escuela de medicina en la Universidad de Chicago porque el rector de la universidad insistió en que la escuela fuera «regular», y Rockefeller se oponía a respaldar ningún grupo médico concreto, incluido el «regular». Carnegie, por su parte, excluyó de su plan de subvenciones a las facultades a cualquier escuela que mostrara el mínimo indicio de tender hacia una u otra denominación. Evidentemente una imparcialidad tan decidida contenía una inclinación inevitable hacia cualquier causa que pudiera presentarse como puramente «científica».

En segundo lugar, Rockefeller y Carnegie no podían gastar todo su dinero por sí solos. Pese al «evangelio del bienestar» que justificaba la capacidad personal e intransferible del plutócrata para dispensar caridades, ambos se vieron obligados a ir delegando cada vez más parcelas de responsabilidad en la gestión de sus aventuras filantrópicas. Con el tiempo, la filantropía se institucionalizó en forma de fundaciones de tipo empresarial, pero al principio no había nadie en quien apoyarse, excepto, desde luego, los expertos, los expertos en filantropía. Y estos hombres se identificaban con el enfoque científico de la medicina porque reflejaba su propia concepción de la filantropía. Si ésta era cuestión de sentimientos, los magnates podrían manejarla por sí mismos, pero si era cuestión de ciencia, tendrían que hacerlo los expertos.

El primero de los expertos filantrópicos fue Frederick T. Gates, antiguo profesor, antiguo granjero, antiguo empleado de banca, antiguo vendedor, antiguo pastor baptista y, por lo que se sabe, hombre de negocios en general, que procedía de Minneápolis. Cuando John D. le conoció en 1891, Gates encabezaba una cosa llamada American Baptist Education Society y se consideraba, sobre todo, un pastor. Pero cuando Rockefeller le proporcionó un despacho y una secretaria, Gates empezó a ver las cosas desde una perspectiva más materialista. Como afirma un historiador, Gates se convirtió del baptismo al cientifismo. Llegó a la conclusión de que «todo el tejido baptista estaba hecho a partir de textos que carecían de autoridad...» [25]. En su trabajo para Rockefeller, desarrolló la idea de la «donación científica», que consistía esencialmente en encauzar el dinero a través de grandes organismos centralizados, en lugar de entregarlo poco a poco a pequeñas instituciones.

En 1897, Gates leyó *Principles and Practices of Medicine* [Principios y prácticas de la medicina], del profesor Osler, de Johns Hopkins, y de la noche a la mañana se convirtió a la medicina científica. Escribió que, aunque no había gran cosa que decir de la «práctica», los «principios» poseían un gran nivel. Inmediatamente envió a John D. Rockefeller un memorándum en el que urgía a sostener la investigación médica y el desarrollo de la medicina de base científica.

El cebo estaba echado, y los caballeros y científicos del campo de la medicina empezaron a cercar el dinero. El doctor L. Emmett Holt, pediatra de los hijos de John D. Rockefeller, Jr., y miembro de la iglesia baptista de la Quinta Avenida a la que asistía toda la familia, ganó a John D. Jr. para la medicina científica durante un viaje en tren entre Cleveland y Nueva York. John Jr. se sintió lo bastante impresionado como para ofrecer a Holt y a seis amigos suyos —incluidos el decano de la escuela de medicina de Johns Hopkins y varios conocidos biólogos y profesores— el dinero necesario para abrir un nuevo instituto de investigación. Estos siete hombres, unidos por lazos de amistad e intereses académicos comunes, aceptaron 20.000 dólares de Rockefeller y pasaron a constituir la primera junta directiva del Rockefeller Institute for Medical Research. El dinero había empezado a sumarse a los hombres.

El Rockefeller Institute llevó toda la magia y el misterio del laboratorio europeo a Norteamérica. Al fin había un sitio donde los científicos puros podían dedicarse a trabajar en la medicina sin pacientes ni preocupaciones económicas que les distrajesen. Pero para Gates era mucho más que eso; era un «seminario de teología, presidido por el Reverendo Simon Flexner, M. D.» [26]. Era un modelo, no sólo de ciencia médica, sino de la distinción a la que la medicina aspiraba. El edificio principal incluía un enorme comedor con paredes revestidas de madera, en el que los investigadores, obligatoriamente vestidos de chaqueta y corbata, eran atendidos por camareros uniformados. La descripción ficticia del McGurk Institute en *Arrowsmith* recrea el efecto que causaban el Rockefeller Institute y muchos de sus rasgos:

> La verdadera maravilla del Instituto no parecía tener que ver con la ciencia. Se trataba de la sala en la que almorzaba el personal y en la que se celebraban ocasionalmente cenas científicas, con la Sra. McGurk como anfitriona. Martin tragó saliva y echó hacia atrás su cabeza mientras su mirada pasaba del suelo resplandeciente al techo negro y dorado. La altura de la sala ocupaba los dos pisos del Instituto. Sobre los paneles de roble que cubrían las paredes colgaban retratos de los pontífices de la ciencia, vestidos con túnicas de color carmín, además de un vasto mural de Maxfield Parrish, y por encima de todo había una araña con cien bombillas.
>
> «¡Por Júpiter! —exclamó Martin—. ¡No sabía que había salas así!» [27].

Hacia 1965, el Rockefeller Institute, con una dotación de unos 200 millones de dólares y más de 500 personas trabajando en él, seguía siendo fiel al ideal patricio. Había conciertos de música de cámara cada quince días en el Caspary Hall; obras de Calder y Kline se exhibían en el comedor de Abby Aldrich Rockefeller; David Rockefeller ofrecía cócteles. El objetivo, según el entonces presidente Detlev Bronk, que había sido alumno y amigo de los fundadores del Instituto, era producir «científicos *caballeros*».

El Rockefeller Institute y la escuela de Johns Hopkins (la primera en Norteamérica en tener laboratorios y profesores de plena dedicación) se erigieron en bastiones de la medicina científica y, al cabo de unos años, empezaron a producir un torrente de descubrimientos importantes en bacteriología e inmunología. Pero estas dos instituciones no fueron capaces de provocar, con el mero ejemplo, todas las «reformas» deseadas en la medicina. El siguiente paso era eliminar todas las escuelas médicas «irregulares», acientíficas y, en general, de clase baja, y asegurarse de que los fondos filantrópicos se canalizaran hacia las escasas instituciones que podían aspirar a cumplir las normas científicas. Con tal fin, el Consejo de Formación Médica de la AMA, un exclusivista comité compuesto por médicos de orientación investigadora, se dirigó en 1907 a la Carnegie Foundation. El Consejo había realizado ya un examen de las escuelas de medicina a escala nacional, las había clasificado y había decidido cuáles debían ser eliminadas y cuáles subvencionadas. Lo que en ese momento necesitaba de la Fundación no era dinero, sino su beneplácito. La AMA podía ser fácilmente acusada de sectarismo e interés, pero la Carnegie Foundation, cuya junta estaba formada por una lista impecable de rectores de universidad, tenía fama de experta e imparcial. El presidente de la fundación «comprendió inmediatamente las posibilidades» de la propuesta de la AMA y estuvo de acuerdo en financiar un nuevo estudio, completamente «objetivo», sobre la enseñanza de la medicina.

Para asegurarse de que el estudio Carnegie no iba a teñirse de sectarismo médico de ningún tipo, se contrató a un extraño para la tarea, un tal Abraham Flexner, casualmente hermano de Simon Flexner, M. D., director del Rockefeller Institute, y que asimismo se había titulado en la Universidad Johns Hopkins. El Informe Flexner que de ahí salió, y que casi todos los historiadores de la medicina han saludado como el punto de inflexión más decisivo en la historia de la profesión en Norteamérica, era tan imparcial como, por ejemplo, un anuncio en televisión de un remedio para el resfriado. De acuerdo con Flexner, había «demasiados» doctores en Estados Unidos y además procedían demasiado de la clase baja; cualquier «joven sin desbastar» o cualquier «oficinista agotado» podían acceder a una formación médica. Se necesitarían algunos médicos negros, aunque sólo fuera para comprobar cómo se extendían las enfermedades de los barrios negros a los blancos: «diez millones de ellos viven en estrecho contacto con sesenta millones de blancos», subrayaba Flexner. Sin embargo, a su juicio, hacían falta muy pocas mujeres médicas. ¿La prueba? La ausencia de cualquier «fuerte demanda de mujeres médicas o de cualquier deseo insatisfecho por parte de mujeres para formar parte de la profesión». (!) Respecto a los distintos enfoques sectarios de la medicina, la cuestión no era cuál de las sectas existentes debía prevalecer, insistía, sino decidir si la medicina científica (es decir, la secta regular con las reformas apropiadas) debía prevalecer sobre todas ellas [28].

Lo que Abraham Flexner *hizo* en 1909 fue probablemente tan importante como lo que escribió. Viajó a todas las escuelas de medicina del país, que eran alrededor de 160. Al ser de Carnegie, olía a dinero, y al ser un Flexner, sonaba a ciencia. Su mensaje era sencillo: ajústense al modelo de Johns Hopkins, añadan laboratorios en todas las áreas científicas y profesores a sueldo, etc., o cierren. Para las escuelas más pobres y de menor tamaño, eso sólo podía significar una cosa: cerrar. Para las más grandes y mejores (las que, como Harvard, tenían ya dinero suficiente para instaurar las reformas fijadas), significaba la promesa de sustanciosos donativos que les permitirían más reformas. En realidad, el informe sirvió, una vez publicado, de cómoda guía para los filántropos médicos. El estudio descubrió que sólo el 15 por 100 de las escuelas médicas de la nación empezaban a cumplir las normas «científicas», e identificó como rescatables las que ya eran grandes, ricas y prestigiosas. En los veinte años posteriores a la publicación del Informe Flexner, las nueve mayores fundaciones donaron más de 150 millones de dólares —la mitad de lo que dieron en total— a la formación médica, dentro de una estricta adhesión a los principios establecidos por su autor [29].

Los efectos de la cruzada por la «reforma» de la formación médica, que había empezado a finales del siglo XIX y culminó simbólicamente en el Informe Flexner, empezaron a ser visibles en la segunda década del siglo. Entre 1904 y 1915 cerraron o se fusionaron 92 escuelas de medicina [30]. Las escuelas «irregulares» procedentes del Movimiento de salud popular (que habían servido de refugio para las mujeres que deseaban estudiar) cerraron a manadas; y siete de cada diez escuelas médicas exclusivamente femeninas se clausuraron. Entre 1909 y 1912, la proporción de mujeres entre los titulados médicos descendió del 4,3 al 3,2 por 100 [31]. Los negros lo tuvieron aún peor, ya que, de las siete escuelas negras de medicina existentes, cerraron todas excepto dos (Meharry y Howard).

Respecto a la composición social de la medicina, las «reformas» fueron igualmente decisivas. Las escuelas regulares que ofrecían una educación barata a jóvenes de clase obrera y media baja siguieron el camino de las escuelas para mujeres y para negros. Además, Flexner había establecido un mínimo de dos años de educación universitaria como requisito para entrar en una escuela de medicina. En una época en la que a las facultades y universidades llegaba menos del 5 por 100 de la población en edad de hacerlo, este requisito era suficiente para cerrar todas las escuelas que no fueran de clase alta o media alta.

Podría afirmarse que estas medidas eran necesarias. La mayoría de las escuelas cerradas por los reformadores médicos eran indudablemente demasiado pequeñas y pobremente equipadas para poder ofrecer una formación médica adecuada. Pero se podía haber aplicado una estrategia alternativa para efectuar esas reformas: extender la riqueza para que muchas más escuelas hubieran podido mejorar. Con ello la enseñanza de la medicina se habría abierto a gran cantidad de gente; pero eso era exactamente lo que intentaban evitar los médicos. Con la estrategia elegida por las fundaciones, la medicina fue siendo cada vez más propiedad de una élite blanca, masculina y abrumadoramente aristocrática. Al mismo tiempo hay que recordar que los reformadores científicos no pusieron nunca en duda el auténtico valor médico de los requisitos profesionales que pretendían imponer. La exigencia de una larga formación científica, por ejemplo, garantizaba que los médicos procederían, en su mayoría, de ambientes privilegiados, pero no aseguraba que fuesen a tener más experiencia práctica ni más compresión humana que los sanadores sin formación a los que sustituían.

El médico regular del montón observaba las reformas con sentimientos confusos. En gran medida, la masa de médicos desconfiaba de la medicina científica y de los elitistas doctores que la defendían. Los médicos neoyorkinos se acostumbraron a dejar de leer las publicaciones médicas que hablaban de la teoría de los gérmenes porque «querían expresar su absoluto desprecio por tales teorías y se negaban a escucharlas» [32]. ¿Por qué culpar de las enfermedades a una entidad hipotética como los gérmenes, que ningún profesional honrado había visto nunca? En términos más generales, un destacado autor advertía en 1902 a los médicos:

> No permitáis que os inclinen con demasiada rapidez o con demasiada energía hacia nuevas teorías basadas en experimentos psicológicos, microscópicos, químicos o de otro tipo, especialmente cuando procedan de desequilibrios que pretenden establecer sus conclusiones abstractas o sus ideas preconcebidas...[33].

Sólo bajo la presión de las autoridades sanitarias y la opinión pública aceptaron los doctores probar la antitoxina de la difteria o informar sobre los casos de tuberculosis. Aquellos que suscribieron la teoría de las enfermedades por gérmenes lo hicieron, en muchos casos, para justificar una generosa prescripción de alcohol; al fin y al cabo, mataba los gérmenes, ¿no? Y debió de ser doloroso para muchos ver su *alma mater* calificada «de tercera categoría» por un simple profano como Flexner, que nunca había tenido que salir en medio de la niebla a una urgencia ni sostener la mano de un moribundo. (Incluso el sector más exclusivista de la profesión sintió este cambio. William Osler, profesor de Hopkins, confiaba irónicamente a su colega William Welch: «Tenemos suerte de entrar como profesores, porque estoy seguro de que ni usted ni yo podríamos entrar como estudiantes»)[34].

Pero, a pesar de ello, la masa de médicos no iba a presentar demasiada resistencia al movimiento de reforma. La élite científica de la medicina estaba consiguiendo, a través de una campaña precisa y metódica, lo que los médicos del montón no habrían podido lograr nunca mediante bravatas y politiqueos. La competencia disminuía y los regulares se habían quedado con todo el campo. A lo largo del siglo XIX se habían vuelto a instaurar las leyes sobre concesión de títulos que se habían abolido o enmascarado entre 1830 y 1840, pero sin excluir a los médicos «irregulares» mientras tuvieran una formación. Ahora, como parte de las reformas de tipo científico, los exámenes para obtener el título se adecuaron a las normas de las escuelas regulares de más nivel científico. Y, al mismo tiempo, la mayoría de los estados decidieron que practicar la medicina *sin* licencia fuese un delito castigable, no con una multa o una amonestación, sino con la cárcel. La secta regular había obtenido, por fin, el monopolio legal del ejercicio de la medicina.

Y todo ello se consiguió, probablemente para alivio de muchos profesionales, sin haber tenido que realizar purgas entre las filas de los que ya ejercían. El purificante reino del terror que los reformistas llevaron a las escuelas no alcanzó en ningún momento a los médicos. El profesional corriente siguió siendo libre de dedicarse a sangrar a los tísicos, farfullar sobre los «humores» y enganchar a las amas de casa al opio. Todavía hoy, cuando la profesión se ha convertido en algo tan exclusivo que es más fácil, hasta para un hombre rico, entrar en el cielo que en la escuela de medicina, los médicos contemplan a sus miembros menos científicos o descaradamente asesinos con un espíritu de amable indulgencia. Las normas establecidas para excluir a los «chicos sin desbastar» —y a las chicas en general— nunca se han aplicado a los que ya estaban dentro de la fraternidad.

Como es natural, una medicina verdaderamente científica tenía que ser autocrítica y someter a sus miembros a una evaluación y revisión continua. Pero eso era difícil de hacer sin quebrar la imagen patricia por la que tanto había luchado la medicina regular. «Os aconsejo que no desveléis los errores de un colega», escribía J. E. Stubbs, M. D., en un ejemplar de 1899 del *Journal of the American Medical Association*:

> ... porque, en caso contrario, se volverá como un *boomerang* y se clavará hasta el amargo final... Hacemos mal cuando no tratamos de ocultar los errores de nuestros hermanos. Hay muchos casos que requieren enorme destreza quirúrgica y un gran volumen de conocimientos para que la operación salga bien; pero los que operan constantemente cometen errores. Tenemos que hacer muchas cosas de forma empírica, y si decimos a la gente... que tal o cual médico ha metido la pata, le perjudicaremos, y perjudicaremos también a la comunidad, porque la opinión del médico en la sociedad es una opinión respetada, especialmente en la comunidad en la que vive, entre sus compañeros y amigos. Le consultan como a ningún otro hombre; le consultan con más seguridad y le confían sus secretos con menos reservas que al sacerdote o al pastor [35].

Desde luego, Stubbs no se sentía torturado por ninguna lacerante lealtad a la ciencia. Un médico que aspiraba a la autoridad patriarcal otrora en manos del «sacerdote o pastor» no podía preocuparse por críticas técnicas de poca monta.

Las aspiraciones —y victorias— de la medicina regular del siglo XIX se pueden resumir en una figura: Sir William Osler. No sólo participó en el movimiento de reforma de la medicina; para miles de admiradores, fue el *objetivo* de ella. Fue profesor en la escuela de medicina de Johns Hopkins y autor del manual que convirtió a Frederick Gates a la medicina científica. Aunque nunca en su vida realizó ninguna investigación original, era capaz de hablar sobre el renacimiento científico de la medicina en frases victorianas de cien palabras, adornadas con referencias a los clásicos griegos y latinos. Los médicos del montón le adoraban. Desde «el Atlántico al Pacífico... [el visitante]... encontrará un cuadro de Osler colgado en la pared de casi todas las casas de médico» [36]. Los retratos de Osler recordaban a los doctores que su profesión era algo más que dinero, incluso más que ciencia: una especie de poder místico que fluía, no de lo que *hacía* el médico, sino de *quién era*.

El fue, sin duda, el aristócrata de los médicos. Hijo de un clérigo (como un número sorprendentemente grande de científicos de su generación), estudió medicina en McGill y peregrinó a las grandes universidades alemanas. Su mezcla de buena educación y formación científica hizo rápidamente que llamara la atención de los más destacados médicos de Norteamérica. De acuerdo con las memorias de Osler, S. Weir Mitchell viajó a Leipzig en nombre de la Universidad de Pennsylvania:

> ... «para echarme un vistazo», especialmente en cuanto a mis hábitos personales. El doctor Mitchell aseguraba que sólo había una forma de probar si la educación de un hombre era la adecuada para ese puesto [profesor de medicina clínica] en una ciudad como Filadelfia: «dadle pastel de cereza y veremos qué hace con los huesos». Yo ya había oído hablar del truco, así que saqué suavemente los huesos con mi cuchara y obtuve la cátedra [37].

Mitchell quedó tan impresionado que al volver escribió: «Socialmente, Osler es un hombre digno del Biological Club [un club muy exclusivista de Filadelfia], si es que por fortuna podemos quedarnos con él» [38]. La carrera posterior de Osler como profesor, escritor, conferenciante y médico entre la élite social de Europa y Norteamérica (trató al Príncipe de Gales) culminó cuando la Reina Victoria le concedió una baronía —es decir, el «Sir»— en 1911. Se veía como un eslabón en una fina tradición que se remontaba a Hipócrates, a quien atribuía la primera «concepción y realización de la medicina como profesión de un gentilhombre cultivado» [39]. «El camino está despejado —declaraba a los estudiantes, como si la medicina regular no hubiera conocido momentos de duda—, abierto para ustedes por generaciones de hombres enérgicos...» [40].

Para una generación de médicos que aún mostraban angustia ante la evolución y escepticismo ante los gérmenes, Osler fue una necesaria fuente de tranquilidad. La autoridad patriarcal del doctor, a su juicio, se basaba en algo más antiguo y venerable que la ciencia. La ciencia no era parte integrante de la medicina; era una especie de extra, «un don incalculable», un «estímulo» para el esforzado profesional. La ciencia, en realidad, no era más que parte de la «cultura» general que necesitaba el médico para atender a una clientela acomodada. Y, como parte de esa «cultura» general, la ciencia servía también como una especie de desinfectante que le protegía de los «entornos más degradantes», como los habitados por los pobres. La «cultura» era mucho más importante, por supuesto, con una clientela de pacientes ricos:

> Cuanto más amplia y libre sea la educación general de un hombre, más probabilidades tendrá de ser un buen profesional, especialmente entre las clases elevadas, para las que la seguridad y la simpatía de un caballero cultivado como Erixímaco [un médico aristócrata de la antigua Grecia] pueden significar mucho más que las píldoras y las pociones [41].

De modo que, si la ciencia era cultura y la cultura era, en realidad, cuestión de clase, al final era esta última la que curaba. O, mejor dicho, era la combinación de clase elevada y superioridad masculina lo que confería a la medicina su autoridad esencial. Con una confianza patriarcal que prácticamente no necesitaba instrumentos, técnicas ni medicaciones, Osler escribió:

> Si una pobre chica, aparentemente paralizada, desamparada, atada al lecho desde hace años, viene a mí tras haber agotado a su familia, espiritual, física y económicamente; si en sólo unas semanas, gracias a

su fe en mí, y sólo por eso, abandona el lecho y empieza a caminar, los santos de la antigüedad no habrían podido hacer más... [42].

Por fin había logrado la profesión médica un método de curación por la fe suficientemente poderoso como para compararlo con las curaciones tradicionales de las mujeres, pero decididamente masculino; no necesitaba una actitud afectuosa, ni largas horas a la cabecera del enfermo. En realidad, con este nuevo estilo de curar, cuanto menos tiempo pasara el doctor con su paciente, y menos preguntas le permitiera, mayores parecerían sus poderes.

El exorcismo de las comadronas

Quedaba por despejar una última cuestión para que el triunfo de la medicina científica (masculina) fuese completo, el «problema de la comadrona». En 1900, el 50 por 100 de los niños que nacían eran todavía asistidos por comadronas. Las mujeres de clase media y alta habían aceptado desde tiempo atrás la idea médica del parto como hecho patológico, que necesitaba la intervención y supervisión de un médico (preferiblemente regular). Pero seguía apelando a la comadrona y sus servicios la mitad «inferior» de la sociedad : los campesinos pobres y la clase obrera de los que habían emigrado a las ciudades. Lo que convertía a las comadronas en un «problema», por consiguiente, no era una cuestión de competencia directa. Los médicos regulares no tenían interés por sustituir a la comadrona en una choza de aparcero de Mississippi ni en un sexto piso sin ascensor de los barrios bajos de Nueva York (aunque algún médico excepcionalmente loco se tomó la molestia de calcular los honorarios que «perdía» por culpa de las comadronas) [43]. Sólo puede hablarse de competencia entre personas que rivalizan por la misma parcela de negocio, y ése no era el caso entre comadronas y doctores.

El trabajo de una comadrona no puede resumirse en una expresión como «ejercer la medicina». La comadrona de principios de siglo era parte integrante de su comunidad y su cultura. Hablaba su lengua materna, que podía ser italiano, yiddish, polaco, ruso. No sólo conocía las técnicas de obstetricia, sino las oraciones y hierbas que a veces ayudaban. Sabía el ritual adecuado para deshacerse de la placenta, acoger al recién nacido o, en caso necesario, dejar reposar a los muertos. Estaba preparada para vivir con la familia desde que empezaban los dolores hasta que la madre estaba totalmente recuperada. Si era una comadrona negra del Sur, consideraba a menudo el servicio como una vocación religiosa:

> «Mary Carter —me dijo [una comadrona anciana]—, me estoy haciendo vieja y llevo 45 años haciendo este trabajo. Estoy cansada. No quería abandonar hasta que el Señor me sustituyera por alguien. Y cuando pregunté al Señor, te señaló a ti.»
>
> La [joven] comadrona respondió: «Bah, Tía Minnie, el Señor no me mostró ante tus ojos.» Ella dijo: «Sí, señor, tú tienes que servir. No puedes negarlo.»
>
> Ella servía, porque, muchas veces, «algo viene dentro de mí y me dice, "anda y hazlo lo mejor que puedas"» [44].

Todo esto era muy «acientífico» y, desde luego, nada comercial. Pero el problema, desde el punto de vista de los grandes médicos, era que la comadrona estorbaba el desarrollo de la moderna medicina institucional. Una de las reformas propuestas por la élite científica consistía en que los estudiantes tuvieran contacto en algún momento, además de con los laboratorios y las conferencias, con pacientes vivos. Pero ¿qué pacientes? Si se podía elegir, casi todo el mundo prefería no ser objeto de prácticas para inexpertos estudiantes de medicina. Desde luego, ninguna mujer decente de 1900 quería que su parto fuera presenciado por jóvenes varones que no fueran estrictamente necesarios. La única elección eran los últimos en elegir, los pobres. De modo que las escuelas de medicina, las más «avanzadas», al menos, empezaron a pegarse como parásitos al más cercano hospital de «beneficiencia». En un acuerdo que sigue vigente desde entonces, la escuela ofrecía a sus estudiantes de medicina como personal para el hospital; el hospital, a su vez, suministraba la «materia» prima para la formación médica: los cuerpos de los enfermos pobres. Las ambigüedades morales de esta situación fueron fácilmente racionalizadas por los promotores de la medicina científica. Como afirmaba un doctor perteneciente al Cornell Medical College:

Existen héroes de guerra, que dan sus vidas en el campo de batalla por su país y por sus ideas, y héroes médicos de la paz, que arrostran los peligros y los horrores de la peste para salvar vidas; pero los enfermos pobres, sin hogar, sin amigos, degradados y posiblemente criminales, que están acogidos en un hospital de beneficiencia, recibiendo ayuda y consuelo en su desgracia y aportando cada uno su modesta parte al avance de la ciencia médica, rinden un servicio aún mayor a la humanidad [45].

La ciencia médica apelaba ahora a las mujeres pobres para que hicieran su contribución a «la más benefactora y desinteresada de las profesiones». La obstetricia, la ginecología, era la especialidad de más rápido desarrollo en Norteamérica, y las comadronas tenían que abandonar el campo. Formarlas y darles un título estaba fuera de lugar, ya que tales medidas, como argumentaba un médico,

disminuirían el número de casos en los que se podrían usar el estetoscopio, el pelvímetro y otras técnicas desarrolladas recientemente para perfeccionar los conocimientos sobre obstetricia [46].

Un tal doctor Charles E. Zeigler era igualmente categórico en un artículo dirigido a sus colegas en el *Journal of the American Medical Association*:

Es imposible por ahora asegurar los casos suficientes para una adecuada formación en obstetricia, dado que el 75 por 100 del material que podría estar disponible con fines clínicos es utilizado para proporcionar un modo de vida a las comadronas [47].

Adviértase la curiosa construcción: «el material... es utilizado...». La mujer, que para la comadrona era una vecina, quizá una amiga, no era, a los ojos de la creciente industria médica, ni siquiera una cliente: se había convertido en «material» inerte.

La campaña pública contra las comadronas se arropó, por supuesto, con palabras de la más bondadosa preocupación por su clientela. Las comadronas eran «irremediablemente sucias, ignorantes e incompetentes, reliquias de un pasado bárbaro» [48].

Puede que se laven las manos, pero cuánta suciedad se esconde bajo las uñas. Sería posible citar numerosos ejemplos y podríamos añadir, a las demás causas de la piosalpinge, la de las «comadronas sucias». Es la bacteria más virulenta de todas, y desde luego es un micrococo de la clase más venenosa [49].

Además, la comadrona y, como veremos, la suciedad en general, eran antiamericanas. Dando un vuelco a casi trescientos años de historia de América, los tocólogos A. B. Emmons y J. L. Huntington aseguraban en 1912 que las comadronas

> no son un producto de América. Han estado siempre aquí, pero sólo por casualidad y porque América ha recibido siempre con generosidad las importaciones de inmigrantes del continente europeo. Nunca hemos adoptado en ningún Estado un método obstétrico en el que la comadrona sea la unidad de trabajo. Ha sido casi una norma que, cuantos más inmigrantes llegan a una localidad, más comadronas florecen en ella, pero, tan pronto como el inmigrante se siente asimilado y se convierte en parte de nuestra civilización, la comadrona deja de ser un factor en su hogar [50].

En la retórica de la profesión médica, la comadrona no era más humana que su clientela. Era un «micrococo» extranjero e importado, como debía de ocurrir con los demás gérmenes, dentro de los buques cargados de trabajadores inmigrantes. La eliminación de la comadrona se convirtió en parte necesaria de la campaña para elevar y americanizar a esos inmigrantes; una mera medida sanitaria, por encima de toda discusión.

Indudablemente las comadronas eran «ignorantes» con arreglo a las normas, cada vez más exigentes, de la formación médica; quizá algunas merecían ser acusadas de «sucias» e «incompetentes». El remedio evidente a estos defectos era la educación y algún sistema de vigilancia o supervisión. Inglaterra había resuelto su «problema de las comadronas» sin rencor, ofreciendoles una formación y un título. Incluso la más analfabeta de las comadronas podía aprender a administrar nitrato de plata en gotas para los ojos (para prevenir la ceguera en recién nacidos cuyas madres tuvieran gonorrea) y a cubrir ciertos niveles de limpieza. Pero la profesión médica americana no se conformaba más que con una solución definitiva: tenían que ser eliminadas, proscritas. Las publicaciones médicas exhortaban a sus bases a unirse a la campaña:

> Seguramente tenemos la influencia y los amigos suficientes para obtener la legislación necesaria. Háganse oír en el país; y la ignorante y entrometida comadrona será muy pronto un recuerdo del pasado [51].

En realidad, los médicos no estaban preparados, en ninguna acepción del término, para hacerse cargo de la situación cuando las comadronas fueran erradicadas. Para empezar, no había suficientes tocólogos en Estados Unidos para atender a las masas de mujeres pobres y de clase obrera, aun en el caso de que hubieran querido hacerlo. De acuerdo con el historiador Ben Barker-Benfield, «incluso un obstetra hostil admitía en 1915 que el 25 por 100 de los nacimientos en el Estado de Nueva York, sin contar con la ciudad de Nueva York, se verían *completamente* privados de asistencia cuando se eliminara a la comadrona» [52].

Además, los obstetras introducían nuevos peligros en el proceso del nacimiento. Al contrario que la comadrona, el médico no iba a estarse sentado durante horas, como decía un doctor, «mirando un agujero»; si el parto avanzaba con demasiada lentitud para su programa, intervenía con la cuchilla o los fórceps, a menudo en detrimento de la madre o del niño. Más aún, los hospitales académicos tenían otra razón que añadir para las intervenciones quirúrgicas: los estudiantes tenían que practicar con algo más difícil que un parto normal. La época del parto totalmente medicalizado —peligrosamente hipermedicado e hipertratado— estaba a punto de empezar [53]. A principios del siglo XX era ya evidente, incluso para ciertos miembros de la profesión médica, que la toma del poder por parte de los doctores era un turbio episodio en la historia de la sanidad pública. Un estudio de 1912 realizado por un profesor de Johns Hopkins encontró que la mayor parte de los médicos norteamericanos de la época eran menos competentes que las comadronas a las que estaban sustituyendo [54]. Los médicos solían tener menos experiencia que ellas, eran menos observadores y estaban menos dispuestos a estar *presentes*, ni siquiera en el momento crítico.

Sin embargo, entre 1900 y 1930, las comadronas fueron erradicadas por las autoridades sanitarias locales en otros muchos lugares. No había un movimiento feminista capaz de resistir. Hacia 1830, las mujeres del Movimiento de salud popular habían denunciado lo impropio —y lo peligroso— de que los partos fueran asistidos por hombres. Pero esta vez, cuando la asistencia *femenina* en los nacimientos se convirtió en un delito, no hubo respuesta. Las feministas burguesas no tenían sentimientos de fraternidad hacia la «sucia» comadrona inmigrante. Habían decidido ya mucho antes jugar con arreglo a las reglas establecidas por la profesión médica y canalizar sus energías feministas hacia la admisión de más mujeres en las escuelas (regulares) de medicina. Elizabeth Blackwell, por ejemplo, creía que no debía atender un parto nadie que no tuviera una formación médica completa.

Tal vez hubo cierta resistencia a la invasión masculina en las comunidades de inmigrantes, pero no tenemos constancia de ello. La mayoría de las mujeres aceptó sin duda la asistencia institucional, de los varones, por el bien de sus hijos. Con la eliminación de las comadronas, todas las mujeres —no sólo las de clase alta— cayeron bajo la hegemonía biológica de la profesión médica. Y del mismo plumazo, las mujeres perdieron su última función autónoma como sanadoras. Los únicos papeles que les dejó el sistema médico fueron los de empleadas, clientes o «material».

El dominio de los expertos

Cuatro

La política sexual de la enfermedad

Cuando Charlotte Perkins Gilman sucumbió a un «trastorno nervioso», el médico al que recurrió en busca de ayuda fue el doctor S. Weir Mitchell, «el mayor especialista en nervios del país». Era el doctor Mitchell —especialista en enfermedades de la mujer, novelista en sus ratos libres y miembro de la buena sociedad de Filadelfia— el que había examinado a Osler para un puesto en la facultad y, al ver que se deshacía con discreción de los huesos de cereza, había admitido al joven en los círculos exclusivos de la medicina. Cuando Gilman le conoció, hacia 1880, estaba en la cumbre de su carrera y ganaba más de 60.000 dólares al año (el equivalente a más de 300.000 dólares en dinero actual). Su fama por el tratamiento de los trastornos nerviosos femeninos le había conducido a una señalada alteración de su carácter. De acuerdo con un biógrafo, por lo demás indulgente, su vanidad «se había hecho gigantesca y era alimentada por torrentes de adulación, constante y exagerada, todos los días y casi a todas las horas...» [1].

Gilman se dirigió al gran hombre con «suma confianza». Un amigo de su madre le prestó cien dólares para pagar el viaje a Filadelfia y el tratamiento de Mitchell. Como preparación, Gilman puso por escrito una metódica y completa historia de su caso. Había observado, por ejemplo, que la enfermedad desaparecía cuando se encontraba lejos de casa, de su marido y su hija, y que volvía en cuanto regresaba a ellos. Pero el doctor Mitchell despreció la historia que había elaborado como prueba de «autoengaño». No quería que sus pacientes le suministraran información; quería que le ofrecieran «total obediencia». Gilman cita lo que le recetó:

> «Lleve una vida lo más hogareña posible. Tenga a su hija con usted todo el tiempo.» (Hay que hacer notar que el simple hecho de vestir a la niña me estremecía y me hacía llorar; no se puede decir que fuera una compañía muy saludable para ella, por no hablar del efecto que a mí me causaba.) «Échese durante una hora después de cada comida. No tenga más que dos horas de vida intelectual al día. Y no vuelva a tocar nunca una pluma, un pincel ni un lápiz en lo que le quede de vida» [2].

Gilman volvió sumisamente a su casa y durante algunos meses intentó seguir las órdenes del doctor Mitchell al pie de la letra. El resultado, en palabras suyas, fue que

> ... estuve peligrosamente cerca de perder la razón. La agonía mental se hizo tan insoportable que me sentaba con la mirada vacía, moviendo mi cabeza de un lado a otro... Me arrastraba hacia armarios escondidos y bajo las camas, para ocultarme de la atenazante presión de esa congoja... [3].

Finalmente, en un «momento de lucidez», Gilman comprendió el origen de su enfermedad: no deseaba ser una *esposa*; quería ser escritora y activista. De modo que, haciendo caso omiso de la prescripción de S. Weir Mitchell y divorciándose de su esposo, se fue a California con su niña, su pluma, su pincel y su lápiz. Pero nunca olvidó a Mitchell ni su «cura» casi mortal. Tres años después de su recuperación escribió *The Yellow Wallpaper* [4], un relato novelado de su enfermedad y su descenso a la locura; si la historia tenía alguna influencia sobre los métodos de tratamiento de S. Weir Mitchell, afirmaba al cabo de una larga vida de realizaciones, «no habré vivido en vano» [5].

Charlotte Perkins Gilman tuvo la fortuna de pasar por un «momento de lucidez» en el que entendió lo que le estaba ocurriendo. Otros miles de mujeres como Gilman se encontraron ante una nueva situación en la que dependían de la profesión médica masculina y no poseían fuentes alternativas de información o consejo. La profesión había ido consolidando su monopolio en materia de curación, y la mujer que se encontraba enferma, cansada o simplemente deprimida ya no buscaba ayuda en una amiga o en una sanadora, sino en un médico varón. El principio teórico por el que se regían los médicos, tanto en su trabajo como en sus pronunciamientos públicos, consistía en que las mujeres eran, por naturaleza, débiles, dependientes y enfermizas. De ese modo conseguían asegurar su victoria sobre la sanadora: con la prueba «científica» de que la naturaleza esencial de la mujer no era ser una fuerte y competente proveedora de auxilio, sino una *paciente*.

UNA EPIDEMIA MISTERIOSA

En realidad había razones, por entonces, para pensar que la teoría de los médicos no era tan rebuscada. Las mujeres eran decididamente enfermizas, aunque no por los motivos que proponían ellos. A mediados y finales del siglo XIX, una curiosa epidemia pareció asolar a la población femenina de clase media y alta tanto en Estados Unidos como en Inglaterra. Los diarios y publicaciones de la época nos dan muestra de cientos de mujeres que se deslizaron hacia una irremediable invalidez. Por ejemplo, la educadora Catherine Beecher elaboró en 1871, después de un viaje que había incluido visitas a docenas de familiares, amigas y antiguas alumnas, un informe en el que hablaba de «un terrible deterioro de la salud femenina en todo el país», que estaba «aumentando con un ritmo de lo más alarmante». Las notas de su viaje se suceden así:

> Milwaukee, Wisconsin. Mrs. A., frecuentes dolores de cabeza. Mrs. B., muy débil. Mrs. S. bien, excepto por los escalofríos. Mrs. L., mala salud constante. Mrs. D., sujeta a frecuentes dolores de cabeza. Mrs. B., muy mala salud.
>
> Mrs. H., trastornos pélvicos y un resfriado. Mrs. B., siempre enferma. No conozco a ninguna mujer perfectamente sana en aquel lugar... [6].

Los médicos encontraron toda una variedad de etiquetas para

diagnosticar la ola de invalidez que atenazaba a la población femenina: «neurastenia», «postración nerviosa», «hiperestesia», «insuficiencia cardiaca», «dispepsia», «reumatismo» e «histeria». Entre los síntomas había dolor de cabeza, dolores musculares, debilidad, depresión, dificultades menstruales, indigestión, etc., y normalmente una debilidad general que exigía reposo constante. S. Weir Mitchell lo describía así:

> La mujer empalidece y adelgaza, come poco o, si come, no saca provecho. Todo la fatiga —coser, escribir, leer, caminar—, y el diván o el lecho son su único consuelo. Paga caro cualquier esfuerzo y se declara dolorida y molesta, dice que duerme mál y necesita estímulo permanente y tónicos sin fin... Si era una persona emotiva, lo es aún más, y hasta la más fuerte acaba perdiendo el control bajo una debilidad tan constante [7].

El síndrome no era nunca fatal, pero tampoco curable en la mayoría de los casos, y las víctimas sobrevivían a menudo a médicos y maridos.

Las mujeres que se recuperaban lo suficiente como para llevar vidas plenas y activas —como Charlotte Perkins Gilman o Jane Addams— fueron la excepción. Ann Greene Phillips —feminista y abolicionista de la década de 1830— enfermó por primera vez durante su noviazgo. Cinco años después de la boda, se confinó en el lecho de forma más o menos permanente. Una hermana soltera de S. Weir Mitchell cayó presa de un «gran dolor» sin especificar, poco después de hacerse cargo del hogar de su hermano (cuya primera esposa acababa de morir), e inició una vida de invalidez. Alice James empezó su trayectoria de inválida a los 19 años, y sus hermanos Henry (el novelista) y William (el psicólogo) se asombraron siempre de lo tenazmente incurable que era su mal: «¡Eh, eh, soy yo!», escribió en su diario:

> ... toda esperanza de paz y descanso desaparece; me elevo un poco, arrastrándome tristemente como una serpiente, para poder caer de nuevo. ¡Y estos médicos te dicen que, o mueres, o te *curas*! Pero *no* te curas. Sufro estas alteraciones desde que tenía 19 años y no estoy

muerta ni curada. Y, dado que tengo ya 42, ha habido tiempo sin duda para una de las dos cosas [8].

Los sufrimientos de esas mujeres eran bastante reales. Ann Phillips escribió: «... la vida es una carga para mí, no sé qué hacer. Estoy cansada de sufrir. No tengo fe en nada» [9]. Algunas pensaban que, si la enfermedad no las mataba, tendrían que hacer la tarea ellas solas. Alice James habló del suicidio con su padre y se alegró, a los 43 años, cuando supo que tenía un cáncer de pecho e iba a morir al cabo de unos meses: «Considero una fortuna inmejorable tener estos pocos meses llenos de interés y enseñanzas, con el conocimiento de mi muerte cercana» [10]. Mary Galloway se disparó un tiro en la cabeza mientras la asistían un médico y una enfermera en su piso. Tenía 31 años y era hija del presidente de un banco y una empresa de servicios. De acuerdo con el relato del *New York Times* (10 de abril de 1905), «padecía dispepsia crónica desde 1895, y ésa es la única razón de su suicidio» [11].

MATRIMONIO: LA RELACIÓN ECONÓMICA SEXUAL

En la segunda mitad del siglo XIX, el impreciso síndrome que atenazaba a las mujeres de clase media y alta se había extendido de tal forma que, más que una enfermedad en sentido médico, representaba un modo de vida. Para ser más exactos, el modo de vida que se esperaba en ese tipo de mujer la predisponía hacia la enfermedad, y la enfermedad, a su vez, la obligaba a seguir viviendo como se esperaba de ella. La dama frágil y acomodada, totalmente dependiente de su esposo, estableció el ideal sexual romántico de la feminidad para las mujeres de todas las clases.

Feministas clarividentes como Charlotte Perkins Gilman y Olive Schreiner advirtieron una relación entre la invalidez femenina y la situación económica de las mujeres en las clases superiores. Como ellas observaron, las mujeres pobres no padecían el síndrome. El problema en las clases medias y altas era que el matrimonio se había convertido en una «relación sexo-económica» en la que las mujeres ejercían sus deberes sexuales y reproductores a cambio del sostén económico. Era una relación que Olive Schreiner denominó sin rodeos «parasitismo femenino».

Para la mente pragmática de Gilman, la esposa acomodada parecía ser una especie de anomalía trágica en la evolución, como el dodó. No trabajaba, porque en el hogar no se realizaba ningún trabajo serio y productivo, y las tareas que quedaban —limpiar la casa, cocinar, cuidar a los niños— las dejaba siempre que podía en manos del servicio. Biológicamente hablando, estaba especializada para una sola función: el sexo. De ahí la elaborada vestimenta —polisones, falsas pecheras, cinturas de avispa— que caricaturizaba la forma natural de la mujer. Su labor consistía en parir los herederos del empresario, abogado o profesor con el que se hubiera casado, lo cual le daba su derecho a reclamar una parte de los ingresos que él obtenía. Cuando Gilman, en su depresión, se apartó de su propia hija, fue porque entendió de forma semiconsciente que la niña era la prueba viviente de su dependencia económica, lo que para ella era su degradación sexual.

Una «dama» tenía otra función importante, como señalaba con acritud Veblen en *Theory of the Leisure Class* [Teoría de la clase ociosa]. Y esa función consistía precisamente en no hacer nada, es decir, nada que tuviera consecuencias sociales o económicas [12]. Un hombre de éxito no podía tener mejor adorno en la sociedad que una mujer ociosa. Su delicadeza, su cultura, su infantil ignorancia del mundo masculino le proporcionaba al hombre una «clase» que el dinero no podía comprar. Una esposa virtuosa llevaba una vida tranquila y pacífica en el hogar, cosiendo, dibujando, planificando los menús y supervisando a niños y criados. Las más atrevidas podían llenar su tiempo con excursiones de compras, almuerzos, bailes y novelas. Una «dama» podía ser encantadora, pero nunca brillante; podía mostrar su interés, pero no con mucha intensidad. La segunda mujer del doctor Mitchell, Mary Cadwalader, fue un modelo: «no tenía pretensiones de brillantez; su primer pensamiento era servir de contraste que realzara a su esposo...» [13]. De ninguna forma podía una dama así preocuparse por la política, los negocios, la política internacional o las dolorosas injusticias del mundo industrial.

Pero ni la mujer más protegida podía vivir en una isla apartada del mundo «real» de los hombres. Schreiner describió el contexto global:

Tras el fenómeno del parasitismo femenino yace desde siempre otro fenómeno social más amplio... la sumisión de grandes grupos de criaturas humanas, como esclavos, razas sometidas o clases; como resultado del exceso de trabajo de esas clases ha habido siempre una acumulación de riqueza inmerecida en manos de la clase o raza dominante. *E invariablemente la alimentación de esa riqueza, el resultado del trabajo forzado o mal retribuido*, ha hecho que la mujer de la raza o clase dominante haya perdido en el pasado su actividad y haya pasado a existir exclusivamente en función del desempeño pasivo de sus funciones sexuales [14]. [Subrayado en el original.]

La dama ociosa, lo supiera o no, le preocupase o no, habitaba en el mismo universo social que los pobres y sucios aparceros, los niños de seis años que trabajaban catorce horas diarias por salarios de hambre, los jóvenes mutilados por maquinaria peligrosa o explosiones de minas, las niñas obligadas a prostituirse bajo la amenaza de las privaciones. En ningún momento de la historia de América hubo una contradicción tan absoluta entre el bienestar ostentoso y la pobreza implacable, entre la ociosidad y el agotamiento, como en la segunda mitad del siglo XIX. Hubo motines en las ciudades, insurrecciones en las minas, rumores de revoluciones y asesinatos. Ni siquiera un tranquilo profesional podía estar seguro de que su puesto de trabajo no fuera a verse afectado por un revés económico, un competidor astuto o (como a veces parecía probable) una revolución social.

La gentil dama sin nada que hacer era parte integrante del orden de la sociedad industrial en la misma medida que su esposo o los empleados de este último. Como señalaba Schreiner, de hecho era la riqueza extraída del mundo del trabajo lo que permitía a un hombre disfrutar de una mujer más o menos decorativa. Y era la dureza de ese mismo mundo exterior lo que empujaba al hombre a ver el hogar como un refugio —«un lugar sagrado, un templo de vestales» una «tienda erigida en medio de un mundo equivocado»— presidido por una esposa gentil y etérea. Una guía popular para el hogar advertía que

... los sentimientos [del hombre] se ven frecuentemente heridos hasta el límite de su resistencia por choques, irritaciones y desencantos. Para recuperar su ecuanimidad y compostura, el hogar debe ser un lugar de reposo, paz, alegría, comodidad; entonces su alma recupera la fuerza y es capaz de avanzar, con vigor renovado, para encontrarse con el trabajo y los problemas del mundo [15].

Sin duda la atmósfera sofocante del romanticismo sexual produjo una especie de hipocondria nerviosa. Nunca sabremos, por ejemplo, si la enfermedad crónica de Alice James tenía un «verdadero» fundamento orgánico. Pero sí sabemos que, al contrario que a sus hermanos, nunca la animaron a ir a la universidad o a desarrollar su don de escritora. Era nerviosa e imaginativa, pero no podía ser, *ella*, productiva ni brillante. La enfermedad fue quizá la única retirada honorable de un mundo de realizaciones para entrar en el cual (según parecía en la época) no había sido equipada por la naturaleza.

Para muchas otras mujeres, la enfermedad se convirtió, en diversos grados, en parte de su vida, incluso en una forma de llenar el tiempo. La relación sexo-económica confinaba a la mujer a la vida del cuerpo, de modo que al cuerpo dirigió su energía e inteligencia. Las mujeres ricas frecuentaban los balnearios y las consultas de elegantes especialistas como S. Weir Mitchell. Una caricatura de alrededor de 1870 muestra a dos «damas distinguidas» que se encuentran en una sala de espera muy adornada. «¿Cómo, *tú* aquí, Lizzie? ¿Por qué, no te encuentras bien?», pregunta la primera paciente. «Perfectamente, gracias —responde la segunda—. Pero ¿qué te ocurre a *ti*, querida?» «¡Oh, nada en absoluto! Estoy todo lo bien que se puede estar, querida» [16]. Para mujeres menos acomodadas estaban las medicinas comercializadas, los médicos de cabecera y, a partir de la década de 1850, un constante caudal de manuales divulgativos, escritos por médicos, sobre la salud femenina. Era aceptable, incluso elegante, retirarse al lecho con «dolores de cabeza», «nervios» y varios «trastornos femeninos» inmencionables, y en algunos círculos se consideraba ese indefinible desorden nervioso, la «neurastenia», como signo de inteligencia y sensibilidad. La doctora Mary Putnam Jacobi, médica regular, observaba con impaciencia en 1895:

... se considera natural y hasta loable derrumbarse bajo todos los tipos imaginables de presión —una disipación invernal, los criados de la casa, una pelea con una amiga—, por no hablar de razones más legítimas... Las mujeres acostumbradas a meterse en la cama con cada período menstrual están convencidas de que se van a desmayar si, por casualidad, tienen que mantenerse en pie por unas horas en medio de tal crisis. Con una preocupación constante por sus nervios, empujadas a pensar en ellos por el consejo de personas bien intencionadas pero poco perspicaces, acaban convirtiéndose precisamente en un manojo de nervios [17].

Pero si la enfermedad era, por parte de la mujer, la reacción ante una situación difícil, no era una salida. Si hay que ser perezosa, se puede también estar enferma, y la enfermedad legitima, a su vez, la pereza. Desde la perspectiva romántica, la mujer enferma no estaba muy lejos de la mujer ideal. Se desarrolló una estética morbosa en la que se consideraba la enfermedad como fuente de belleza femenina, y la belleza —en el sentido de distinción— como fuente de enfermedad. Una y otra vez, los cuadros románticos del siglo XIX retratan a la bella inválida tendida sensualmente sobre almohadones, con los ojos trémulamente fijos en su marido o en su médico, o con la mirada ya perdida en el más allá. La literatura destinada a las lectoras femeninas se recreaba en el *pathos* romántico de la enfermedad y la muerte; las revistas femeninas populares publicaban relatos como «La tumba de mi amiga» o «Canción del moribundo». Las damas elegantes cultivaban un aspecto enfermizo bebiendo gran cantidad de vinagre o, más eficaz, arsénico [18]. Las heroínas más queridas eran las que morían jóvenes, como Beth en *Mujercitas*, demasiado buena y demasiado pura para vivir en este mundo.

Mientras tanto, las exigencias de la moda se encargaban de que la mujer elegante fuera tan frágil y artificial como denotaba su aspecto. La obligación de llevar corsés ajustados, que fue *de rigueur* durante toda la segunda mitad del siglo, está muy cerca de la vieja costumbre china de vendar los pies, dado que ambas dejaban tullida una parte del cuerpo femenino. El corsé de una mujer que siguiera la moda ejercía, por término medio, una presión de 9,5 kg sobre sus órganos internos, y llegaron a medirse hasta casos extremos de casi 40 kg [19]. (A ello hay que añadir que una mujer bien vestida llevaba un peso medio de más de 16 kg en ropa de calle durante los meses de invierno, de los que 8,5 kg colgaban de su torturada cintura) [20]. Entre las consecuencias a corto plazo había ahogos, estreñimiento, debilidad y una tendencia a violentas indigestiones. A largo plazo, costillas torcidas o fracturadas, desplazamiento del hígado y prolapso del útero (en algunos casos, la presión del corsé empujaba gradualmente el útero hasta la vagina).

La morbosidad de los gustos decimonónicos en materia de belleza femenina revelaba la hostilidad subyacente, nunca demasiado lejos de la superficie, en el romanticismo sexual. Desde luego, el espíritu romántico situaba a la mujer en un pedestal y le atribuía todas las delicadas virtudes ausentes del mercado. Pero, llevada hasta el extremo, la exigencia de que la mujer fuera una *negación* del mundo masculino no dejaba que la mujer *fuera* nada en realidad; si los hombres eran trabajadores, ella era ociosa; si los hombres eran rudos, ella era delicada; si los hombres eran fuertes, ella era frágil; si los hombres eran racionales, ella era irracional, y así sucesivamente. Si se insiste en que la feminidad es una masculinidad negativa, la lógica conduce necesariamente a idealizar a la mujer moribunda y a fomentar una especie de necrofilia paternalista. En el siglo XIX esa tendencia se hizo manifiesta y el espíritu romántico mantuvo como ideal a la mujer *enferma*, la inválida que vivía al borde de la muerte.

La feminidad como enfermedad

La profesión médica abordó con entusiasmo la lánguida figura de la mujer inválida. En el hogar de una dama enferma, «el médico de cabecera es como un insecto casero, en permanente alerta» [21], y los médicos verdaderamente revoloteaban en torno a los pacientes acomodados. S. Weir Mitchell consiguió, como pocos, ser considerado *el* médico de cientos de leales clientes. Sin embargo, los constantes servicios e intervenciones de los doctores servían de bastante poco, por más que se ayudaran de la cirugía, la electricidad, la hidropatía, la hipnosis o la química. En realidad, en muchos casos era difícil distinguir la *cura* de la *enfermedad*. Charlotte Perkins Gilman comprendió bien la situación, desde luego. La heroína enferma de *The Yellow Wallpaper*, cuyo médico es su propio marido, insinúa la terrible verdad:

> John es médico, y *quizá* (no lo confesaría a ningún ser viviente, desde luego, pero esto no es más que papel muerto y me proporciona gran alivio), *quizá* es ésa la razón de que no me reponga más rápido [22].

De hecho, las teorías que rigieron el ejercicio de la medicina entre finales del siglo XIX y principios del XX consistían en que el estado normal de la mujer era estar enferma. Y no se proponía como observación empírica, sino como dato fisiológico. La medicina había «descubierto» que las funciones femeninas eran intrínsecamente patológicas. La menstruación, esa permanente fuente de trastornos a ojos masculinos, era a la vez la prueba y la explicación, la menstruación era una grave amenaza que duraba toda la vida, y también lo era su ausencia. En palabras del doctor Engelmann, presidente de la Sociedad Americana de Ginecología en 1900:

> Muchas vidas jóvenes se estropean y paralizan al llegar a las rompientes de la pubertad; si las cruzan sin daño y no se estrellan contra la roca del parto, pueden encallar en los constantes bajíos de la menstruación, y al final, en la barra definitiva de la menopausia, encuentran refugio en las aguas tranquilas de un puerto a salvo de las tormentas sexuales [23].

Los libros de divulgación escritos por médicos adoptaban un tono sombrío al hablar de «las funciones femeninas» o «las enfermedades de las mujeres».

> Es imposible formarse una correcta opinión de los sufrimientos mentales y físicos que padece frecuentemente la mujer debido a su condición sexual, a los períodos menstruales que el Padre Celestial ha tenido a bien concederle... [24].

Los médicos suponían, ignorando la existencia de miles de mujeres trabajadoras, que cualquiera de ellas estaba dispuesta a quitarse de en medio seis o siete días al mes como una inválida. El doctor W. C. Taylor, en su obra *A Physician's Counsels to Woman in Health and Disease* [Consejos médicos para la mujer, en la salud y en la enfermedad], ofrecía una advertencia típica de los manuales de salud populares en la época:

> Nunca subrayaremos demasiado la importancia de considerar estas recaídas mensuales como períodos de mala salud, como días en los que las ocupaciones corrientes deben suspenderse o modificarse... Largos paseos, bailes, compras, equitación y fiestas son actividades que en ese período del mes deben evitarse bajo cualquier circunstancia... [25].

Todavía en 1916, el doctor Winfield Scott Hall aconsejaba:

> Debe omitirse todo ejercicio pesado durante la semana menstrual... la joven no sólo debe acostarse más temprano en esos días, sino que debe permanecer fuera de la escuela entre uno y tres días, según su necesidad, reposando la mente y aprovechando más horas de descanso y de sueño [26].

Del mismo modo, una mujer embarazada estaba «indispuesta» los nueve meses. La teoría médica de las «impresiones prenatales» le exigía evitar toda «visión espantosa, dolorosa o desagradable», cualquier estímulo intelectual, pensamientos airados o lascivos, e incluso el aliento del esposo, cargado de alcohol y tabaco, so pena de que el niño sufriera deformaciones o golpes en el útero. Los médicos destacaban el carácter patológico del propio nacimiento, un argumento que era además esencial en su campaña contra las comadronas. Tras el parto, insistían en que hubiera un período prolongado de convalecencia equivalente al «confinamiento» que lo había precedido. (No hay duda de que el nacimiento, en manos de médicos varones, era un hecho «patológico», y desde luego los doctores estaban mucho menos preocupados por la nutrición prenatal que por las «impresiones».) Después de todo ello, a la mujer sólo le quedaba esperar la menopausia, representada en la literatura médica como una enfermedad terminal, la «muerte de la mujer en la mujer».

Hay que decir, en defensa de los médicos, que las mujeres de hace cien años *estaban*, en ciertos aspectos, más enfermas que las de hoy. Aparte de los lazos apretados, las gotas de arsénico y los casos de neurastenias elegantes, las mujeres afrontaban ciertos riesgos físicos que no compartían los hombres. En 1915 (el primer año para el que se dispone de cifras de ámbito nacional) morían 61 mujeres por cada 10.000 partos, en comparación con las 2 por cada 10.000 actuales, y los índices de mortalidad materna eran indudablemente superiores en el siglo XIX [27]. Sin medios anticonceptivos adecuados, normalmente sin ninguno, una mujer casada se enfrentaba al riesgo de partos en repetidas ocasiones a lo largo de sus años fértiles. Tras cada nacimiento, la mujer podía sufrir todo tipo de complicaciones ginecológicas, como un prolapso (deslizamiento) de útero o un desgarramiento pélvico irreparable, que la acompañaría el resto de su vida.

Otro peligro especial para las mujeres era el de la tuberculosis, la «plaga blanca». A mediados del XIX, la tuberculosis arrasaba como una ola, y continuó siendo una grave amenaza hasta bien entrado el siglo XX. Todo el mundo se veía afectado, pero las mujeres, sobre todo las jóvenes, eran particularmente vulnerables, y a menudo morían en una proporción que duplicaba a la de los hombres de su misma edad. Hacia 1865, de cada cien mujeres de veinte años, más de cinco habrían muerto de tuberculosis al llegar a los treinta, y más de ocho al llegar a los cincuenta [28].

Así, pues, desde un punto de vista estadístico, había cierta justificación para la teoría médica de la fragilidad innata en las mujeres. Pero había, asimismo, desde el punto de vista de los doctores, una fuerte razón comercial para considerar enfermas a las mujeres. Se trataba del período de mayor «crisis de población» en la profesión (*vid.* capítulo 3). La teoría de la fragilidad descalificaba obviamente a las mujeres como sanadoras. «Estremece pensar en las conclusiones a las que pueden llegar las mujeres dedicadas a la bacteriología o la histología —escribió un médico— cuando se encuentren en la época en la que todo su sistema físico y mental está, por así decir, «desquiciado», por no hablar de los terribles errores que podría cometer una cirujana en condiciones semejantes» [29]. Al mismo tiempo, esa tesis convertía a las mujeres en pacientes muy cualificadas. Las damas nerviosas y enfermizas de clase media o alta, con sus males interminables pero, por suerte, nunca fatales, pasaron a ser una «casta de clientes» natural para la profesión médica.

Mientras tanto, la salud de las mujeres que *no* eran clientes en potencia —las mujeres pobres— no recibía prácticamente ninguna atención por parte de los médicos. Las mujeres pobres debían de ser, por lo menos, tan proclives como las acomodadas a padecer las «tormentas sexuales» expresadas por los doctores (menstruación, embarazo, etc.); y desde luego estaban mucho más sujetas a los riesgos del parto, la tuberculosis y, por supuesto, las enfermedades industriales. Por lo que sabemos, la enfermedad, el agotamiento y los accidentes eran la rutina diaria en la vida de la mujer obrera. Las enfermedades contagiosas golpeaban los hogares de los pobres antes y con más fuerza. El embarazo, en un quinto o sexto piso sin ascensor, era verdaderamente debilitador, y el parto en la abarrotada habitación de una vivienda era muchas veces una frenética prueba. Emma Goldman, comadrona titulada además de dirigente anarquista, describió «la encarnizada y ciega lucha de las mujeres de los pobres contra los embarazos continuados» y habló de la agonía que era ver crecer a los hijos «enfermos y desnutridos», si es que conseguían sobrevivir a la infancia [30]. Para la mujer que trabajaba fuera del hogar, las condiciones de trabajo se cobraban un enorme precio. En 1884, el informe de una investigación sobre «Las jóvenes trabajadoras de Boston», realizada por la Oficina de estadística del trabajo de Massachusetts, afirmaba:

> ... la salud de muchas jóvenes es tan mala que necesitan largos períodos de descanso, e incluso una joven ha estado de baja todo un año por ello. Otra chica enfermiza ha sido obligada a abandonar su empleo, y otra declara que no puede trabajar todo el año porque no sería capaz de resistirlo, dado que no es nada fuerte [31].

Pero, por muy enfermas o cansadas que estuvieran las mujeres de clase obrera, era evidente que no tenían tiempo ni dinero para dedicarse al culto de la invalidez. Los empresarios no daban permisos para embarazos ni recuperaciones de partos, ni mucho menos para los períodos menstruales, aunque sus esposas pasaban en la cama, en muchos casos, esos momentos. Faltar al trabajo un día podía costarle a una mujer su puesto, y en casa no había un confortable diván en el que desmayarse mientras los criados se hacían cargo de las tareas y los médicos se ocupaban de la enfermedad. En 1889, un estudio en Massachusetts describía la vida de una mujer trabajadora:

> La constante dedicación al trabajo, a menudo hasta medianoche y a veces en domingo (lo que equivalía a nueve días laborales corrientes por semana) afectó su salud y dañó su vista. El médico le ordenó... que suspendiera su empleo... pero ella tenía que ganar dinero, por lo que ha seguido trabajando. Sus ojos lagrimean constantemente, no

puede ver de un lado al otro de la habitación y «tiene la impresión de que el aire da vueltas» delante de ella... [ella] debía, en el momento de entrevistarla, el alquiler de tres meses por ella y sus hijos... Espera que se pueda hacer algo por las chicas y mujeres que trabajan, porque, aunque al principio sean muy fuertes, «no pueden estar siempre sometidas a la trata de blancas» [32].

Pero la profesión médica en su conjunto —aunque, sin duda, hubo honrosas excepciones— mantenía con decisión que las mujeres ricas eran las más delicadas y necesitadas de atenciones. La «civilización» había hecho enfermizas a las mujeres burguesas; su fragilidad física iba de la mano (de guante blanco) de su mayor modestia, refinamiento y sensibilidad. Las mujeres de clase obrera eran robustas, del mismo modo que se suponía que eran «rudas» e impúdicas. El doctor Lucien Warner, una conocida autoridad médica, escribió en 1874: «No son, por consiguiente, el duro trabajo ni las privaciones lo que vuelven inválidas a las mujeres de nuestro país, sino circunstancias y hábitos íntimamente ligados a las llamadas bendiciones del bienestar y el refinamiento.»

Alguien tenía que estar lo bastante bien como para hacer el trabajo, y las mujeres de clase obrera, según advertía con alivio el doctor Warner, *no* eran inválidas: «La negra africana que se esfuerza junto a su marido en los campos del Sur y la Bridget que lava, friega y restriega en nuestros hogares del Norte, disfrutan en general de buena salud y de una relativa inmunidad a la enfermedad uterina» [33]. Y un tal doctor Sylvanus Stall observaba:

En la guerra, en el trabajo o en el juego, el hombre blanco es superior al salvaje, y su cultura ha ido mejorando constantemente su situación. Pero con la mujer blanca ocurre lo contrario. Una india soporta esfuerzos, pruebas y penalidades que matarían a la mujer blanca. La educación, que ha producido el desarrollo y fortalecimiento de la naturaleza física del hombre, se ha pervertido mediante disparates y modas hasta hacer a la mujer cada vez más débil [34].

En la práctica, los mismos médicos que mimaban celosamente los males de las pacientes acomodadas no malgastaban su tiempo con las pobres. Cuando Emma Goldman preguntó a los médicos que conocía si podían ofrecerle alguna información sobre anticoncepción para los pobres, le contestaron, entre otras cosas, que «la culpa de lo que les pasa a los pobres la tienen ellos mismos; ceden demasiado a sus apetitos» y que «cuando ella [la mujer pobre] utilice más su cerebro, sus órganos procreadores funcionarán menos» [35]. Un tal doctor Palmer Dudley desechaba a las mujeres pobres como pacientes para la cirugía ginecológica por el sencillo motivo de que carecían del tiempo necesario para realizar el tratamiento adecuado:

> ... la mujer trabajadora y esforzada no resulta una paciente tan apropiada [para cirugía ginecológica] como la mujer que se encuentra tan situada en la vida que puede conservar sus fuerzas y, si es necesario, descansar largo tiempo, para garantizar los mejores resultados [36].

Así se completaba el círculo lógico: las mujeres bien situadas eran enfermizas por su estilo de vida refinado y civilizado. Pero, afortunadamente, ese mismo estilo de vida las hacía apropiadas para largos tratamientos médicos. Las mujeres pobres y de clase obrera eran intrínsecamente más fuertes, y también eso era una suerte porque su estilo de vida las descalificaba, de cualquier modo, para un largo tratamiento médico. La teoría de la debilidad innata en la mujer, tergiversada para justificar las diferencias de clase según su capacidad de pagar la asistencia médica, se unía de forma muy conveniente a los intereses comerciales de los doctores.

Las feministas de finales del siglo XIX, muy preocupadas también por la invalidez en la mujer, se apresuraron a echar la culpa, al menos en parte, a los intereses de los médicos. La médica norteamericana Elizabeth Garrett Anderson aseguró que el alcance de la invalidez femenina era muy exagerado por los médicos varones y que las funciones naturales de la mujer no eran verdaderamente tan debilitadoras. En las clases obreras, observaba, el trabajo continuaba durante la menstruación «sin interrupción y, en general, sin efectos perniciosos» [37]. La sufragista Mary Livermore habló contra «la monstruosa hipótesis de que la mujer es una inválida por naturaleza» y denunció «al sucio ejército de "ginecólogos" que parecen deseosos de convencer a las mujeres de que no poseen más que un tipo de órganos, y que éstos se encuentran siempre enfermos» [38]. Y la doctora Mary Putnam Jacobi fue de lo más tajante al escribir, en 1895: «Creo, por último, que la mayor atención prestada a las mujeres, especialmente en su nuevo papel de pacientes lucrativas, difícilmente imaginable hace cien años, es la explicación de gran parte de la mala salud tan extendida entre las mujeres y ahora recién descubierta...» [39].

Los hombres evolucionan y las mujeres retroceden

Pero sería excesivamente cínico ver a los médicos como meros negociantes que sopesaban las teorías de fisiología femenina contra sus ingresos. Los médicos de finales del siglo XIX fueron también hombres de ciencia, lo que significaba, en un contexto cultural que equiparaba la ciencia con la bondad y la moralidad, que se consideraban casi reformadores sociales. Ellos (y los profesionales del nuevo campo de la psicología) pensaban que su misión era aportar la clara luz de la objetividad científica a la cuestión femenina, mientras todos los demás se encontraban coartados por estar apasionadamente comprometidos con una u otra teoría. «Ni el más devoto defensor del progreso político y educativo de la mujer», escribió el psicólogo George T. Patrick,

> podría negar que el éxito y la permanencia de la reforma dependerá, en definitiva, de que no haya una contradicción intrínseca entre sus obligaciones y su constitución natural, tanto física como mental [40].

La profesión médica se autoasignó el deber de definir «la constitución natural, tanto física como mental», de la mujer, por muy irritante que pudiera ser la realidad para cualquier grupo de intereses o minoría ruidosa. En 1896, un médico se quejaba de que la influencia feminista había adquirido tanto poder que «nunca se indican las verdaderas diferencias entre hombres y mujeres, salvo en las publicaciones médicas» [41]. Pero, con gran decisión —y, podríamos añadir, imaginación—, los doctores se las arreglaron para definir la auténtica naturaleza de la mujer, los orígenes de su fragilidad y los límites biológicos de su función social.

Las ciencias naturales habían realizado ya el trabajo de campo y los científicos del siglo XIX no dudaron en aplicar los resultados de los estudios biológicos a la sociedad humana: todas las jerarquías sociales, a su juicio, podían explicarse con arreglo a las leyes naturales. Nada contribuyó más a esta labor intelectual que la teoría de la evolución. La teoría de Darwin afirma que el hombre ha evolucionado desde formas de vida «inferiores», es decir, menos complejas, hasta su condición actual. Los biólogos y observadores sociales del XIX, viendo que no todos los hombres eran iguales y que, de hecho, no todos eran hombres, se apresuraron a deducir que las diversas variantes representaban diferentes estadios de evolución que, por azar, coincidían en el mismo momento de la historia natural. Algunos llegaron a declarar que los ricos debían de estar en la vanguardia evolutiva, dado que estaban tan bien adaptados al medio ambiente (capitalista). (Andrew Carnegie fue un ardiente defensor de esta idea.)

Casi todos estaban de acuerdo en que las razas humanas existentes representaban diferentes fases de la evolución. Una amplia recopilación de datos —consistente, sobre todo, en mediciones de peso cerebral, dimensiones de cabezas y proporciones faciales— «probaba», sin que a nadie le extrañase, que, si se ordenaban los grupos étnicos con arreglo a su situación en la escala evolutiva, los WASP * serían los primeros, seguidos por los norteuropeos, eslavos, judíos, italianos, etcétera, con los negros muy atrás.

Este era el marco intelectual en el que los biólogos decimonónicos se acercaron a la cuestión femenina: todo el mundo debía tener un lugar asignado en el esquema natural de las cosas y los intentos de abandonar ese lugar eran antinaturales y enfermizos. Hacia 1860, los naturalistas fueron capaces de señalar el puesto de la mujer en la escala evolutiva con bastante precisión: estaba al nivel del negro. Y el [varón] negro se encontraba, por ejemplo, de acuerdo con el destacado profesor europeo de historia natural Carl Vogt, así:

---

* WASP: White Anglo-Saxon Protestants, anglosajones protestantes y de raza blanca, que constituían y constituyen el grupo dominante en Norteamérica. *(N. de la T.)*

... el negro adulto comparte, respecto a sus facultades intelectuales, la naturaleza del niño, la mujer y el blanco senil [42].

(Estremece pensar dónde estaba entonces la mujer negra, por no hablar de la mujer «senil» de cualquier raza.)

Pero no fue suficiente clasificar a la mujer dentro de una escala evolutiva estática. Una respuesta completa a la cuestión femenina exigía una concepción dinámica que no sólo abarcara en qué lugar se encontraba entonces, sino hacia dónde la encaminaba su destino evolutivo. La teoría de Darwin sugiere la tendencia hacia una mayor variación biológica y diferenciación entre las especies. Donde antes habían existido unos cuantos protozoos informes, ahora había puercoespines, ornitorrincos, pavos reales, etc., cada uno especializado para sobrevivir en un entorno determinado. Los médicos del siglo XIX hicieron una lectura amplia que pretendía decir que todo se iba «especializando» y que esa «especialización» era el objetivo de la evolución; una interpretación influida, desde luego, por la constitución de las disciplinas académicas (y, dentro de la medicina, de sus especialidades y subespecialidades) que estaba teniendo lugar entonces.

Dentro de esa lógica, el siguiente paso fue interpretar la diferenciación sexual como una «especialización» y un signo de avance evolutivo. Uno de los fundadores de la psicología y gran experto en educación infantil de comienzos del siglo XX, G. Stanley Hall, afirmaba en su obra *Adolescence*: «Entre los organismos unicelulares, las células que se conjugan [se acoplan] son semejantes, pero las formas van distanciándose cada vez más. A medida que subimos [por la escala evolutiva], los sexos difieren, no sólo en cuanto a sus características sexuales primarias y secundarias, sino en cuanto a funciones no unidas al sexo» [43]. Es decir, era previsible que la diferencia entre los sexos se ensanchara a medida que el «hombre» evolucionase y, puesto que solía equipararse evolución con progreso, estaba bien que así ocurriera. En opinión del profesor de historia natural Vogt, «la desigualdad entre sexos aumenta con el progreso de la civilización» [44].

¿Qué diferencia era ésta entre los sexos, que se iba ampliando con cada avance evolutivo? La respuesta se basaba en una hipótesis machista sobre el propio proceso de la evolución. Cada transformación evolutiva ocurre cuando las condiciones ambientales «seleccionan» ciertas variedades de la especie. Por ejemplo, en el entorno ártico, el zorro que ha nacido accidentalmente con piel blanca tiene ventaja sobre sus congéneres rojos a la hora de sobrevivir, por lo que los zorros blancos tienden a acabar desplazando a los rojos. Actualmente sabemos que las variaciones que posibilitan los cambios tienen lugar mediante un proceso aleatorio e imprevisible de mutaciones genéticas. Pero para los científicos del siglo XIX, que no sabían nada acerca de los genes, la herencia ni las mutaciones, la capacidad de transformarse en variantes de éxito potencial (como había hecho el zorro blanco) parecía exigir cierto grado de inteligencia y audacia. Tenía que ser, por tanto, un rasgo masculino. De modo que, en la gran cadena de la evolución, los machos eran los innovadores que se ponían constantemente a prueba frente al duro entorno, mientras que las hembras transmitían en silencio cualquier material hereditario que se les hubiera dado. Los machos producían las variaciones: las hembras se limitaban a reproducirlas.

De ahí a crear una teoría de las diferencias humanas contemporáneas entre sexos, no había más que un paso. Los varones estaban hechos para «variar», es decir, para cumplir gran variedad de funciones en la división social del trabajo. Las mujeres, más primitivas, eran inmutables e idénticas en su función evolutiva, que consistía en reproducir. La mujer representaba la antigua esencia de la especie; el hombre, sus ilimitadas posibilidades de evolución. (G. Stanley Hall pasaba rápidamente a las implicaciones que acarreaba desde el punto de vista profesional: «El varón, es en todos los órdenes de la vida, el agente de la variación, y tiende naturalmente a la *pericia y la especialización*, sin las que su individualidad quedaría incompleta») [45] [cursiva de las autoras]. De pronto, las diferencias profesionales entre los hombres de clase media representaban las «variaciones» necesarias para la evolución, como si una selección natural escogiera entre psicólogos y matemáticos, ginecólogos y oftalmólogos. En esta línea, era evidente que las mujeres no podían ser expertas porque representaban un estado más primitivo e indeferenciado de la especie y eran incapaces de «especializarse»: «Es, por naturaleza, más típica y representativa de la raza, menos inclinada a la especialización» [46].

Pero, claro, en el sistema científico de valores postdarwinista, la «especialización» era buena («avanzada») y la no-especialización era mala («primitiva»). Esto, unido al hecho de que la especie, en general, se estuviera «especializando» sexualmente como parte de su evolución global, conducía a la conclusión de que los hombres serían cada vez más diferenciados, mientras que las mujeres se harían progresivamente *in*diferenciadas y cada vez más concentradas en la antigua función animal de la reproducción. Llevada al extremo, esta teoría sólo podía significar que, por cada escalón que subía el hombre en la escala evolutiva, la mujer retrocedía otro, como si en el futuro Elíseo fuera a haber un superhombre en lo alto de la escala y una mancha de protoplasma reproductivo al pie.

Hall se apartó de esta conclusión con un arrebato romántico diferente, en el que pedía

> ... una nueva filosofía del sexo que sitúe a la esposa y a la madre en el centro de un mundo nuevo y la convierta en objeto de una nueva religión y casi de un nuevo culto, que la exima con reverencia de la competencia entre sexos [es decir, de la competencia con el hombre] y vuelva a consagrarla a las más altas responsabilidades de la raza humana, en cuyo pasado y cuyo futuro se encuentran las raíces de su esencia; donde el ciego culto a la simple iluminación mental no tenga sitio... [47].

La realidad, como bien vio Charlotte Perkins Gilman, aunque desde una perspectiva emocional muy distinta, era que la sociedad conducía a las mujeres (o al menos a las más acomodadas) hacia la «función sexual». Si los naturalistas tenían razón, evolucionaría hasta irse consagrando cada vez con más exclusividad al sexo y despojándose de la simple iluminación mental y otros artificios, a medida que avanzase —o, con más probabilidad, se arrastrase— hacia su destino evolutivo.

La dictadura de los ovarios

La tarea de la medicina consistió en traducir la teoría de la evolución de las mujeres al lenguaje de carne y hueso, tejidos y órganos. El resultado fue una teoría que sometía a la mujer, en cuerpo, alma y mente, a la esclavitud de sus todopoderosos órganos reproductores.

«El útero, hay que recordar —escribió el doctor F. Hollick— es el órgano *dominante* en el cuerpo femenino, el más excitable de todos, y está íntimamente conectado, mediante las ramificaciones de sus numerosos nervios, a todas las demás partes» [48]. El profesor M. L. Holbrook afirmó en 1870, en un discurso ante una sociedad médica, que parecía «como si el Todopoderoso, al crear el sexo femenino, *hubiera cogido el útero y fabricado una mujer alrededor de él»* [49] [énfasis en el original].

Para otros teóricos de la medicina, eran los ovarios los que ocupaban el puesto fundamental. El doctor G. L. Austin escribió en 1883 un libro de consejos para «doncella, esposa y madre» en el que afirmaba que los ovarios «dan a la mujer todas sus características físicas y mentales» [50]. El siguiente fragmento, escrito en 1870 por el doctor W. W. Bliss, aunque algo recargado, es típico de la época:

> Si aceptamos, entonces, estas ideas sobre el inmenso poder e influencia de los ovarios en toda la estructura animal de la mujer: que son los agentes más poderosos en todas las connotaciones de su sistema, que en ellos reside su situación intelectual dentro de la sociedad, su perfección física y todo lo que da belleza a esos finos y delicados contornos que son objeto constante de admiración, todo lo que es grande, noble y bello, todo lo que es voluptuoso, tierno y atractivo; que su fidelidad, su devoción, su perpetua vigilancia y previsión, y todas las cualidades de mente y espíritu que inspiran respeto y amor y la convierten en la más segura consejera y amiga del hombre, que todo eso procede de los ovarios, *cuál será su influencia y poder sobre la gran vocación de la mujer y los augustos propósitos de su existencia cuando esos órganos se vean envueltos en una enfermedad* [51] [énfasis en el original].

De acuerdo con esta «psicología de los ovarios», toda la personalidad de la mujer estaba dirigida por ellos, y cualquier anomalía, de la irritabilidad a la locura, podía tener su origen en alguna enfermedad ovárica. El doctor Bliss añadía, con rencor fuera de lugar, que «la influencia de los ovarios en la mente queda clara en las artimañas y los disimulos de la mujer».

Hay que subrayar, antes de seguir con las vicisitudes del útero y los ovarios, que la total sumisión de la mujer a la «función sexual» no la convertía en un ser *sexual*. El modelo médico de naturaleza femenina, encarnado en la «psicología de los ovarios», trazaba una tajante distinción entre reproductividad y sexualidad. Manuales de salud y doctores animaban a las mujeres a entregarse a una profunda reflexión sobre sí mismas como «el Sexo»; debían dedicarse a desarrollar sus cualidades reproductoras y sus instintos maternales. Pero los médicos aseguraban que no era propio de ellas tener predilección por el acto sexual en sí mismo. Incluso una mujer médica, la doctora Mary Wood-Allen, escribió (quizá por propia experiencia) que las mujeres abrazaban a sus maridos «sin una partícula de deseo sexual» [52]. Los manuales de higiene afirmaban que, cuanto más cultivada era una mujer, «más alejado está lo sensual de su naturaleza», y advertían contra «toda convulsión espasmódica» por parte de la mujer durante las relaciones sexuales, so pena de interferir en la concepción. La sexualidad femenina se consideraba impropia de una mujer y tal vez incluso perjudicial para la suprema función de la reproducción.

Pero ni siquiera los doctores parecieron nunca demasiado convencidos de que el útero y los ovarios hubieran logrado efectivamente extirpar la sexualidad femenina. Bajo la complaciente negación de los sentimientos sexuales en la mujer, acechaba la vieja fascinación masculina por su «insaciable lascivia» que, una vez despierta, podía acabar siendo incontrolable. Los médicos hablaban sin cesar de casos en los que las mujeres eran destruidas por el deseo; alguien aseguraba haber descubierto un caso de «ninfomanía virginal». El médico británico Robert Brudenell Carter nos ofrece, a los veinticinco años, esta tentadora observación sobre sus pacientes femeninas:

> ... nadie que haya visto el volumen de perversidad moral labrado en las jóvenes... cuyos deseos lascivos se hayan visto acrecentados por el hachís y parcialmente gratificados por las manipulaciones del doctor, puede negar que el remedio es peor que la enfermedad. He... visto a jóvenes solteras de las capas medias de la sociedad reducidas, por el uso constante del espéculo, a la condición mental y moral de las prostitutas; intentando darse ellas mismas ese placer a través del vicio solitario; y pidiendo a todo profesional de la medicina... que realice un examen de sus órganos sexuales [53].

Pero, si no se podía contar con que el útero y los ovarios suprimieran todo afán sexual, sí estaban lo bastante controlados como para echarles la culpa de cualquier trastorno femenino, desde los dolores de cabeza hasta las anginas o la indigestión. El doctor M. E. Dirix escribió en 1869:

> Así, las mujeres son atendidas a causa de enfermedades del estómago, el hígado, los riñones, el corazón, los pulmones, etc.; sin embargo, en la mayoría de los casos, una investigación apropiada encontrará que tales males no son en realidad enfermedades, sino las puras reacciones simpáticas o los síntomas de una sola enfermedad, un trastorno del útero [54].

Incluso la tuberculosis podía hacerse depender de los caprichosos ovarios. Cuando los hombres tenían tisis, los médicos buscaban algún factor ambiental, como una sobreexposición, para explicar la enfermedad. Pero en el caso de las mujeres era resultado de una disfunción de los órganos reproductores. En 1875 escribía el doctor Azell Ames:

> Pese a que está fuera de duda que la tisis... es producida por fallos en la función [menstrual] de las niñas que están formándose..., uno y otro fenómenos han sido considerados como causa y efecto de forma intercambiable [En realidad, hoy sabemos que es cierto que la tuberculosis puede *producir* la desaparición de las reglas.] [55]

Dado que los órganos reproductores eran el origen de la enfermedad, el tratamiento debía centrarse en ellos. Cualquier síntoma —dolores de espalda, irritabilidad, indigestión, etc.— podía provocar un asalto médico a los órganos sexuales. La historiadora Ann Douglas Wood describe los «tratamientos locales» empleados a mediados del siglo XIX casi para cualquier cosa de la que se quejara una mujer:

> Este tratamiento [local] tenía cuatro etapas, aunque no todos los casos necesitaban las cuatro: un examen manual, las «sanguijuelas», las «inyecciones» y la «cauterización». Dewees [un profesor norteamericano de medicinal] y Bennet, famoso ginecólogo inglés muy leído en Amé-

rica, abogaban por colocar las sanguijuelas justo en la vulva o en el cuello del útero, aunque Bennet aconsejaba al doctor que las contara, porque se soltaban en cuanto estaban saciadas y podía «perder» alguna. Bennet sabía de algunas sanguijuelas curiosas que habían avanzado hasta la cavidad cervical del propio útero, y afirmaba: «Creo que pocas veces he visto un dolor más agudo que el experimentado por algunas pacientes mías en tales circunstancias.» Menos terribles para una mente del siglo XX, pero tal vez incluso más sin sentido, eran las «inyecciones» en el útero que proponían ambos médicos. El útero se convertía en una especie de recogedor, o en lo que un médico exasperado denominó un «bazar chino»: Agua, leche y agua, té de linaza, y una «decocción de malvavisco... tibia o templada» se abrían paso en el interior de pacientes nerviosas. La última fase —que en esa época se ejecutaba, hay que recordar, sin más anestesias que un poco de opio o de alcohol— era la cauterización, bien mediante la aplicación de nitrato de plata, bien con el empleo, en casos de infección más grave, de hidrato de potasa, mucho más fuerte, o de una «verdadera cauterización», un instrumento de «hierro candente» [56].

En la segunda mitad del siglo, estos torpes experimentos con las interioridades femeninas dieron paso a técnicas más eficaces de cirugía, cuyo objetivo fue siendo, cada vez más, dominar los trastornos de personalidad en la mujer. Hubo una breve moda de clitoridectomías (extirpación del clítoris) en la década de 1860, tras la introducción de dicha técnica por el médico inglés Isaac Baker Brown. Aunque la mayoría de los médicos fruncían el ceño ante la idea de tal operación, solían estar de acuerdo en que podía ser necesaria en casos de ninfomanía, masturbación incurable o «crecimiento antinatural» de dicho órgano. (La última clitoridectomía de la que se tiene noticia en Estados Unidos se realizó en 1948 en una niña de cinco años, como tratamiento contra la masturbación.)

La intervención quirúrgica más corriente en la personalidad femenina era la ovariotomía, la extirpación de los ovarios o «castración femenina». En 1906 un destacado cirujano ginecológico calculaba que había unas 150.000 mujeres en Estados Unidos que hubieran perdido sus ovarios en el quirófano. Algunos médicos presumían de que habían operado entre 1.500 y 2.000 ovarios [57]. De acuerdo con el historiador G. J. Barker-Benfield,

> Entre las indicaciones estaban las molestias generales, el comer demasiado, la masturbación, el intento de suicidio, las tendencias eróticas, la manía persecutoria, el simple «espíritu de contradicción» y la dismenorrea [menstruación dolorosa]. El más claro de los numerosos síntomas que impulsaban a los médicos a prescribir la castración era una fuerte tendencia a los apetitos sexuales por parte de la mujer [58].

La operación se basaba en una razón directamente emanada de la teoría sobre la «psicología de los ovarios»; puesto que los ovarios dominaban la personalidad, debían de ser responsables de cualquier trastorno psicológico; y, al contrario, los desórdenes psicológicos eran un claro síntoma de enfermedad ovárica. Por consiguiente, había que extraer dichos órganos.

Podría pensarse, con ese papel omnipotente de los ovarios, que una mujer operada sería como un barco sin timón, descentrado y a la deriva. Pero, por el contrario, los defensores de la ovariotomía aseguraban que una mujer liberada de un ovario enfermo sería una mujer *más perfecta.* En 1893, un partidario de la operación declaraba que «las pacientes mejoran, algunas de ellas están curadas...; el sentido moral de la paciente se eleva... se vuelve dócil, ordenada, trabajadora y limpia» * [59]. A menudo eran los maridos quienes llevaban a las pacientes, quejándose de su comportamiento díscolo. Los médicos afirmaban además que las mujeres —molestas pero lo bastante cuerdas como para identificar su problema— muchas veces «llegaban a nosotros solicitando que se les quitaran los ovarios» [60]. Se consideraba que la operación tenía éxito si la mujer pasaba a una plácida resignación en el desempeño de sus funciones domésticas.

La aplastante mayoría de las mujeres a quienes se había aplicado sanguijuelas o hierros candentes en el cuello del útero, o a quienes se había extraído el clítoris o los ovarios, eran mujeres de clase media o alta, puesto que, al fin y al cabo, estas técnicas costaban bastante dinero. Pero no hay que pensar que las mujeres pobres se ahorraban el catálogo de torturas del ginecólogo, sólo porque no pudieran pagarlo. Un pionero de la cirugía ginecológica fue Marion Sims, que practi-

---

* Es poco probable que la operación tuviera ese efecto en la personalidad femenina. Produciría síntomas de menopausia, entre los que no se encuentra ningún cambio de personalidad significativo.

caba con esclavas negras a quienes retenía con el único fin de emplearlas para los experimentos quirúrgicos. A una de ellas la operó treinta veces en cuatro años, con continuos fracasos debidos a las infecciones postoperatorias [61]. Después de trasladarse a Nueva York, Sims continuó sus experimentos con irlandesas pobres refugiadas en el Hospital de mujeres de la ciudad. De modo que, si bien las burguesas sufrieron en mayor medida las técnicas de los cirujanos, las mujeres pobres y negras padecieron el brutal período de experimentación.

Útero contra cerebro

El dominio del útero (y de los ovarios) no fue nunca tan tranquilo y seguro como habrían deseado los médicos. Había una amenaza constante de subversión por los sentimientos sexuales que surgían de Dios sabe qué trastornos del cerebro o los genitales. Los médicos advertían que el vicio, en cualquiera de sus formas, podía provocar desarreglos en la mujer entera, en cuerpo y alma. Nada les alarmaba más que la masturbación —a la que se llamaba entonces autodegradación o, simplemente, «el vicio»—, que podía conducir a disfunciones menstruales, enfermedades uterinas, lesiones en los genitales, tuberculosis, demencia y debilitamiento general.

Con el mismo fervor con que los funcionarios de salud pública luchaban contra los gérmenes epidémicos, los médicos perseguían «el vicio» hasta los más escondidos y solitarios rincones. Los padres tenían que vigilar a sus hijos en busca de los primeros síntomas (palidez, languidez, mal humor) y, en caso necesario, atarles las manos a los costados durante la noche. Se obligaba a pacientes de ambos sexos a «confesar». En las mujeres, hasta los pensamientos amorosos inspirados por lecturas, fiestas, coqueteos o «bebidas fuertes» podían trastornar la entera fisiología. Los doctores consideraban que uno de sus más rigurosos deberes era oponerse a la lectura de novelas románticas «como una de las principales causas de enfermedades uterinas en las jóvenes» [62].

A medida que avanzaba el siglo, la hegemonía del útero pareció tambalearse. Cada vez más mujeres rechazaban el modelo femenino, pasivo y enfermizo, que proponían los médicos, y lo cambiaban por la búsqueda de sus propios papeles activos. El movimiento sufragista se había extendido a toda la nación y abanderaba campañas organizadas estado por estado. Cada vez más mujeres de clase media solicitaban el ingreso en las universidades, ya fuera en las nuevas facultades femeninas, como Smith (abierta en 1875), Wellesley (1875), Bryn Mawr (1885) y Mills (1885), o en instituciones masculinas como Cornell, Williams y Harvard [63]. Para los médicos, era como si un nuevo órgano se hubiera unido a la lucha por el poder: el cerebro femenino. La ginecología decimonónica se vio absorbida en el combate entre el cerebro y el útero por el dominio de la persona de sexo femenino. Como si la cuestión femenina se dilucidara en la mesa de disección: por un lado, el cerebro —agresivo, calculador— llevaba el estandarte del racionalismo sexual; por otro, el útero representaba el romanticismo sexual, húmedamente receptivo, afectivo, aún regido por el antiguo ritmo de la luna y las mareas.

La posibilidad de una coexistencia pacífica entre los dos órganos quedaba desechada por las leyes básicas de la fisiología. Los médicos veían el cuerpo como un sistema económico en miniatura, en el que las diversas partes —como las clases o los grupos de interés— luchaban por unos recursos limitados. Cada cuerpo contenía una cantidad fija de energía que podía orientarse hacia una u otra función. Por consiguiente, había una inevitable tensión entre las diferentes funciones, entre los órganos: cada uno podía desarrollarse sólo a costa de los demás. Curiosamente, los doctores no veían razón para preocuparse por los conflictos entre los pulmones y el bazo, o el hígado y los riñones, o entre cualquier otra posible pareja de combatientes. El drama fundamental, tanto en el cuerpo masculino como en el femenino, era el gran duelo entre el *cerebro* y los *órganos reproductores.*

No hace falta decir que los resultados deseables de esta lucha eran bastante distintos para cada sexo. Los hombres eran empujados a apoyar el cerebro, a luchar contra los efectos debilitadores de la complacencia sexual. Puesto que la misión del varón (al menos, del varón de clase media) era ser hombre de negocios, profesor, abogado o ginecólogo, debía tener cuidado de conservar toda su energía para las «funciones superiores». Los médicos aconsejaban a los hombres que no «gastaran su semilla» (la esencia material de su energía) desordenadamente en las relaciones maritales, y que por supuesto no la derramaran en el vicio secreto ni en sueños lascivos. El historiador Barker-Benfield sugiere que el fanático miedo de los médicos a la sexualidad femenina reflejaba la constante lucha por conservar los fluidos masculinos para tareas masculinas. Se veía a la mujer «supersexuada» como un vampiro chupasangre que dejaba a los hombres débiles, exhaustos y afeminados.

Por el contrario, pero casi paralelamente, las mujeres tenían que ponerse de parte del útero y resistir las tentaciones del cerebro. Dado que la reproducción era el gran objetivo de la mujer en la vida, los médicos estaban de acuerdo en que tenía que concentrar todos sus esfuerzos en la parte inferior, en el útero. Toda otra actividad debía disminuirse o detenerse durante los períodos culminantes de demanda uterina de energía. En la pubertad se aconsejaba a las chicas que descansaran mucho, para poder dedicar sus fuerzas a regular sus períodos; aunque podían pasar años hasta conseguirlo. Demasiadas lecturas o demasiados estímulos intelectuales en la frágil etapa de la adolescencia podían producir un daño irreparable en los órganos reproductores y unos hijos enfermizos e irritables.

El embarazo era otro período que exigía un intenso vacío mental. Una teoría mantenía que el cerebro y el útero gestante competían, no sólo por las energías, sino por una sustancia material, los fosfatos [64]. Todo esfuerzo mental de la futura madre podía privar al hijo de parte de su alimento vital, o requerir tal desgaste del propio sistema de la mujer que la condujera a la locura y a la necesidad de una «prolongada administración de fosfatos». La menopausia tampoco suponía un alivio a las imperiosas demandas del útero. Los médicos la describían como una «caja de Pandora» llena de males, que exigía, nuevamente, un período de bovina placidez.

Pero no bastaba con convencer a las mujeres, en la intimidad de la consulta o de la sala de espera, de que respaldaran a su útero asediado. El cerebro era un enemigo poderoso, como demostraba el avance del movimiento feminista y el creciente número de mujeres cultivadas. Los médicos debieron de pensar que sólo ellos poseían la sabiduría y el valor necesarios para defender al pobre útero, que no era tan listo ni ágil como su rival. De ese modo, en la década de 1870, los doctores entraron en el debate público sobre la educación femenina.

El libro *Sex in Education, or a Fair Chance for the Girls* [El sexo en la educación, o una oportunidad justa para las niñas], del doctor Edward H. Clarke, fue el gran manifiesto uterino del siglo XIX [65]. Su aparición tuvo lugar en medio de las máximas presiones en pro de la coeducación en Harvard, donde Clarke era profesor, y disfrutó de 17 ediciones en sólo unos cuantos años. Clarke revisaba las teorías médicas sobre la naturaleza femenina —la fragilidad innata, la competencia cerebro/útero— y llegaba, con una lógica sorprendente pero inapelable, a la conclusión de que la educación superior ¡iba a atrofiar los úteros femeninos!

Armados con las razones de Clarke, los médicos vociferaban contra los peligros de la educación femenina. R. R. Coleman, médico de Birmingham, Alabama, atronaba con esta advertencia:

> Tened cuidado, mujeres. Estáis al borde de la destrucción: hasta ahora os habéis dedicado a trituraros las cinturas y ahora pretendéis cultivar vuestra mente; no habéis hecho más que bailar toda la noche en el aire viciado de los salones y ahora empezáis a dedicar vuestras mañanas al estudio. Habéis estado estimulando constantemente vuestras emociones con conciertos y óperas, con novelas y obras de teatro francesas, y ahora ejercitáis vuestro entendimiento para aprender griego y resolver proposiones euclidianas. ¡Cuidado! La ciencia asegura que la mujer que estudia está perdida [66].

Docenas de investigadores médicos se apresuraron a plantar la bandera de la ciencia en el terreno abierto por la obra de Clarke. Sus estudios demostraban que las estudiantes empalidecían, tenían una salud delicada y eran presa de monstruosas desviaciones de la regularidad menstrual. (La irregularidad menstrual trastornaba la sensibilidad de los médicos tanto como la sexualidad femenina. Ambas eran la evidencia de fuerzas espontáneas e ingobernables que actuaban en el cuerpo de la mujer.) Un estudio de 1902 demostró que el 42 por 100 de las mujeres admitidas en manicomios eran cultivadas, frente al 16 por 100 de hombres; ello «probaba», desde luego, que la educación superior enloquecía a las mujeres [67]. Pero la prueba consumada fue la escasa contribución de las mujeres universitarias a la tasa de nacimientos. Un estudio de 1895 averiguó que se casaba el 28 por 100 de las tituladas universitarias, frente al 80 por 100 de las mujeres en general [68]. La tasa de nacimientos descendía globalmente entre la clase media blanca, pero más precipitadamente entre las universitarias. G. Stanley Hall, cuyo capítulo sobre «Las adolescentes y su educación» revisaba treinta años de argumentos médicos contra la educación femenina, deducía con un sarcasmo poco corriente que las facultades estaban muy bien para formar «a aquellas que no se casan o para educar para el celibato». «Estas instituciones pueden convertirse quizá en organismos que formen un tipo nuevo y viejo, la mujer agámica o agénica [es decir, estéril], como la tía, la religiosa seglar —joven o vieja—, la maestra o la mujer soltera» [69].

Los médicos y psicólogos (puesto que debemos ser conscientes de la contribución de Hall al debate) admitían que una mujer podía, si poseía la suficiente determinación, eludir el destino que le habían preparado siglos de lucha evolutiva, y ponerse completamente de parte del cerebro. Pero la «mujer mental» que de ahí saliera, si es que se puede denominar así por oposición al de «mujer uterina», natural, no podía sino acabar siendo un fenómeno anormal, tanto moral como médicamente. «Habrá asumido y empleado en su propia vida todo lo que estaba destinado a sus descendientes —se quejaba Hall—. Es la apoteosis del egoísmo desde el punto de vista de cualquier ética biológica.» En lo físico, los resultados eran previsibles: «Para empezar, pierde su función mamaria...», escribía Hall [70], dado que la lactancia parecía representar la generosidad natural de la mujer.

Algunos textos médicos sugerían que la pérdida de la función mamaria iría acompañada de una verdadera pérdida de los senos. «En su traje de noche enseña unas articulaciones que antes estaban hábilmente ocultas bajo capas de suave carne» —escribía la médica Arabella Kenealy a propósito de la «mujer mental»—, y se ha visto púdicamente obligada a hinchar y llenar de pliegues lo que la Naturaleza había planeado como el más tierno y delicado de los objetos», es decir, el seno. Los médicos estaban de acuerdo en que la mujer dominada por el cerebro sería musculosa, angulosa, de movimientos bruscos. La doctora Kenealy, que escribió muchos de sus textos para polemizar con Olive Schreiner, describía así a la mujer nueva:

> Si antes su belleza era sugestiva y huidiza, ahora es definida... El aura, la distancia, la sugerencia sutil del rostro han desaparecido... El mecanismo del movimiento no está ya velado por un cierto misterio... Su voz es más fuerte, sus tonos tienen seguridad. Dice todo lo que piensa, sin dejar nada a la imaginación [71].

La mujer uterina había sido indefinida, misteriosa, como un velo sobre la cara áspera de la sociedad industrial. El verdadero horror de la mujer cerebral era que dejaba al hombre sin ilusiones.

Ni siquiera la mujer que optaba por la vida mental y asexuada podía esperar que el cerebro fuera a tener una victoria fácil. La lucha entre la mente, con sus intransigentes pretensiones intelectuales, y el útero primitivo pero tenaz, podía desgarrar a una mujer e incluso, tal vez, destruir ambos órganos en el proceso. De modo que, al final, todo lo que esperaba a la mujer cerebral era casi siempre la enfermedad, que en realidad era, por supuesto, lo que le esperaba precisamente si seguía siendo «buena», o sea, uterina. S. Weir Mitchell declaraba con suficiencia ante una clase de Radcliffe su esperanza de que «ningún resto de estas costas llegue hasta mi astillero»; pero ¿qué esperanza era esa? [72].

Las advertencias médicas contra la enseñanza superior no quedaron desatendidas. Martha Carey Thomas, decana del Bryn Mawr College, confesaba que, de joven, había estado «aterrorizada» tras leer los capítulos relativos a las mujeres en *Adolescence* de Hall, convencida de que ella «y las demás mujeres... estaban condenadas a vivir como inválidas patológicas...» debido a su educación [73]. Martha Carey Thomas sobrevivió a su educación y desarrolló una carrera plena y exigente (e indudablemente sirvió a los médicos como repulsivo ejemplo de mujer musculosa y cerebral), pero también hubo bajas. Margaret Cleaves, médica en Des Moines, acabó admitiendo la futilidad de sus esfuerzos por hacer carrera. En palabras propias, había sido una «solterona hombruna» desde el principio y había dejado que sus ambiciones masculinas la condujeran a formarse como médica. Pero, tan pronto como alcanzó su objetivo, desarrolló un caso galopante de neurastenia, o «mente torcida», según su diagnóstico. «Tal vez sea cierto», admitía en su libro *The Autobiography of a Neurasthene*, como destacaban [S. Weir] Mitchell y otros, que las jóvenes y las mujeres no están preparadas para soportar el continuo trabajo de la mente, por las incapacidades existentes en su vida fisiológica [74].

Del mismo modo, Antoinette Brown, primera mujer que ejerció el ministerio eclesiástico en Norteamérica, abandonó su puesto después de convertirse a la teoría «científica» sobre la naturaleza femenina [75].

No obstante, a medida que avanzaba el siglo, hubo cada vez menos mujeres dispuestas a tomar en serio el consejo de los doctores. Las feministas se opusieron vigorosamente a la idea de que la mujer no poseía la energía suficiente para la educación superior, e incluso caricaturizaron las órdenes de los médicos como en este poema. «El voto de la doncella»:

Evitaré las ecuaciones
Y huiré de la pícara irracional
Deberé cuidarme del cuadrado perfecto
Por el que las jóvenes han errado
Y cuando los hombres mencionen la regla de tres
Pretenderé no haber oído [76].

La cura de reposo

La idea del cuerpo femenino como campo de batalla entre el útero y el cerebro condujo a dos posibles enfoques terapéuticos: uno era intervenir en el área reproductora, extrayendo los órganos «enfermos» o fortaleciendo el útero con dosis de nitrato de plata, inyecciones. cauterizaciones, sangrados, etc. La otra posibilidad era atacar directamente el cerebro y obligarle a rendirse. Los médicos no podían usar en el cerebro las mismas técnicas quirúrgicas que en los ovarios o el útero, pero descubrieron métodos más sutiles. Entre estos últimos, el más importante fue la cura de reposo, la invención mundialmente famosa del doctor S. Weir Mitchell.

La cura de reposo se basaba en las técnicas que en el siglo XX se han aplicado al lavado de cerebro: aislamiento total y privación sensorial. Durante aproximadamente seis semanas la paciente yacía sobre su espalda en una habitación en penumbra. No se le permitía leer. Si su caso era especialmente grave, no se le permitía ni levantarse a orinar. No podía recibir visitas ni ver a nadie excepto a una enfermera y al médico. Mientras el cerebro desocupado iba deslizándose, presumiblemente, hacia un estado de semiconsciencia, el cuerpo se fortalecía mediante masajes y alimentación. Esta consistía en comidas blandas que debían producir un aumento diario de peso. Los masajes duraban una hora al día y cubrían todo el cuerpo; eran más fuertes a medida que avanzaba la cura.

El tratamiento se hizo enormemente popular, en gran parte porque, al contrario que otros métodos ginecológicos, éste era indoloro. Como resultado de la cura de reposo, Filadelfia (donde ejercía Mitchell) se convirtió muy pronto en «la meca para pacientes de todo el mundo»[77]. Jane Addams se sometió a la cura de reposo, pero aparentemente no debió de obtener éxito, ya que tuvo que prorrogarse seis meses más durante los cuales Addams estuvo «literalmente atada a una cama» en casa de su hermana [78]. Charlotte Perkins Gilman pasó también por la cura antes de verse dada de alta para «vivir una vida lo más doméstica posible», cuyos resultados ya hemos relatado. Pero la mayoría de las pacientes parecen haber salido de la cura llenas, si no de salud, sí de una servil devoción por el doctor Mitchell. Las pacientes, tanto antiguas como futuras, le cubrían de pequeños regalos y cartas de admiración, como la siguiente, que contrasta la invalidez permanente de la autora con la fuerza viril del doctor:

> Encarcelada en una casa de campo con un ataque de gripe, inválida por una afección gástrica, los ojos fatigados de una mujer enferma caen sobre su rostro en *Century* [una revista] de este mes, y un escalofrío me recorre: ¡Por fin he visto al auténtico doctor! [79]

El secreto de la cura de reposo no residía en las comidas suaves, los masajes ni la privación intelectual, sino en el propio médico. S. Weir Mitchell debe incluirse entre los grandes pioneros, quizá el mayor, del desarrollo de la relación médico-paciente o, en términos generales, de la relación experto-mujer en el siglo XX. Su amigo personal y colega Sir William Osler llegó a representar para la posteridad el ideal machista de curación. Pero fue Mitchell, dotado de una interminable clientela de inválidas y neurasténicas, quien perfeccionó la técnica de curación por *autoridad*.

Mitchell era, en propias palabras, un «déspota» con las enfermas. Las pacientes no debían hacer preguntas (ni, como la pobre Gilman, intentar facilitar informaciones). El doctor podía ser amable y simpático un momento y brusco y dominante el siguiente. Y ese autoritarismo del doctor Mitchell quedaba magnificado por las condiciones de la cura de reposo: la paciente yacía en la penumbra todo el tiempo; no había visto a ningún otro hombre, a ninguna otra persona salvo la enfermera, durante semanas. Se encontraba débil y lánguida después de tanta inactividad. Los largos masajes la habían dejado, quizá, con una serie de sensaciones inadmisibles que no se atrevía a localizar ni con la imaginación. Entonces entraba el doctor Mitchell. Su falta de envergadura física no suponía ninguna diferencia para una mujer postrada. Él se mostraba seguro, dominante, cargado de ciencia. Regañaba a la paciente por su falta de progresos o predecía exactamente cómo se iba a encontrar al día siguiente, al cabo de una semana o de un mes. La paciente no podía sino sentir una profunda gratitud por esa partícula de atención, este extraño sustitutivo de la compañía humana, y decidía que *iba* a mejorar tal como él ordenaba, lo que significaba que iba a intentar ser una mujer mejor, más centrada en sus funciones reproductoras.

Era como si el doctor Mitchell supiera que, en la batalla entre el útero y el cerebro, tenía que participar un tercer órgano, el falo. Los «tratamientos locales» de las décadas anteriores habían dejado ya patente la necesidad de una penetración masculina para enderezar a las mujeres desviadas. Los médicos decimonónicos tenían la absoluta convicción de que las mujeres enfermas (o irritables) debían abrirse de piernas y admitir sanguijuelas, «decocciones», escalpelos; todo lo que el médico quisiera introducirle. Pero esas cosas no eran más que niñerías de adolescentes comparadas con la curación adulta y fálica practicada por S. Weir Mitchell, que era contrario a los «tratamientos locales» y abjuraba de cualquier tipo de penetración física (si exceptuamos la constante ingestión oral de alimentos suaves). El médico, según Mitchell, podía curar con la sola fuerza de su virilidad. Evidentemente, éste era un argumento definitivo contra las mujeres doctoras: no podían «obtener el necesario dominio sobre las de su propio sexo»[80]. Sólo un varón podía conseguir la total sumisión que constituía la «cura».

Si la paciente no se rendía ante la figura erecta de Mitchell junto a su cabecera, él amenazaba con sacar su falo en sentido literal. Por ejemplo, según una conocida anécdota, en una ocasión en la que una paciente no había conseguido recobrarse al terminar su cura de reposo,

> El doctor Mitchell recorrió toda la gama de argumentos persuasivos y al final anunció: «¡Si no sale de la cama en cinco minutos, se la meto!» Empezó a quitarse el abrigo, con la paciente aún tercamente acostada. Se quitó la chaqueta y, cuando empezaba a quitarse los pantalones, ¡ella se levantó de la cama hecha una furia![81].

La subversión del papel de la enferma: la histeria

El idilio del médico y la inválida culmina (casi hasta la consumación) con S. Weir Mitchell. Pero, como revela la anécdota recién mencionada, había un aspecto más desagradable. Su voz había adquirido un tono iracundo, punitivo; se planteaba la posibilidad de emplear la fuerza física. Con el tiempo, con la acumulación de inválidas en los gabinetes de las ciudades norteamericanas y su circulación por balnearios y consultas, el tono de castigo se fue elevando. La medicina se vio atrapada en una contradicción creada por ella misma, y empezó a volverse en contra de la paciente.

Los médicos habían establecido que las mujeres estaban enfermas y que esa enfermedad era innata, derivada de la posesión de útero y ovarios. De ese modo habían eliminado la dualidad entre «enfermedad» y «salud» en el sexo femenino; no había más que una media vida arrastrada, firmemente conducida por las «tormentas» de la función reproductora hacia un descanso más completo. Pero, al mismo tiempo, se suponía que los médicos *debían* curar. El desarrollo de la medicina comercial, con su enfoque agresivo e instrumental del oficio de curar, requería cierta fe pública en que los médicos podían *hacer algo*, en que podían arreglar las cosas. Desde luego, Charlotte Perkins Gilman había creído que iba a curarse. Los maridos, padres, hermanos, etc., de miles de mujeres enfermas esperaban que los médicos las sanaran. Una estrategia médica de enfermedades por decreto, seguidas de «curas» que imitaban los síntomas o provocaban otros nuevos, podía tener éxito durante unas cuantas décadas, pero a largo plazo no era viable.

El problema iba más allá de la mera credibilidad comercial de los médicos. Había una contradicción en el ideal romántico de la feminidad que la medicina había elaborado con tanto esfuerzo. Los médicos habían insistido en que la mujer era una enferma *y* en que su vida se centraba en la función reproductora. Pero éstas son proposiciones contradictorias. Si se está muy enferma, no se puede ejercer la reproducción. El papel femenino en ese caso requiere resistencia y, si se añade todo lo que implica criar a los hijos y gobernar la casa, una *salud* completa y llena de energías. Enfermedad y capacidad de reproducción, los dos pilares de la feminidad decimonónica, eran incompatibles.

Hacia finales de siglo parecía que la enfermedad había vencido a la capacidad reproductora. La tasa de nacimientos entre la población blanca descendió a la mitad entre 1800 y 1900, y la caída fue aún mayor entre los blancos protestantes y anglosajones, la «mejor» gente. Mientras tanto, negros e inmigrantes europeos parecían multiplicarse de forma verdaderamente prolífica, por lo que, pese a sus tasas de mortalidad muy superiores, surgió el miedo a que pudieran acabar sustituyendo a los «nativos». El profesor Edwin Conklin, de Princeton, escribió:

> El motivo de alarma es el descenso en la tasa de nacimientos entre los mejores elementos de la población, mientras que continúa incrementándose entre los más pobres. Los descedientes de puritanos e hidalgos... están desapareciendo, y en unos cuantos siglos, como mucho, habrán dado paso a razas más fértiles... [82].

Y en 1903 el presidente Theodore Roosevelt atemorizó a la nación con el peligro del «suicidio de la raza»:

> Entre los seres humanos, como entre todas las demás criaturas vivientes, si los mejores especímenes no se propagan, y los especímenes in-

feriores sí lo hacen, el tipo [la raza] desciende. Si los americanos de vieja cepa llevan vidas de egoísta celibato... o si los casados se ven aquejados de ese miedo esencial a la vida que, bien por sí mismos, bien por sus niños, les impide tener más de uno o dos hijos, la nación se verá abocada al desastre [83].

G. Stanley Hall y otros expertos relacionaron enseguida el descenso de la tasa de natalidad de los WASP con la epidemia de invalidez femenina:

> En todo Estados Unidos el índice de nacimientos ha descendido del 25,61 al 19,22 entre 1860 y 1890. Muchas mujeres se encuentran tan exhaustas antes del matrimonio que, después de tener uno o dos hijos, se convierten en ruinas y, además de tener quizá un miedo creciente a los partos y a los inconvenientes de los hijos, muchas de las mejores creen que no tienen suficiente resistencia... [84].

Después sugería que, «si las mujeres no mejoran», los hombres tendrían que «recurrir a esposas inmigradas» o tal vez debería haber un «nuevo rapto de las sabinas».

Este desafío genético que planteaban los «elementos más pobres» arrojaba una luz poco halagüeña sobre la mujer inválida. Por mucho que sufriera «realmente», era evidente que no estaba cumpliendo con su deber. La simpatía empezó a dar paso a la sospecha de que podía estar *simulando* deliberadamente. S. Weir Mitchell reveló esta opinión particular sobre sus pacientes en sus novelas, en las que aparecía la inválida posesiva y egoísta que emplea su enfermedad para obtener poder sobre otros. En *Roland Blake* (1886), la malvada enferma Octapia intenta destrozar la vida de su gentil prima Olivia. En *Constance Trescot* (1905) la heroína es una mujer decidida y dominante, que arruina a su esposo y vuelve a caer en la invalidez en un intento de retener a su paciente hermana Susan:

> Poco a poco, Susan aprendió también que Constance utilizaba su desgracia y su larga enfermedad para garantizarse un exceso de simpatía, afecto e incansables servicios. Tales descubrimientos perturbaron a la hermana menos egoísta... [85].

La historia termina con un hiriente rechazo de Constance, cuando

Susan la abandona para casarse y asumir el papel, más femenino, de servir a un hombre. Poco sospechaban las pacientes del doctor Mitchell que su mujer ideal no era la dama delicada del lecho, sino la maternal figura de la enfermera en la penumbra. (En realidad, la cura de reposo de Mitchell estaba implícitamente basada en la idea de que sus pacientes eran simuladoras.) Tal como explicaba, consistía en ofrecer a la paciente una experiencia real de la invalidez pero que no tuviera ninguna de las ventajas ni gratificaciones de esa situación.

> Estar en cama la mitad del tiempo, coser un poco y leer otro poco, ser interesante y provocar simpatía, está muy bien, pero cuando se ven obligadas a permanecer en el lecho durante un mes, sin leer, escribir ni coser, y a tener una enfermera —no un familiar—, el descanso se convierte para algunas mujeres en una medicina bastante amarga, y se alegran cuando el médico les da la orden de que se levanten y salgan...[86].

Muchas mujeres *usaban* probablemente la condición de enfermas como forma de escapar a sus funciones reproductoras y sus obligaciones domésticas. Para las mujeres que consideraban que el sexo era algo verdaderamente repugnante, pero un «deber», o para cualquier mujer que quería evitar un embarazo, la enfermedad era un modo de huir, y no había muchos más. Los métodos anticonceptivos existentes eran poco fiables, y a veces no estaban ni disponibles[87]. El aborto era ilegal y arriesgado. De modo que la invalidez femenina pudo ser un antecedente directo del «dolor de cabeza» nocturno que tanto irritó a los maridos a mediados del siglo XX.

Las sospechas de simulación —ya fuera para evitar embarazos o para llamar la atención— oscurecieron la relación entre médico y paciente. Si la mujer estaba verdaderamente enferma (como afirmaban los médicos que estaba), los esfuerzos del doctor, aunque fuesen ineficaces, debían interpretarse como adecuados, justificables y, por supuesto, reembolsables. Pero si *no* estaba enferma, estaba burlándose de él. Sus viriles y profesionales intentos de curarla se convertían en meros elementos de una charada dirigida y protagonizada por la paciente. ¿Pero cómo se podía distinguir a las auténticas inválidas de las falsas? ¿Y qué se podía hacer cuando ni medicamentos, ni operaciones, ni reposos, ni intimidaciones parecían restablecer a la dama?

Los médicos habían querido que las mujeres estuvieran enfermas, pero ahora se encontraban atrapados en una lucha de poderes con una paciente no tan débil como creían: ¿La enfermedad era una imaginación de la mente del doctor, una elaboración de la mente de la paciente o algo «real» que, no obstante, escapaba a todos los asaltos de la ciencia médica? ¿Qué había, después de todo, tras la «neurastenia», la «hiperestesia», las docenas de etiquetas que se aplicaban en general a la invalidez femenina?

Hizo falta un síndrome específico para que las ambigüedades de la relación médico-paciente se hicieran insoportables y para romper definitivamente el monopolio de los ginecólogos sobre la psique femenina. Ese síndrome fue la histeria. En muchos aspectos, la histeria era el epítome del culto a la invalidez en la mujer. Afectaba a las damas de clase media y alta de forma casi exclusiva; no tenía ningún fundamento orgánico discernible; y era completamente resistente a los tratamientos médicos. Pero, al contrario que las formas habituales de invalidez, la histeria era episódica. Iba y venía en ataques imprevisibles y frecuentemente violentos.

De acuerdo con las descripciones de la época, la víctima de la histeria podía desmayarse o sufrir convulsiones incontroladas. Su espalda podía arquearse, su cuerpo ponerse rígido, o empezaba a golpearse el pecho, tirarse de los cabellos o intentar morderse a sí misma y a los que la rodeaban. Junto a los ataques y los desmayos, la enfermedad adoptaba varias formas: pérdida de voz, de apetito, toses o estornudos y, por supuesto, gritos, risas histéricas, llantos. La enfermedad se extendió rápidamente, no sólo por Estados Unidos, sino por Inglaterra y por toda Europa.

Los médicos empezaron a obsesionarse por «la más confusa, misteriosa y rebelde de las enfermedades». En ciertos aspectos, era la enfermedad ideal para ellos: nunca era fatal, pero necesitaba un volumen casi ilimitado de atenciones médicas. Sin embargo, no era tan ideal desde el punto de vista del marido y la familia de la mujer afectada. Una delicada invalidez era una cosa, pero los ataques violentos, otra muy distinta. De modo que la histeria puso en aprietos a los doctores. Para su autoestima como profesión era esencial encontrar un fundamento orgánico de la enfermedad, que les permitiera curarla, o enfrentarse a ella como a una astuta charada.

Existían muchos indicios en este último sentido. Cada vez con más suspicacia, la literatura médica comenzó a observar que las histéricas nunca sufrían sus ataques cuando estaban solas, ni cuando no tenían algo blando sobre lo que caer. Un médico las acusó de peinarse de manera que el cabello cayera lujuriosamente cuando se desmayasen. El «tipo» histérico empezó a ser caracterizado como «pequeñas tiranas» con «afición al poder» sobre sus maridos, criados e hijos y, si era posible, sobre su doctor.

De acuerdo con la interpretación de la historiadora Carroll Smith-Rosenberg, las acusaciones de los médicos tenían algo de verdad: el ataque de histeria, para muchas mujeres, debía de ser la única explosión —de rabia, de desesperación o sencillamente de *energía*— posible [88]. Alice James, cuya enfermedad duró toda la vida tras un primer brote de histeria en la adolescencia, definía su situación como la lucha contra una energía física incontrolable:

> Imagina que nunca te abandonara la sensación de que si te dejas ir un momento... tendrás que abandonarte por completo, romper los diques y dejar que la marea inunde todo, sabiéndote miserablemente impotente ante las leyes inmutables. Cuando toda la moral y todas las reservas consisten en un temperamento que impide ceder una pulgada o relajar un músculo, ésta es una lucha sin fin. Cuando se me ocurrió pasar una mañana en la escuela para *estudiar* mis lecciones en lugar de gritar y moverme a través de las más imposibles sensaciones de agitación, me sentí vencida por un violento vuelco de cabeza, de modo que tuve que «abandonar» mi cerebro, como si dijéramos [89].

De todas formas, en general, los médicos siguieron insistiendo en que la histeria era una enfermedad real, una enfermedad del útero, en concreto. (Histeria procede de la palabra griega que designaba el útero.) Continuaron inamovibles en su convicción de que tanto sus consultas como sus honorarios eran absolutamente necesarios; pero, al mismo tiempo, en sus tratamientos y en sus escritos, fueron asumiendo una actitud cada vez más molesta y amenazadora. Un médico escribió: «A veces será aconsejable hablar en un tono decidido, en presencia de la paciente, sobre la necesidad de afeitarle la cabeza, o de darle una ducha fría, si no se recupera pronto.» Después ofrecía un razonamiento «científico» de su tratamiento al afirmar que «la influencia sedativa del miedo puede calmar, como he tenido ocasión de comprobar, la excitación de los centros nerviosos...» [90].

Carroll Smith-Rosenberg escribe que los doctores recomendaban ahogar a las histéricas hasta que cesaran sus ataques, golpearlas en la cara y en el cuerpo con toallas húmedas y avergonzarlas ante la familia y las amistades. Cita al doctor F. C. Skey: «El ridículo, para una mujer de espíritu sensible, es un arma poderosa... pero no existe emoción equivalente al miedo y la amenaza del castigo personal... Harán caso a la voz de la autoridad.» Cuanto más histéricas se volvían las mujeres, más dureza empleaban los médicos con la enfermedad; y, al mismo tiempo, empezaron a verla por todas partes, hasta que acabaron por diagnosticar cualquier acto de independencia femenina, especialmente los relacionados con los derechos de la mujer, como «histéricos».

Con la histeria, el culto a la invalidez femenina llegaba a su conclusión lógica. La sociedad había asignado a las mujeres acomodadas una vida limitada e inactiva, y la medicina había justificado esa atribución definiendo a las mujeres como enfermas innatas. En la epidemia de histeria, las mujeres aceptaban su «enfermedad» intrínseca y, al mismo tiempo, encontraban una forma de rebelarse contra una función social intolerable. La enfermedad, que ya era un modo de vida, se hizo una forma de rebelión, y el tratamiento médico, que siempre había tenido un cierto tono coercitivo, se mostró como algo franca y brutalmente represivo.

Pero el punto muerto al que se había llegado con la histeria estaba a punto de anunciar una nueva era en la relación de los expertos con las mujeres. Mientras el conflicto entre éstas y sus médicos iba creciendo en Norteamérica, Sigmund Freud, en Viena, empezaba a trabajar en un tratamiento que supondría alejar definitivamente esa enfermedad del campo de la ginecología.

El método de Freud eliminó la enrevesada cuestión de si la mujer simulaba o no: en cualquiera de los dos casos, se trataba de un trastorno mental. El psicoanálisis, como ha señalado Thomas Szasz, insiste en que «la simulación es una enfermedad, incluso una enfermedad "más grave" que la histeria» [91]. Freud acabó con las «curas» traumáticas y legitimó una relación médico-paciente basada exclusivamente en la conversación. Su terapia obligaba a la paciente a confesar sus resentimientos y rebeldías, para que después aceptara su papel como mujer. El examen que Freud hizo de la histeria dio lugar inmediatamente a una nueva especialidad médica: «El psicoanálisis —en palabras de la historiadora feminista Carroll Smith-Rosenberg— es hijo de la mujer histérica.» A lo largo del siglo XX, los psicólogos y psiquiatras sustituirían a los médicos como principales expertos en las vidas femeninas.

Durante las primeras décadas del siglo, los médicos siguieron considerando la menstruación, el embarazo y la menopausia como enfermedades físicas y estorbos intelectuales. Se siguió aconsejando a las adolescentes que estudiasen menos y se sometió a las mujeres maduras a histerectomías indiscriminadas, el moderno sustitutivo de las ovariotomías. Los órganos reproductores femeninos siguieron viéndose como una especie de terreno para la expansión química y quirúrgica, para medicamentos no probados y audaces experimentos. Pero el debate sobre la cuestión femenina ya no se plantearía jamás en términos tan crudos y materialistas como los propuestos por la teoría médica decimonónica, con la «batalla» entre cerebros y úteros por dominar la naturaleza de la mujer. La interpretación psicológica de la histeria y, posteriormente, de la «neurastenia» y de los demás síndromes difusos de enfermedad femenina, estableció de una vez por todas que el cerebro era el que había vencido. Los expertos del siglo XX aceptaban la inteligencia y la energía de la mujer: el problema no iba a ser lo que ella *podía* hacer, sino lo que *debía* hacer.

Cinco

Los microbios y la invención del trabajo doméstico

Al empezar el nuevo siglo, la inválida que languidecía en su *chaise longue* estaba a punto de terminar su morbosa existencia como ideal femenino. La invalidez de la mujer, solución de los ginecólogos a la cuestión femenina, había sido siempre demasiado exclusiva y exigente. Ahora un nuevo espíritu activista había capturado a las mujeres y a los hombres de la clase media: la empresa americana estaba expandiéndose a los mercados de todo el mundo, y en casa quedaba la formidable tarea de asimilar a veinte millones de trabajadores inmigrantes, por un lado, y civilizar a los tiburones, por otro. El ascenso de Teddy Roosevelt desde una infancia asmática hasta una madurez obsesiva y activista fue fuente de inspiración para los veteranos más debilitados y apáticos del *fin de siècle*. Todo el mundo quería estar «ocupado», «al día», y ni las mujeres más privilegiadas estaban dispuestas a quedarse sentadas fuera del Siglo Americano con un dolor de cabeza.

En un estallido de energía contenida, las burguesas norteamericanas empezaron a aflojar su vestimenta, a montar en bicicleta y a dejar sus hogares para organizar círculos de mujeres, actividades benéficas, grupos de reforma cívica. Pero no estaban listas en absoluto para rechazar las hipótesis básicas del romanticismo sexual. Lo que buscaban era una nueva versión del ideal romántico, algo más democrático que la invalidez, algo que fuera más sano y activo.

El nuevo ideal que se iba a esculpir en la primera década del siglo no sería el de la activista política o la reformadora social, sino el del ama de casa. Iba a permanecer atada al hogar con tanta seguridad como la inválida, pero no porque estuviera demasiado débil para hacer otra cosa, sino porque tenía mucho que hacer allí. El ama de casa, bulliciosa y eficiente —intelectual y emocionalmente comprometida en sus tareas—, podía ser un modelo para todas las mujeres, no sólo para las de mejor posición. Los hombres podían ser presidentes de bancos o peones de albañil, profesores o mineros; las mujeres, a partir de ese momento, serían amas de casa.

La idea de ocuparse del hogar como trabajo de plena dedicación fue elaborada por un nuevo grupo de expertos que, al contrario que los médicos, eran en gran parte mujeres. Convertir las labores domésticas en una profesión significaba, por supuesto, convertirlas en una ciencia. Entre el final de la década de 1890 y la de 1910, las mujeres organizaron, discutieron, experimentaron y aprovecharon prodigiosamente el consejo de los varones expertos en un intento de sentar las bases de una *ciencia* de la crianza de los hijos y una *ciencia* del trabajo doméstico. En los dos próximos capítulos trazaremos el desarrollo de la «crianza científica de los hijos» y su aprobación gradual por parte de los varones expertos, médicos y psicólogos. En éste, vamos a centrarnos en la ciencia o economía doméstica y sus expertos, con sus esfuerzos por redefinir las tareas de la mujer en el hogar y por «vender» el nuevo trabajo doméstico de tipo científico.

El vacío doméstico

Antes de la revolución industrial, no habían existido dudas sobre lo que las mujeres tenían que hacer en la casa. Las campesinas del siglo XVIII y de principios del XIX (y casi todas las mujeres eran campesinas entonces) no se limitaban a hacer pasteles de manzana y pañitos bordados; hacían pan, mantequilla, telas, ropas, jabón, velas, medicamentos y las demás cosas esenciales para la supervivencia de la familia. Un granjero de Nueva Inglaterra escribió en 1787 que había obtenido 150 dólares con la venta de los productos de su granja de un año, pero:

> ... Nunca he gastado más de diez dólares al año, para sal, clavos y esas

cosas. No he comprado nada de comer, ni de beber ni de vestir, porque mi granja proveía todo [1].

El hogar rural preindustrial era una pequeña fábrica que exigía de sus trabajadoras femeninas una variedad de habilidades y una infinita capacidad de trabajar duro.

En realidad, las presiones de la producción doméstica dejaban muy poco tiempo libre para las tareas que hoy definiríamos como labores del hogar. Indudablemente, las mujeres anteriores a la revolución industrial eran, con arreglo a las pautas actuales, unas amas de casa muy desaliñadas. En vez de la limpieza diaria o semanal, existía la limpieza de *primavera*. Las comidas eran sencillas y repetitivas; las ropas se cambiaban con poca frecuencia; y «la ropa de la casa se iba acumulando para hacer la colada una vez al mes o, en algunos hogares, una vez cada tres meses» [2]. Y, dado que para cada ocasión se necesitaba acarrear y calentar muchos cubos de agua, no había demasiado interés por aumentar los niveles de limpieza.

Entonces, con el siglo XIX, llegó la industrialización y la creación de la economía de mercado. Poco a poco, el trabajo asalariado y las empresas fueron sustituyendo a la agricultura como modo de vida americano. Las mujeres jóvenes, los hombres adultos e incluso los niños fueron a las ciudades para producir a cambio de dinero, en lugar de hacerlo para cubrir las necesidades inmediatas de sus familias. No obstante, a lo largo del siglo, a través de las convulsiones de la urbanización, la industrialización, las guerras, más del 95 por 100 de las mujeres casadas permanecieron, como anteriormente sus madres, en el hogar [3], aparentemente insensibles a la ola de revolución industrial y social que barría la vida norteamericana. Pero sus vidas también cambiaron drásticamente: los oficios domésticos tradicionales pasaron a las fábricas. La fabricación textil en el hogar, que Alexander Hamilton había considerado fundamental para la economía de los primeros tiempos republicanos [4], desapareció prácticamente entre 1825 y 1855 [5]. La ropa, las velas, el jabón y la mantequilla entraron, junto con botones y agujas, a formar parte de los objetos que las mujeres ya no hacían sino *compraban*.

A finales de siglo, casi nadie fabricaba ya su almidón ni hervía su colada. En las ciudades, las mujeres compraban el pan y, por lo menos, la ropa interior, enviaban a sus hijos a la escuela y probablemente parte de su ropa a la lavandería, y empezaban a discutir las ventajas de los alimentos enlatados. En los hogares de clase media ocupaba ya su lugar el cajón de hielo, y acababa de aparecer el linóleo de limpieza fácil. «El torrente de la industria había pasado y había arrinconado el telar en el ático y el hervidor de jabón en el cobertizo» [6].

Cada vez con menos cosas que *fabricar* en el hogar, parecía que pronto no habría nada que *hacer*. Los educadores, los divulgadores e incluso los principales especialistas en ciencias sociales se mostraban preocupados por el creciente vacío del hogar. El sociólogo Edward A. Ross observó que «cuatro quintas partes de los procesos industriales que se realizaban en los hogares americanos corrientes hacia 1850 se han ido para nunca volver» y pidió el aprovechamiento de la «energía liberada» [7]. El economista Thorstein Veblen insistió en que para el ama de casa acomodada, incluso cuando parecía estar trabajando en el hogar, las tareas que le habían quedado eran tan triviales que se podían considerar como «evidencias de los esfuerzos malgastados» que completaban el círculo familiar de «conspicuo consumo» [8].

Muchas mujeres de clase obrera, por supuesto, no tenían problemas sobre qué hacer: seguían haciendo su viejo «trabajo de mujeres» dentro de la estructura de factorías, fabricando tejidos, vestidos y jabón como hacían anteriormente en el hogar. Pero en la nueva burguesía urbana el vacío doméstico se convirtió en un problema urgente, ligado al debate sobre la cuestión femenina. Si sus madres se habían conformado con ciertas «satisfacciones» como el bordado o el dibujo, las jóvenes de esta clase exigieron —y obtuvieron— cada vez más posibilidades de terminar una educación completa, que sólo sirvió para aumentar su sensación de que faltaba algo en el hogar. Algunas empezaron a lamentarse de que, en el mundo industrial, los varones habían usurpado las funciones productivas que anteriormente daban dignidad y sentido a las mujeres. Cuando Edward Bok, influyente director de *Ladies' Home Journal*, aconsejó a las mujeres que se mantuvieran apartadas de la política y se circunscribieran a su propio terreno, una redactora del *Woman's Journal* (el periódico nacional de las sufragistas) contestó:

> El panadero, el propietario de la lavandería, el fabricante de ropa interior y de vestidos, el proveedor, el sastre, el sombrerero y muchos más, tendrían que desaparecer, puesto que, si la mujer no debe invadir el terreno específico del hombre, él debe entonces mantenerse en su lado de la verja y no ser un intruso en el de ella [9].

Ellen Richards, que encabezaría la tendencia a considerar las labores del hogar desde un punto de vista científico, declaró ante un público masculino:

> ... Debo reiterar que [la vida hogareña] se ha visto despojada con el robo del trabajo *creativo*... El cuidado de los niños no ocupa más que cinco o diez años de los setenta de vida. ¿Qué van a hacer las mujeres el resto del tiempo?... No pueden ustedes arrinconarlas donde estaban sus abuelas, mientras les quitan el hilado, el tejido, la fabricación de jabón. Hubo un tiempo en el que siempre había algo que *hacer* en casa. Ahora *hay que hacer* algo [10] [énfasis original].

Pero otras creían que precisamente ese «robo» era la mejor oportunidad para las mujeres. La feminista Olive Schreiner estaba de acuerdo en que la revolución industrial había enriquecido enormemente «el terreno masculino de trabajo remunerado» y que normalmente había «robado a las mujeres, no sólo en parte sino casi por completo, lo más valioso de su antiguo campo de labor social y productiva...». Pero, en lugar de mirar hacia el pasado con nostalgia, había llegado, a su juicio, el momento de que las mujeres reconocieran que las únicas tareas estimulantes para ellas se encontraban en el mundo masculino de la industria, la ciencia y los asuntos públicos. «¡Dadnos trabajo y la formación que nos prepare para ese trabajo!», exigía Schreiner, con la fe puesta en la mujer joven que, según sus palabras, no dejaba de llamar a cada puerta tras la que se encerraba una nueva área de trabajo, físico o mental, ansiosa de cumplir «no sabe qué deberes, en los años venideros» [11].

Y, por supuesto, *había* razones para creer que la liberación de la prisión doméstica estaba a la vuelta de la esquina. A lo largo del siglo XIX, las feministas vieron cómo en torno a ellas el sistema fabril había dejado obsoletos los pequeños talleres productivos: zapateros, herreros, alfareros, sombrereros. Las ciudades habían crecido y las dimensiones físicas del hogar de clase media habían disminuido enormemente, junto al tamaño de la familia. Debían de pensar que no faltaban más que unos cuantos pasos para industrializar por completo el trabajo doméstico y liberar a las mujeres para que se incoporasen al mundo de los hombres.

El idilio del hogar

Pero he aquí que el hogar no era otro anacronismo pintoresco que pudiera dejarse de lado junto a las demás reliquias del pasado. Por cada mujer como Olive Schreiner o Charlotte Perkins Gilman, dispuesta a barrer lo doméstico al cubo de basura de la historia, había cientos de ellas convencidas de que la única respuesta posible a la cuestión femenina consistía en preservar el hogar.

La casa se convirtió en un tema fundamental de discusión. Sacerdotes, revistas de divulgación y políticos hicieron continuo hincapié en la santidad del hogar y los peligros de abandonarlo. La Conferencia celebrada en 1909 en la Casa Blanca sobre el cuidado de los hijos dependientes declaró que «la vida hogareña es el producto más elevado y refinado de la civilización» [12]. La idea opuesta, que la civilización era producto de una decente vida hogareña, era naturalmente axiomática. En la época de la Guerra Hispano-Norteamericana, la obra de Demolins, ampliamente citada, *Anglo-Saxon Superiority* [13], fundaba el éxito imperial de la «raza» anglosajona en un intrínseco amor por la vida hogareña *. El Hogar, con H mayúscula, era para entonces una palabra que pocos norteamericanos podían pronunciar sin sentirse invadidos por la sensiblería. Pero, al mismo tiempo, ese hogar parecía estar desmembrándose. Después de examinar las décadas anteriores —con su incremento de divorcios, la aparente indiferencia de las parejas jóvenes hacia la vida de familia—, el historia-

* Por fin obteníamos una explicación «científica» para este «rasgo» anglosajón. En su clásica obra *Social Psychology*, Edward Ross explica que lo que él llama el «familismo», la importancia dada a la familia por los anglosajones, procede de que están «obligados, por el clima, a centrar sus vidas en el círculo del hogar». Es extraño que los sociólogos no atribuyeran la máxima superioridad racial a esquimales y lapones.

dor social Arthur Calhoun advirtió en 1919 que el futuro del hogar era «problemático» [14].

Paradójicamente, los norteamericanos mostraron, a todo lo largo del siglo XIX, muy poca reverencia, incluso muy poco interés por el hogar como lugar físico. Pueblos enteros se habían unido a las caravanas hacia el Oeste que empezaron a organizarse a partir de 1820. La gente se mudaba cuando se quedaban sin tierras suficientes para sostener a una familia cada vez mayor, o cuando se sentía invadida por el humo del hogar del vecino. En las ciudades del Este, el primero de mayo era el «día de mudanza», y «las calles se convertían en un confuso guirigay de traslados de enseres y de familias que jugaban frenéticamente al juego anual de "mudémonos todos"», unas casas o unas calles más allá [15]. La casa familiar, donde se mecía la madre junto a la chimenea, tenía grandes posibilidades de quedar lejos o incluso olvidada: se suponía que los hijos, especialmente los varones, tenían que arreglárselas por sí solos en cuanto crecían, lo más lejos de los faldones maternos.

Durante las vastas migraciones interiores de principios y mediados del siglo XIX, hubo que volver a definir el hogar, con bastante realismo, como «el lugar donde está tu madre» (o aún menos: «donde cuelgas tu sombrero»). Pero la industrialización amenazaba incluso a esta versión minimizada y despojada del hogar y la familia. Al volver la mirada hacia el hogar preindustrial, que resultaba más atractivo con la distancia, los observadores sociales de fin de siglo no pudieron encontrar nada sólido en que se cimentara el hogar moderno. El trabajo compartido no mantenía ya unida a la familia; las fuentes de subsistencia estaban fuera de casa, en unas fábricas que no valoraban ni el hogar, ni la maternidad, ni tampoco la infancia; sólo el trabajo que pudiera arrancarse a cada obrero. Hasta las casas acomodadas, en las que sólo trabajaba el padre, se veían desgajadas por fuerzas centrífugas: el padre se dedicaba a su carrera y se relajaba en el club; la madre hacía compras y visitas; los hijos iban a la escuela. La revista *Life* comentaba sarcásticamente:

> Dado que la escuela, como centro cívico, está superpoblada, alguna mente brillante ha pensado proponer el uso del hogar para tal fin. La casa está vacía una parte tan grande del día, que lo más eficaz parece

dedicarla a algún otro uso, además de ser un lugar donde dormir a partir de medianoche [16].

Pero pocos observadores eran tan desdeñosos. El capítulo del historiador Calhoun sobre «El hogar precario» cita docenas de libros, artículos e informes que examinaban ansiosamente la salud del hogar, «el olvido del Hogar», «el sutil peligro para el Hogar», y así sucesivamente [17].

A ojos de los observadores burgueses de fin de siglo, el que la gente se asentara parecía ser necesario para la estabilidad social. Los viejos valores de la inquietud y la aventura —que habían sido esenciales para conquistar el Oeste— ya no resultaban adecuados, incluso podían ser peligrosos. La frontera se había cerrado. Las líneas del ferrocarril y los ganaderos se habían repartido aquellos territorios sin dejar prácticamente sitio para individuos emprendedores. Y la frontera económica se estaba cerrando también con rapidez. Los incipientes monopolios supusieron bloquear las carreras de posibles Horatios Algers o confinarles a la categoría de empleados. Se estaban trazando los límites de clase dentro de un nuevo orden industrial en el que los arrojados valores de la frontera no podían significar sino disturbios e inestabilidad. La gente, al menos la mayoría de la gente, iba a tener que abandonar sus aspiraciones de ver mundo y volver a su pequeña esfera doméstica.

De hecho, los norteamericanos se sentían cada vez más atraídos por la seguridad del hogar. Hombres que se habían criado en granjas se veían ahora enfrentados a un mundo laboral en el que no podían ya controlar el proceso de producción ni sus condiciones de empleo. En las últimas décadas del siglo XIX, las depresiones acabaron en repetidas ocasiones con puestos de trabajo y con los ahorros familiares. Ni siquiera la comunidad ofrecía demasiada seguridad en unas ciudades que crecían constantemente, en las que la composición étnica, e incluso las señales de la calle, cambiaban cada pocos años. Sólo el hogar parecía seguro y estable. En su estudio sobre un barrio de clase media-baja en Chicago durante la década de 1870, el historiador Richard Sennett menciona la retirada al hogar: los hombres salían menos a bares y clubs, las familias hacían menos visitas [18]. Ni siquiera el movimiento sindicalista, que una y otra vez unió a miles de personas en luchas colectivas, puso jamás en duda el ideal burgués de la domesticidad; de hecho, utilizó ese ideal para justificar las exigencias de salarios más altos y jornadas de trabajo más cortas.

Los dirigentes empresariales eran tan firmes como los demás a la hora de hablar de las virtudes domésticas. El sociólogo Ross les animó a que vieran la propiedad del hogar como un medio de control social o, como higiénicamente decía, un «método profiláctico contra la mentalidad de masas»:

> Hace ya mucho que se admitió que una mayor difusión de la propiedad de la tierra promueve hábitos políticos estables y conservadores... El hombre posee su casa, pero en cierto sentido es su casa la que lo posee a él y controla sus impulsos repentinos, lo mantiene fuera del torbellino humano y le dice de forma inaudible: «Préstame atención, cuídame o me perderás» [19].

Inmediatamente después de la gran huelga de 1892, Carnegie Steel empezó a conceder subsidios a sus empleados de Homestead para que pudieran comprar sus casas. En las décadas siguientes, docenas de compañías construyeron aldeas modelo y ofrecieron préstamos a sus trabajadores. Tal como explicaba el director de bienestar de una gran compañía (no identificada) a Charles Whitaker, reformador de la vivienda de principios de este siglo:

> Hay que conseguir que inviertan sus ahorros en una casa y se hagan propietarios de ella. Entonces no se irán, ni harán huelgas. Les atará de tal manera que será como si poseyeran acciones en nuestra prosperidad [20].

Pero el control social era una inversión que sólo se podían permitir las empresas más grandes y previsoras. La mayoría de los empresarios se despreocupaban por completo de cómo vivían sus empleados y, por supuesto, todos se oponían cruelmente a los intentos del obrero por elevar su nivel de vida. Los esfuerzos por promover los valores domésticos entre los trabajadores se limitaban normalmente a las medidas más baratas e inofensivas. Por ejemplo, la Palmer Manufacturing Company repartió palanganas y toallas entre sus empleados para que pudieran volver a casa con el aspecto de unos «caballeros» y, de ese modo, hicieran más respetable la vida de hogar [21]. Fue sólo a partir de los años veinte de este siglo, en los que el mundo de la empresa empezó a considerar la casa como un *mercado*, cuando los grandes hombres de negocios decidieron unir sus esfuerzos para fomentar la vida hogareña de sus empleados.

Hacia fin de siglo, era la clase media la que expresaba un mayor compromiso con la «salvación» del hogar. En él veían un ideal que podía unir al obrero sin cualificar y al gran magnate: ¿Querían los obreros, en realidad, otra cosa que un hogar seguro y agradable? ¿No sabían los capitalistas que nada sería mejor para la «paz laboral» que una mano de obra domesticada? Además el hogar podía ser un lugar fundamental de formación en las «virtudes» industriales. Como explicaba el reverendo Samuel Dike, que dirigió una campaña contra la liberalización de las leyes de divorcio:

> El mundo industrial debería ver que sus necesidades fundamentales de laboriosidad, eficacia, fidelidad a las tareas y lealtad ante todas las exigencias de la situación, exigen cualidades de mente y de carácter que dependen, en gran medida, del hogar que se encuentre tras el obrero... [22].

Aparte de eso, el hogar era un «receptor» ideal para aspiraciones que no podían alcanzarse en una sociedad cada vez más estratificada: desde un punto de vista burgués, era un sano objetivo para las ambiciones de la clase obrera; desde un punto de vista masculino, una meta segura para las energías femeninas.

Muchos de los esfuerzos reformistas de este período se destinaron, directa o indirectamente, a la defensa del Hogar. Las causas más difundidas fueron las que hablaban de los peligros externos que amenazaban al hogar: alcohol, prostitución, malas viviendas, trabajo femenino e infantil sin regular. Los reformadores de la ciencia doméstica fueron objeto de mucha menos atención: no exponían abusos sensacionalistas, no reclamaban nada a la conciencia colectiva de empresarios y políticos. Pero sólo ellos abordaron el peligro *interior*, el desgaste del núcleo del hogar, el Vacío Doméstico. Su primer objetivo fue necesariamente el hogar de clase media, donde el vacío era más palpable y amenazador. Mejores viviendas, sueldos más elevados, una legislación que restringiera el empleo femenino: nada de eso podía salvar el hogar ni permitir la solución romántica a la cuestión femenina si las mujeres no tenían algo útil que *hacer* dentro de casa. Como afirmaba un editorial del *Ladies' Home Journal*, la estabilidad social necesitaba que se llenara ese vacío:

> En realidad, lo que cierto tipo de mujer necesita actualmente, más que ninguna otra cosa, es alguna tarea que «la ate». Todo nuestro tejido social mejoraría con ello. Hay demasiadas mujeres peligrosamente ociosas [23].

Las especialistas en ciencia doméstica ordenan la casa

La ciencia doméstica no fue, en sentido estricto, una «causa», como les gustaba pensar a sus defensores, sino una nueva área de conocimientos. La idea de sistematizar la información sobre cómo llevar una casa y ponerla a disposición de gran número de mujeres se remontaba a varias décadas atrás. Ya en 1840 Catherine Beecher —su equivalente inglesa fue la indispensable Mrs. Beeton— había propuesto una formación académica para enfocar los quehaceres domésticos y, a finales de siglo, una serie de escuelas en terrenos cedidos en el Medio Oeste ofrecían enseñanzas del hogar a las futuras esposas de campesinos. Al acabar el siglo, había varios centenares de mujeres profesionales en Estados Unidos —sobre todo asistentas sociales y profesoras— que se consideraban expertas en las tareas domésticas. Como ya hemos visto, era el momento de apogeo de la profesionalización: los médicos cerraban filas, mientras buscaban una base científica para la medicina; las diversas disciplinas académicas (sociología, psicología, ciencias políticas, etc.) se despegaban del marasmo interdisciplinario de mediados del siglo XIX; incluso el trabajo social se estaba convirtiendo en una ocupación exclusiva y «científica». Era lógico que las expertas en tareas domésticas se organizaran para elevar su área de conocimientos más allá de las recetas y los trucos para el hogar, hasta el nivel de una profesión científica.

La química Ellen Swallow Richards fue la mujer que sacó la ciencia doméstica de los libros de cocina. La profesión médica había necesitado, para su creación, los talentos combinados de organizadores como Flexner, investigadores como Pasteur y venerables figuras públicas como Osler. Para la ciencia doméstica no existió más que Ellen Richards. Ella realizó gran parte de la investigación básica: examinó la pureza del agua, los alimentos y los utensilios domésticos, organizó congresos y publicaciones y dio a conocer la nueva especialidad en el circuito internacional de conferencias. Y, al contrario que la mezcla de asistentas sociales y educadoras que se vieron arrastradas a la nueva ciencia doméstica, ella poseía una verdadera educación científica, incluida la práctica en el laboratorio: representaba el lazo de unión necesario con el mundo trascendente de la ciencia. Los textos contemporáneos de «economía doméstica» reservan un lugar de honor para Ellen Richards, cuya foto la retrata en la cima de su carrera, con firmes mandíbulas, cejas espesas y expresión confiada, vestida con la toga y el birrete que nunca dejaron de representar su mayor logro como mujer.

La historia de cómo Ellen Richards pasó de la química a la ciencia doméstica explica probablemente muchas cosas sobre ella y sobre sus seguidoras, los millones de mujeres que acabarían por intentar ejercer unas «labores domésticas científicas». Siempre había luchado por desarrollar su capacidad en un lugar con más posibilidades que el hogar, pero se vio coartada en todo momento por los deseos sexuales de sus colegas masculinos. Cuando era estudiante, por ejemplo, había tenido que responder al argumento de su profesor (y futuro marido) de que la coeducación «introduce sentimientos, intereses [que son] extraños a [la] sala de lectura» [24]. El resultado final de su carrera —recibir honores por haber fundado la ciencia de las labores domésticas— no fue tanto un triunfo como una concesión.

De niña, Ellen Richards había tenido experiencia directa de los oficios que la industria había «robado» a las mujeres. Hija de un severo granjero de Nueva Inglaterra y de una madre inválida, Ellen había aprendido a hacer la casa, cocinar, coser, trabajar en el jardín y cuidar de los enfermos. Cuando tenía trece años, ganó dos grandes premios en la feria del condado con su pan y sus bordados. Pero no tenía intención de seguir estas aficiones hasta su conclusión habitual, el matrimonio: desde Worcester, adonde había ido a estudiar y a ganarse la vida con clases particulares, escribió a una amiga que «no ha aparecido aún el caballero, joven ni viejo, que me pueda convencer para que abandone mi vida libre e independiente» [25]. Obligada a dejar esa independencia para cuidar de su madre, Ellen cayó en una depresión que duró dos años. La cuestión femenina —¿qué *hace* una mujer con su vida?— fue una carga que casi la aplastó, como a su madre, hasta una invalidez permanente.

La respuesta llegó, para Richards, con la inesperada noticia de que un cervecero de Nueva York llamado Matthew Vassar había decidido subvencionar un colegio para mujeres. (No había en aquel tiempo ninguna escuela superior abierta a las mujeres en Nueva Inglaterra.) Se sacudió la depresión de encima, reunió sus ahorros y partió para Poughkeepsie. A partir de entonces, nunca volvió a detenerse el suficiente tiempo como para que la depresión regresara. En Vassar estudió de forma insaciable, e incluso se acostumbró a llevar siempre un libro abierto para poder estudiar mientras paseaba entre una clase y otra. Su duro esfuerzo y su pasión por el detalle (anotaba en su diario el número de escalones que subía cada día) llamaron la atención de su profesora Maria Mitchell, astrónoma, que la animó a abrir una brecha en la fortaleza masculina de la ciencia.

Ellen (aún Swallow en aquel momento) decidió penetrar en el santuario: estudiar química en el MIT. No hay que olvidar que era todavía más difícil, para una mujer, dedicarse a una ciencia experimental como la química que ser astrónoma o naturalista, cuya labor consistía en observar la naturaleza pasivamente y desde cierta distancia. Las mujeres podían ser observadoras meticulosas y tomar notas detalladas sin comprometer demasiado su feminidad. Pero el laboratorio —tanto químico como bacteriológico— era un escenario de *acción*, donde los hombres arrinconaban a la naturaleza contra las cuerdas y le arrancaban sus secretos.

El claustro del MIT discutió durante semanas si admitir o no a Ellen Swallow y finalmente lo hizo con unas condiciones como las que un grupo de cirujanos habría impuesto a Mary la Tifoidea para entrar en el quirófano. Sólo podía ser una alumna «especial». Tenía que estudiar separada de los alumnos varones y trabajar en su propio laboratorio aparte. No podía obtener un título hiciera lo que hiciera.

Y, por último, para garantizar que no iba a «masculinizarse» como resultado de sus estudios, los profesores le pedían que les ordenase sus papeles y les arreglase sus ligas: «Intento tener a mano todo tipo de cosas, como agujas, hilo, alfileres, tijeras, etc... —escribía con cierta satisfacción—. No pueden decir que mis estudios me impidan hacer cualquier otra cosa» [26].

Cuando Ellen Richards se graduó en el MIT con un título medio, no encontró aún lugar en el masculino mundo de la química. El MIT le prestó graciosamente un laboratorio donde podía enseñar química fundamental a las maestras de enseñanza media. Pero no era un trabajo con una posición y un sueldo; era sólo el tipo de «buena obra» que se esperaba de una inteligente esposa universitaria como Mrs. Richards. Podía ayudar a los científicos, ser amiga suya, coserles la ropa, incluso encauzar una pequeña parte de sus conocimientos hacia las profesoras, pero no podía *ser uno de ellos*.

Sin poder dedicarse a la química, Richards dirigió sus formidables energías hacia la creación de una ciencia nueva en la que *tuviera* una posición igual a la de los hombres. En 1873 anunció, ante una reunión de alta sociedad, el nacimiento de la nueva ciencia: la «oikología», que un biógrafo quiso interpretar como antecedente directo de la *ecología* en su sentido actual, pero que para ella era más bien la versión primitiva de la «ciencia del buen vivir»; o, en palabras suyas, «la ciencia que enseña a vivir a la gente», mezclando principios de química, biología e ingeniería en una serie de orientaciones prácticas para la vida cotidiana. Pero las instituciones ciencíficas no cayeron en la estratagema de Richards y desecharon la «ecología» como una especie de «truco» equivalente a las curaciones por la fe o a la medicina de específicos. Más tarde Richards intentó lanzar de nuevo la «ciencia del buen vivir» bajo la nueva etiqueta de «euténica»; y una vez más recibió una negativa. La comunidad científica, que la había rechazado por intentar ser científica, se volvía de nuevo contra ella por no serlo suficientemente.

Ninguna de estas experiencias venció la antipatía de Richards hacia el feminismo. De joven, criticaba al incipiente movimiento feminista por no poseer «... un nivel elevado de conocimientos o responsabilidades». Ninguno de sus biógrafos menciona que se interesara por los derechos de la mujer (ni por la abolición del trabajo infantil, ni por cualquiera de las docenas de cuestiones sociales candentes de su tiempo). Sí dedicó considerables energías a ampliar las oportunidades educativas de las mujeres, pero su postura fundamental en relación con la cuestión femenina era elitista y machista: las mujeres no necesitaban luchas colectivas; cada mujer sería «aceptada» cuando demostrara estar preparada para ello. De modo que, pese a haber sido la «primera» mujer en el MIT, desaprobó firmemente que en 1878 dicha institución decidiera empezar a admitir mujeres en plano de igualdad con los hombres. Algunas de las razones que enumeraba eran claramente artificiales: ¿Se eximiría a las chicas de la instrucción militar? En tal caso, tendrían un «privilegio especial» y no estarían en verdadera igualdad con los hombres. «Por último, la [razón] más importante de todas, a mi juicio, es», concluía,

> que, aunque me duele decirlo, el actual estado de la opinión pública entre las mismas mujeres no da motivos para creer que, de cien jóvenes de 16 años que pudieran entrar si se les ofreciera la oportunidad, diez fueran capaces de terminar la carrera. Es desmoralizador tener tales resultados en las primeras fases de la formación científica para mujeres [27].

Unas décadas después, rechazó la invitación para trabajar en el consejo de mujeres de la Exposición Mundial Colombina con razones parecidas:

> Hace veinte años me satisfacía trabajar en consejos femeninos para la educación de las mujeres. Hace ya bastante tiempo que dejó de parecerme oportuno trabajar de ese modo. Las mujeres poseen ya más derechos y deberes de los que están preparadas para desempeñar [28].

Pero, al final, Richards tuvo que superar su aversión a trabajar «de ese modo», es decir, con y a través de grupos de mujeres. La ciencia doméstica se convirtió en el receptáculo definitivo de todas sus ideas en torno a la higiene en la casa y la comunidad y al «buen vivir» en general. Era un extraño punto de llegada para Ellen Richards, a juicio de Caroline Hunt:

> Si se tiene en cuenta su apasionado deseo de igualdad de oportunida-

des educativas para hombres y mujeres, la preferencia que a menudo expresó por trabajar con hombres y mujeres juntos, no sólo con estas últimas, y sus enérgicas protestas contra las concesiones especiales a las mujeres, puede parecer extraño que Mrs. Richards se interesara... por el movimiento de economía doméstica, que muchas veces parece preocupar fundamentalmente a las mujeres [29].

En realidad, tuvo que ser un hombre quien convenciese a Richards de que intentase delimitar una vez más su propia área de trabajo. Nadie podía ser mejor consejero que Melville Dewey, cuya vida había transcurrido dividiendo el conocimiento humano en ese sistema de categorías y subcategorías que se conoce como Sistema Decimal de Dewey. Si el período de fin de siglo se caracterizó por lo que un historiador denominó «la búsqueda del orden», por parte de la clase media [30], Melville Dewey debió de encabezar la marcha con una linterna de luz muy potente. Además de inventar el sistema decimal, presidió la New York Efficiency Society, cuyo objetivo era extender las técnicas de gestión industrial a todos los reductos de la existencia humana. Por ejemplo, evitó malgastar tiempo en su propia vida acortando su nombre a Melvil Dewey y, finalmente, a Melvil Dui. Fue Dewey (o Dui para los lectores rápidos) quien convenció definitivamente a Richards de que abandonara sus esfuerzos por crear una nueva ciencia natural y se conformase con lanzar el «buen vivir» como un híbrido entre las ciencias naturales y sociales; él sugirió el término «economía del hogar» * . La animó a organizar la nueva disciplina y fue cerca de su casa de verano en Lake Placid, en los Adirondacks, donde los especialistas en la materia se reunieron anualmente entre 1899 y 1907.

---

* Una nota sobre la nomenclatura: Ellen Richards había estado llamando a su nueva disciplina «ciencia doméstica» desde el fracaso de la «oikología», hasta hacerse muy popular en 1897. En 1904, la Conferencia de Lake Placid propuso este uso oficial: la asignatura se llamaría «trabajos manuales» en la escuela elemental, «ciencia doméstica en la escuela secundaria, «economía doméstica» en las escuelas normales y profesionales (es decir, técnicas) y «eutécnica» en facultades y universidades. En la práctica, el grupo de Lake Placid solía usar «economía doméstica» y «ciencia doméstica» para referirse a la misma cosa. Aquí empleamos el término de Richards, «ciencia doméstica», aunque «economía doméstica» se hizo mucho más común posteriormente.

Las máximas figuras de la ciencia doméstica, el puñado de profesionales, tanto hombres como mujeres, que se reunían cada año en Lake Placid para evaluar los progresos de la nueva especialidad, tenían perfectamente clara la postura respecto a la cuestión femenina: la misión de la ciencia doméstica era llenar el vacío doméstico y conservar de esa manera el hogar. Ellen Richards expresó repetidamente su preocupación de que «el grupo familiar esté en trance de desintegrarse» [31]. Mrs. Alice P. Norton, profesora en la Universidad de Chicago y oradora habitual en las Conferencias de Lake Placid, declaraba en 1904 ante sus colegas:

> Muchos de nosotros tememos por el futuro del hogar. Hay tantas fuerzas centrífugas trabajando en su contra, la vida exterior se está convirtiendo en algo tan atractivo, que existe el peligro de que el centro de interés social pierda su posición lógica, el hogar. El estudio de las artes domésticas, si se imparte con el espíritu adecuado, debe tender inevitablemente a convertir el hogar en un sitio más interesante... [32] *.

Cuando Mrs. Linda Hull Larned, a la sazón presidenta de la American Home Economics Association [Asociación Nacional de Economía Doméstica], informó en la reunión de 1902 sobre la difusión del movimiento de ciencias domésticas entre mujeres pertenecientes a clubs, pudo decir:

> Afortunadamente hay unas cuantas personas razonables y progresistas, en el mundo que nos rodea, que creen tan firmemente como nosotros que las labores de la casa son la vocación más natural y, por tanto, más deseable para las mujeres [34].

Los médicos se apresuraron a respaldar estas opiniones con ar-

* La esperanza de que la educación aporte interés a las tareas domésticas tarda en desaparecer. Un texto de 1974 sobre economía doméstica afirma: «Mucho se ha escrito en los últimos años sobre el aburrimiento y las frustraciones del ama de casa americana. Las personas que hacen mal las cosas suelen estar aburridas o frustradas. El ama de casa educada para ello es capaz de usar sus conocimientos de forma creativa, para alcanzar una vida feliz, personalmente satisfactoria, y para lograr los valores sociales, económicos, estéticos y científicos en una vida familiar plena» [33].

gumentos científicos. En 1899, la AMA apoyó la necesidad de una formación en ciencia doméstica, basándose en que así se conseguiría reducir «la mortalidad infantil, las enfermedades contagiosas, la intemperancia (tanto en la comida como en la bebida), el divorcio, la locura, la miseria, la competencia laboral entre sexos, los clubs de hombres y mujeres, etc.» [35].

Pero los profesionales de la ciencia doméstica sabían que haría falta mucho más que unas cuantas exhortaciones sobre la santidad del hogar para convertir las labores de la casa en un oficio interesante, profundo y atractivo. En la nueva era de progreso industrial, todo tenía que estar justificado en nombre de una ciencia activista, con visión de futuro. Una defensora de la formación en ciencia doméstica proclamó en 1897, ante una asamblea de mujeres:

> Cuando el gran significado y la fuerza oculta de la esfera que le está destinada se le revelen en toda su plenitud a través del estudio científico, entonces [la mujer] no suspirará porque la Naturaleza le ha asignado obligaciones especiales que el hombre ha juzgado seguro confiar a sus instintos, pero que, sobre todo, ha creído necesario que se ejecuten con el mayor rigor científico [36].

La cruzada contra los gérmenes

Los especialistas en ciencia doméstica confiaban en establecer un conducto directo entre el laboratorio científico y el hogar corriente. Se apropiaron de cualquier ciencia, disciplina o descubrimiento que pudiera servir para subir de categoría el trabajo doméstico. Richards creía que la bioquímica podría transformar la cocina en un preciso ejercicio de laboratorio; la economía podría revolucionar las compras y los presupuestos familiares; y así sucesivamente. Respecto a la limpieza, existía ya un nuevo y firme fundamento científico del que se podía partir, la teoría de las enfermedades por gérmenes, promovida por los bacteriólogos.

La teoría de los gérmenes, que se dio a conocer entre el público hacia 1890 (aunque de una forma algo distorsionada), creó una oleada de ansiedad pública por los contagios. Todo lugar u objeto público era sospechoso, como sugieren estos titulares de revistas publicados entre 1900 y 1904: «Los libros extienden el contagio», «Contagio por teléfono», «Infecciones y sellos de correos», «Enfermedades provocadas en las lavanderías públicas», «La amenaza de la barbería». La gente de clase media temía especialmente el contagio de las clases «inferiores». En su libro sobre higiene doméstica, *Women, Plumbers and Doctors, or Household Sanitation* [Mujeres, fontaneros y médicos, o higiene doméstica], Mrs. Plunkett advertía:

> Un hombre puede vivir en una espléndida «avenida», en una mansión saneada al estilo más moderno y costoso, pero si, media milla más allá, al alcance de su ventana abierta, existe un «tugurio» o incluso una casa de vecinos descuidada, llegarán los céfiros, recogerán los gérmenes y los transportarán, contagiándolos a cualquiera que se tope con ese viento, sea un millonario o un desheredado... [37]

Se temía que no sólo los «céfiros», sino la ropa, los cigarros, etc., fabricados en las casas de vecindad pudieran llevar gérmenes de los hogares pobres a los burgueses. Lo más temible era la posibilidad de que los criados o las asistentes se convirtieran en una especie de quinta columna que introdujese la enfermedad en la familia. El caso de «Mary la Tifoidea», la cocinera de origen irlandés que dejó un rastro de 52 casos de tifus, tres de ellos fatales, en las casas de sus patronos, era una dura advertencia para los imprudentes.

Frente a esta ubicua amenaza bacteriana, ¿quién se hacía responsable de la salud pública? La respuesta, según la profesión médica, era el ama de casa. En un discurso citado muy a menudo por los especialistas norteamericanos en ciencia doméstica, el presidente de la Asociación Británica de Médicos declaró que «la luz de la higiene debe recaer por completo sobre la mujer», y que siempre que realizaba una visita a domicilio comprobaba «el mobiliario, la disposición y la organización de la casa», dado que las posibilidades de difusión de la enfermedad dependían «del carácter del genio que preside el hogar, la mujer que gobierna ese pequeño territorio» [38]. En la misma línea, la AMA consideraba al ama de casa con formación científica como una especie de enfermera y aliada en la lucha contra el contagio:

> Los médicos, que conocen el valor de una enfermera cualificada, po-

drán rápidamente apreciar el valor de una educación que no sólo hará que las esposas americanas sean más prudentes, ahorrativas y organizadas, sino que establecerá un régimen higiénico en cada habitación de la casa, en la cocina y en el comedor [39].

Para los expertos en ciencias domésticas, la teoría de la enfermedad por gérmenes señaló el camino hacia su primera victoria: la transformación de la limpieza en una cruzada sanitaria contra los «peligrosos enemigos interiores», en vez de una labor de aficionados. Aquí había por fin un reto a la medida de la energía y la capacidad de las mujeres cultivadas. En su libro *Household Economics*, Helen Campbell describía cómo, aunque los hombres habían ido asumiendo poco a poco los viejos oficios domésticos, la limpieza «no podría nunca dejar» las manos femeninas. «Mantener limpio el mundo —explicaba exultante—, ésa es la gran tarea de las mujeres» [40].

Con arreglo a la teoría de los gérmenes, la limpieza se convertía en una responsabilidad moral. Mrs. H. M. Plunkett, una de las primeras divulgadoras de esta teoría en relación con los asuntos domésticos, escribió en 1885:

> No hay nada en la higiene que ella no pueda captar, pero muchas veces se da cuenta de ello y empieza a estudiar cuando ya es demasiado tarde y se encuentra ante el cuerpo de alguien muerto por una enfermedad previsible que, en el milenio sanitario que se nos avecina, se considerará casi como un asesinato [41].

Esta advertencia se repitió durante todo el desarrollo del movimiento de ciencias domésticas: el descuido de la limpieza equivalía a maltratar a los hijos. Los fabricantes de jabón y productos de limpieza recogieron el tema, con anuncios dirigidos claramente al miedo y la conciencia culpable de la madre. Stuart Ewen menciona varios anuncios de los años veinte:

> ... los biberones Hygeia eran «seguros» y no contagiaban «gérmenes a su bebé». El insecticida Fly-tox se presentaba como la única defensa de un niño por lo demás «indefenso»... Se decía a las mujeres que siguieran los dictados de las «autoridades sanitarias» que «nos aseguran

que los gérmenes están en todas partes». El lisol dividía la casa en un montón de peligros minuciosamente definidos, y se ordenaba a las madres que fueran conscientes de que «incluso los picaportes amenazan [a los niños]... con enfermedades» [42].

En una época en la que la mortalidad infantil (en gran parte debida a las enfermedades infecciosas) era cinco veces mayor que hoy en día, las madres estaban dispuestas a escuchar a cualquiera que pareciera ofrecer una forma de combatir el mal.

Por desgracia, el contenido verdaderamente científico de la «limpieza científica» era demasiado endeble. Los especialistas en ciencias domésticas tenían razón en cuanto a la existencia de gérmenes, pero ni ellos ni los médicos sabían gran cosa sobre su transmisión o su destrucción, que son, por supuesto, la cuestión crucial en la prevención de las enfermedades caseras. Por ejemplo, los especialistas creían que el principal portador de gérmenes caseros era el polvo y atribuían cualidades anti-gérmenes a las bayetas húmedas. Helen Campbell hacía una tenebrosa descripción de un experimento en el que se habían cultivado «3000 organismos vivientes» a partir de una «mota de polvo». «La bayeta seca no llegaba a ellos; el plumero no servía más que para repartirlos; sólo una bayeta húmeda podía anularlos...» [43]. En realidad, el polvo es bastante inocuo, salvo como fuente de alergias. Y la bayeta húmeda, sean cuales sean sus demás virtudes, constituía un hábitat perfectamente cómodo para los microbios.

Al lector tal vez le interese saber que incluso hoy, tras décadas de investigación sobre bacteriología y epidemiología, los profesionales de la economía doméstica siguen teniendo muy poco que ofrecer al ama de casa que duda sobre qué limpiar y cómo limpiarlo. He aquí los resultados de nuestra propia investigación sobre las bases científicas de la limpieza doméstica actual. En verano y otoño de 1976 escribimos a seis profesores de economía doméstica en tres universidades diferentes, así como a la Asociación Americana de Economía Doméstica, preguntando:

1. ¿Qué contribución ha hecho la bacteriología a nuestro conocimiento de las técnicas correctas de limpieza doméstica desde principios del siglo XX? Por ejemplo: ¿Se sabe actualmente cuál es el mejor

método de limpiar superficies como las encimeras, para prevenir los contagios dentro de la familia?

2. ¿Se ha hecho algún estudio que relacione la correcta limpieza del hogar con un menor índice de enfermedades en la familia, como resfriados, trastornos intestinales, etc.? En otras palabras, ¿qué se sabe sobre la eficacia real de la limpieza doméstica en el mantenimiento de la salud familiar?

De los seis profesores, uno no contestó y dos nos remitieron a algún colega. De aquellos que respondieron, una profesora de Purdue admitió que no conocía ningún estudio que relacionase la limpieza doméstica con la salud familiar y, al mismo tiempo, recomendó lejía para las encimeras. Una profesora de Cornell respondió confusamente:

> Sus preguntas relativas a cómo se investiga y enseña la limpieza doméstica en la economía doméstica son interesantes. No obstante, las respuestas pueden no ser sencillas. Por ejemplo, la influencia de los estudios de salud pública y la adaptación de los resultados de dichos estudios al hogar pueden ser una contribución importante a la higiene en el hogar e incluso, quizá, más importantes que la investigación llevada a cabo por especialistas.

A continuación citaba dos estudios que señalaban «que existe una relación entre los buenos métodos de limpieza y la eliminación de bacterias», pero ignoraba lo relativo a la salud familiar. Una tercera profesora (también de Cornell) respondió con un esquema que mostraba la «economía doméstica» en el centro de un gran círculo, con un anillo de círculos más pequeños superpuestos que contenían las palabras: «Arte», «Filosofía y Religión», «Economía», «Ciencia política», «Sociología», «Psicología», «Biología», «Bacteriología», «Química» y «Física». La Asociación Americana de Economía Doméstica respondió tras una espera de tres meses con una carta del especialista en información de su departamento de Relaciones Públicas. No tenía datos sobre nuestras preguntas e incluía una lista de publicaciones de la Asociación, entre la que ninguna hacía referencia a la limpieza o a los temas asociados con ella.

La conclusión de nuestra breve investigación fue que los conocimientos de los especialistas en economía doméstica no son más científicos hoy que hace setenta años. Es sorprendente que, después de tanto tiempo, esta parte tan importante del trabajo femenino siga rigiéndose por conjeturas, tradiciones y pautas que marcan los medios comerciales.

La invención de nuevas tareas

Los especialistas en ciencia doméstica de principios de siglo no pretendían tener la última palabra en cuestión de limpieza científica, cocina ni cualquier otra labor. En caso contrario, las tareas del hogar podían verse reducidas a una rutina sin sentido, cuando en realidad, como escribió Ellen Richards, la ciencia transformaba ese trabajo en una aventura sin fin, una búsqueda de nuevos conocimientos:

> No es un conocimiento profundo de una ni de doce ciencias lo que necesitan las mujeres, sino una actitud mental que las lleve a suspender sus juicios sobre nuevas cuestiones y a mostrar un interés por los actuales avances de la ciencia que les haga acudir a un experto, que les haga preguntar: «¿Puedo trabajar mejor de lo que lo estoy haciendo? ¿Hay algún artilugio que pueda emplear? ¿Mi hogar posee las medidas higiénicas apropiadas? ¿Mi alimentación es la mejor posible? ¿He escogido los colores adecuados y los mejores materiales para la ropa? ¿Aprovecho al máximo mi tiempo?» [44].

El mero hecho de plantearse estas preguntas, de revisar continuamente la propia forma de llevar la casa a la luz de una ciencia en permanente desarrollo, era ya «el mejor aprovechamiento del tiempo» y el primero de los trabajos «profesionales» que la ciencia doméstica añadía a las tareas del hogar.

Pero la principal innovación profesional de la ciencia doméstica fue la gestión. En 1899 Frederick Taylor, uno de los primeros expertos en rendimiento, hizo historia al convencer a un obrero de la Bethlehem Steel Company de que cargara al día 47 toneladas de hierro en lingotes, en lugar de sus habituales 12,5, y el público burgués se enamoró de la «eficacia» como se había quedado aterrado ante los gérmenes. La idea, aplicada a la industria, consistía en analizar cada trabajo hasta sus mínimos componentes (levantar la pala, andar tres pasos, etc.) y distribuir estos componentes, y no la labor completa, entre los obreros. La hipótesis de partida era que ningún obrero podía captar la organización global de su trabajo y que se podía ahorrar tiempo si la tarea de pensar, hasta en las más pequeñas decisiones, quedaba en manos de la dirección [45].

La nueva «gestión científica» se unió inmediatamente a objetivos de la ciencia doméstica como eliminar (o redefinir) los trabajos pesados y elevar la labor doméstica al rango de una actividad estimulante. Ellen Richards odiaba los «movimientos inútiles», pero fue Christine Frederick quien en 1912 escribió para fomentar una revolución total en la gestión del hogar. Por supuesto, prometía la disminución del trabajo (algo especialmente atractivo en una época en la que el enfoque «científico» de la limpieza suponía estar más ocupadas); todos los artículos de la serie de Frederick en *Ladies' Home Journal* [46] empezaban con un encuadre en el que figuraba la historia del lingote de hierro, como si también el ama de casa pudiera cuadruplicar su productividad. Gran parte de lo que afirmaba era útil, aunque escasamente sorprendente: las tablas de planchar tenían que estar a la altura adecuada para evitar tener que agacharse, los aparatos debían elegirse con cuidado, convenía programar las tareas diarias y semanales, etc. E indudablemente muchas mujeres pensaron que los principios de la eficacia industrial podían permitir más tiempo libre, sin rebajar la calidad del trabajo. Cuando los artículos de Christine Frederick empezaron a aparecer en *Ladies' Home Journal*, 1.600 mujeres, una cifra récord, escribieron en el plazo de un mes solicitando más información [47].

En realidad, las técnicas de gestión científicas e industriales tenían poco que ofrecer al ama de casa. En primer lugar, las dimensiones del trabajo doméstico eran demasiado pequeñas para que el rendimiento derivado de los estudios sobre tiempos y movimientos tuviera gran importancia. Los segundos ahorrados si se pelaban patatas con arreglo al método científico de Frederick («Ve al estante... coge el cuchillo...», etc.) podía suponer algo en una fábrica por la que pasaran miles de patatas, pero eran insignificantes en la preparación de una cena para cuatro. Además, como comprendieron posteriormente los propios especialistas, en la casa, la dirección y la mano de obra son una misma persona. Toda la base de la gestión científica de Taylor —concentrar la planificación y las tareas intelectuales en especialistas— se pierde irremediablemente en una cocina en la que sólo hay una mujer.

Para el ama de casa, la gestión científica del hogar significó *nuevas* tareas, las de dirigir y analizar el propio trabajo en detalle, planificar, llevar las cuentas, etc. De hecho, gran parte de la serie de Frederick en el *Journal* estuvo dedicada a definir esta nueva labor profesional. Para empezar, había que estudiar y señalar un tiempo para cada tarea. (Frederick atribuía al baño del recién nacido quince veloces minutos.) Sólo entonces se podía programar con exactitud las tareas semanales y diarias. Después estaba el enorme trabajo oficinesco de mantener una especie de archivo familiar para las cuentas de la casa, las anotaciones económicas, los expedientes médicos, los «trucos caseros», los cumpleaños de amigos y familiares y (no sabemos para qué) un fichero especial de «bromas, citas, etc.», sin mencionar las fichas de recetas y el inventario en el que figuraba la colocación y condición de cada prenda de vestir de la familia.

No obstante, los artículos de Frederick provocaron un frenesí de eficacia doméstica. Los especialistas crearon «estaciones de experimentación casera» para descubrir los «principios de la ingeniería doméstica». El ama de casa científica ya no se consideraba sólo una cazadora de microbios, sino una directiva que trabajaba con arreglo a principios de rendimiento industrial. En los años noventa, los especialistas en ciencia doméstica opinaban que «la gestión» era la principal fuerza impulsora del gobierno de la casa, hasta eclipsar prácticamente la propia labor doméstica. Una especialista en ciencia doméstica del Iowa State College, Margaret Reid, clasificó todo el trabajo doméstico en «A. Gestión», que incluía «toma de decisiones», «reparto de tareas, tiempo y energías», «planificación» y «supervisión»; y «B. Ejecución», que abarcaba el «trabajo de la casa» [48].

Los especialistas en ciencia doméstica se prepararon para la posibilidad de que, pese a todos los esfuerzos que se necesitaban para la gestión científica de la casa, el resultado fuera tan eficaz que hubiera mucho más tiempo libre que llenar. Mrs. Alice Norton abordó el problema en una intervención ante la Convención de Lake Placid en 1902, titulada «¿Qué debemos hacer con el tiempo liberado por los métodos modernos?» Tras darle vueltas a la posibilidad de «cultivarse», o simplemente de descansar, aseguraba con firmeza:

> ... si una mujer emprende el gobierno de la casa como su profesión, debe convertirla en su *empresa*, y las posibilidades de que así sea son actualmente casi infinitas... hasta que disponga de más instrucción para llevar ese negocio, debe usar parte del tiempo ahorrado para prepararse [49].

¡En otras palabras, podía usar el tiempo ganado por la ciencia doméstica para estudiar ciencia doméstica! Christine Frederick también sopesaba la cuestión del tiempo libre, pero concluía felizmente, al afirmar que, a medida que las amas de casa fueran más eficaces, su *nivel* subiría también [50].

De modo que se empezó a llenar el Vacío Doméstico. Las viejas tareas se abordaron con la *grandeur* de la ciencia y, al mismo tiempo, se inventaron otras nuevas, estimulantes y casi empresariales. Si el gobierno de la casa era una ocupación de pleno derecho, el hogar quedaría a salvo y la cuestión femenina tendría respuesta.

El feminismo adopta la ciencia doméstica

La nueva ciencia obtuvo rápida aceptación por parte de la opinión pública. De acuerdo con un profesor de escuela secundaria, era incluso una especie de moda. En 1916-1917, el 20 por 100 de las escuelas secundarias públicas ofrecía cursos de ciencia doméstica, o economía doméstica, como solía denominarse en la época. En la universidad, la economía doméstica había avanzado espectacularmente: de un total de 213 estudiantes de dicha especialidad en toda la nación en 1905, a 17.778 en 1916, la mayoría preparándose para ser profesores de la misma disciplina [51]. Las Conferencias de Lake Placid pasaron de ser reuniones de un pequeño grupo de enterados a constituir una importante organización profesional, la American Home Economics Association [Asociación Americana de Economía Doméstica], con 700 miembros inscritos en 1909. Todo el mundo parecía querer estudiar economía del hogar o, al menos, asegurarse de que las chicas lo hacían. Existía un chiste sobre una joven universitaria que mostraba las notas a su padre: «Tengo 100 en álgebra, 96 en latín, 90 en griego, 88,5 en filosofía mental y 95 en historia; ¿no estás satisfecho de mis notas?» A lo que el padre respondía: «Sí, desde luego, y si resulta que tu marido sabe algo de limpiar la casa, coser y cocinar, estoy seguro de que tu vida de casada será feliz» [52]. La economía doméstica era la solución: se podía estudiar griego y aprender a hacer pasteles.

Puede parecer irónico, visto desde ahora, que uno de los grupos más receptivos hacia la nueva ciencia fuera el movimiento feminista. El discurso central de la asamblea celebrada en 1897 por la Woman's Suffrage Association [Asociación para el sufragio femenino] versó sobre el tema de la ciencia del hogar, y la prensa sufragista proporcionó una salida constante para las ideas de los promotores de la economía doméstica. Si ello parece extraño, quizá debiéramos recordar que el movimiento de mujeres de principios de siglo no era un movimiento *feminista* en su sentido actual. La ideología del movimiento era el romanticismo sexual: las mujeres merecían el voto porque eran las que gobernaban la casa. El feminismo *racionalista* y de largo alcance de la generación de Susan B. Anthony había sido abandonado por una campaña centrada únicamente en la obtención del sufragio y, como cosa secundaria, la admisión de las mujeres en las facultades. La ciencia doméstica era atractiva porque suministraba una exquisita cobertura para ambas actividades. Si se planteaba el argumento de que la educación superior «desexuaba» a las mujeres, la ciencia doméstica tenía la perfecta respuesta: la educación superior no sólo no destruye a las mujeres, sino que las hace mejores. Ellen Richards declaró a la Asociación de *Collegiate Alumnae* en 1890:

> Nosotras [las mujeres universitarias] hemos sido invitadas desde hace años a escuchar disertaciones de hombres eminentes sobre nuestra capacidad mental, nuestro nivel tanto moral como físico, nuestra predilección por el matrimonio, nuestra aptitud para votar o para la presidencia; pero el tipo de hogar que debíamos formar, si es que formábamos alguno, la postura que deberíamos adoptar en torno al problema de los criados, la influencia que deberíamos tener en el centro y origen de la economía política, la cocina, son cuestiones que parecen haber quedado ignoradas [53].

Y era en el terreno del hogar donde las universitarias estaban realizando su contribución más significativa, según escribió en 1912:

> Han hecho falta muchas mujeres universitarias (entre unas 50.000 graduadas en facultades) para construir y organizar con éxito casas y familias, aquí y allá, hasta levantar todo el barril de harina. La sociedad se está reorganizando, no de forma repentina y explosiva, sino con un fermento que ha estado trabajando debajo de todas las espumas y trivialidades [54].

Una escritora alababa en 1898, en el *Woman's Journal*, a mujeres como Richards, por «... el importantísimo papel que han jugado las mujeres en la conversión de todo lo relativo al gobierno de la casa en una ciencia exacta», y concluía:

> ¡No parece que estudiar lo mismo que los hombres, en facultades hechas para ellos, haya sido capaz de sacar a estas mujeres fuera de su «esfera natural»! [55].

La ciencia doméstica pasó a ser un modo de justificar la educación superior para las mujeres. De acuerdo con las Conferencias de Lake Placid, el ama de casa verdaderamente científica necesitaba haber estudiado, al menos, química, anatomía, fisiología e higiene y, para refinar su gusto para la decoración interior, estar familiarizada con las grandes obras de la literatura y el arte. Si una mujer no podía solicitar estudiar tales cosas porque sí —ni, desde luego, para poder desempeñar un trabajo de «hombre»—, no le quedaba sino hacerlo en nombre del *hogar*.

Respecto al voto, la ciencia doméstica no tenía gran cosa que decir sobre el sufragio en sí, pero ayudaba a garantizar que, incluso con el derecho a votar, las mujeres seguirían aceptablemente atadas a la casa. En el *Woman's Journal*, los artículos militantes en torno al sufragio se mezclaban con columnas sobre técnicas caseras y anuncios de levaduras y limpiadores para el horno. Cuando el sufragio femenino fue aprobado en Wyoming, una mujer escribió al *Journal* relatando que, al contrario de lo que predecían los antisufragistas, su vida de hogar no se había derrumbado por ello:

Si visitan Wyoming, se quedarán impresionadas por la expresión contenta y feliz de quienes se ganan el pan cuando vuelven a casa tras la jornada y se encuentran con hogares cuidados y atractivos, un fuego reluciente y una cena preparada con mimo, todo presidido por una esposa hogareña, pulcramente vestida y femenina [56].

En realidad, existían muy pocas opciones atractivas para las mujeres cultivadas fuera del hogar. Para las feministas, como para la propia Ellen Richards, la ciencia doméstica parecía la forma de sacar el mejor provecho de una mala situación. Si era imposible entrar en una profesión y unirse al mundo público habitado por los hombres, la mujer podía exigir, al menos, que la aislada e invisible actividad de llevar la casa se considerase también una profesión. En un artículo titulado «El gobierno de la casa como profesión», un director de *Woman's Journal* señalaba el prestigio creciente del derecho y la medicina y subrayaba:

Del mismo modo, la creación de un cuerpo de graduadas en Ciencias y Artes del Hogar favorecería la búsqueda de honores y aprecios. Desde luego, es una disciplina que merece ser tan estimada como la medicina, el derecho o la teología. ¿Qué es tan valioso como un buen hogar? [57].

Al mismo tiempo, desde un punto de vista burgués, la ciencia doméstica ofrecía un nuevo enfoque del perpetuo problema del servicio, otra cuestión que surgía con frecuencia en el *Woman's Journal.* Los buenos criados eran cada vez más escasos, a medida que las mujeres de la clase obrera optaban más por trabajar en fábricas o cuidar niños, en lugar de dedicarse a un servicio doméstico indigno y con bajos salarios. Muchas mujeres de clase media y alta sospechaban que la «clase sirviente» era inmoral y estaba llena de gérmenes. Ahora, gracias a los especialistas en ciencias domésticas, el trabajo del hogar se estaba haciendo demasiado científico y complejo para que lo ejecutaran mujeres sin educar. Helen Campbell planteó el problema:

La condición de la servidumbre doméstica no le permite desarrollar más que cierto grado de capacidad, insuficiente para realizar nuestras complejas actividades domésticas. De modo que así están las cosas. Si encontramos a alguien que pueda desempeñar las labores domésticas modernas, esa persona no será criada nuestra. Y, si encontramos a alguien dispuesto a servirnos, esa persona será incapaz de realizar las tareas domésticas modernas [58].

Por consiguiente, una mujer que no podía pagarse o no podía encontrar una criada no debía ser objeto de compasión; sencillamente, había comprendido que se trataba de un trabajo que ya no podía delegar en sus inferiores.

Pero la aceptación feminista de la ciencia doméstica no era mera cuestión de que las «uvas» les parecieran «verdes» a las mujeres sin trabajo y sin servicio. Más valía estar levantadas, limpiando y ordenando animadamente, que consumirse como inválidas. Y cuánto mejor, cuánto más americano, luchar por obtener un único nivel de vida hogareña: mejor que la indolencia respaldada por la labor de los criados en una clase y que el trabajo agotador en otra, ahora habría un sólo ideal de vida hogareña, centrado en la imagen, por encima de clases sociales, del ama de casa.

Desde una perspectiva feminista, había también algo refrescante en la decidida falta de sentimentalismo del movimiento de ciencias domésticas. Los arquitectos de la ciencia doméstica se sentían repelidos por la empalagosa concepción romántica del hogar y la feminidad en el siglo XIX. Las imágenes rodeadas de encaje de dulces «mujercitas» esperando plácidamente a sus ocupados maridos les llenaban de repulsa. El hogar no era un refugio de la sociedad, ni un puerto para la indulgencia personal; era tan importante como la fábrica, incluso *era* una fábrica. En nombre de la ciencia doméstica, una autora reprendía a las mujeres por «arrastrarse como soldados» (el término industrial para quienes no trabajaban a la mayor velocidad posible) en su trabajo, ya que el hogar, aseguraba, era «parte de una gran fábrica de producción de ciudadanos» [59]. Henrietta Goodrich se expresaba así ante la asamblea de Lake Placid en 1902:

La economía doméstica pretende situar el hogar en armonía con las condiciones industriales y los ideales sociales que predominan actualmente en el mundo exterior. Ese objetivo no podrá lograrse hasta que el hogar no encarne, en la opinión popular, algo más que la idea de las relaciones personales con cada hogar. Los hombres deben admitir conscientemente y de forma generalizada que el hogar es el taller social para la fabricación de personas. Ninguna casa, por aislada que se encuentre, puede escapar a la obligación social que le corresponde... [60].

El hogar existía para el fin público de «fabricar personas» y el hogar científico —desembarazado de las telarañas del sentimiento y con las ventanas abiertas de par en par a la iluminación de la ciencia— no era más que un taller como cualquier otro. No había rígidas dependencias que ataran al ama de casa a su hogar; sólo un sentido claro de dedicación profesional.

Pero los defensores de la ciencia doméstica no tenían deseos de seguir la lógica del gobierno racionalizado de la casa hasta sus últimas consecuencias. Si las actividades caseras constituían verdaderamente la esencia de una «profesión», ¿por qué no desprivatizar, en sentido literal, el hogar y traspasar sus funciones a los especialistas? Ellen Richards y sus colegas estaban de acuerdo en que la fabricación de jabón, las hilaturas, etc., habían mejorado con su absorción por parte de la industria. ¿Por qué no hacer lo mismo con la cocina, la limpieza o el cuidado de los hijos? ¿Por qué, en realidad, tener «hogares»? De todos los críticos norteamericanos del hogar convencional y acientífico, sólo Charlotte Perkins Gilman dio tal paso:

> Fundamos cátedras de Ciencia Doméstica, escribimos libros sobre Economía Doméstica; luchamos enérgicamente para elevar el nivel de la industria hogareña; y no nos damos cuenta de que todos estos esfuerzos son necesarios precisamente porque se trata de una actividad en el hogar [61].

El acuerdo para que una persona cocinara o limpiara para otras tres o cuatro era intrínsecamente irracional, a su juicio. Por mucha «ciencia» que miopemente se le aplicara, la misma dimensión del hogar impedía la racionalización del trabajo doméstico. Respecto a la «fabricación de personas», cualquier hogar —científico o no— en el que la mujer esperara al hombre era necesariamente «un semillero de autoindulgencia» que «cultivaba [en los hombres] un egoísmo sin límites» [62]. Gilman llevaba hasta el límite la solución racionalista: abolir el hogar tal como era, dejar que la gente viviese en comunidades de apartamentos con servicios centralizados, atendidos por profesionales, para la preparación de alimentos, la limpieza, el cuidado de los hijos, la lavandería. La gran mayoría de las mujeres quedaría libre entonces para realizar tareas productivas en el mundo en igualdad de condiciones respecto a los hombres.

En la práctica, muchos norteamericanos se sintieron atraídos por estilos de vida semejantes al propuesto por Gilman. Según Calhoun, gran número de familias americanas —suficiente, al menos, para provocar la alarma del clero— parecieron preferir «la vida promiscua en hoteles [y pensiones] a la intimidad de la vida familiar» [63], aparentemente porque liberaba a las mujeres de tener que guisar. En las primeras décadas del siglo XX hubo incluso experiencias dispersas de vida comunal, entre las familias inmigrantes pobres y entre la clase media [64].

Sin embargo, entre los propulsores de la ciencia doméstica, las sugerencias de Gilman no habrían sido peor recibidas si hubiera hecho una llamada al «amor libre» (cosa que claramente no hacía). Pero no hacía más que seguir la lógica inducida por ellos. Lo que les impedía seguir el mismo camino era que su romántico compromiso con el hogar —el hogar poblado de mujeres— era más profundo que el que les unía al racionalismo científico. De acuerdo con Caroline Hunt, su biógrafa y colega, Ellen Richards

> ... creía en un hogar familiar con su propio techo y su propia parcela de tierra, tan firmemente que para ella su importancia estaba por encima de cualquier argumento. El único problema era cómo conservarlo... [65].

«El buen vivir» en los barrios bajos

Cuando las dirigentes de la ciencia doméstica como Ellen Richards hablaban del hogar en peligro, su principal preocupación era el hogar burgués. Tenía que ser racionalizado, higienizado y, sobre todo, estabilizado mediante los esfuerzos de su «experto científico» residente en el hogar, el ama de casa con preparación. Pero cualquiera que tuviera un mínimo de conciencia social podía ver que la amenaza más grave para el hogar y, por tanto, para la «civilización», se encontraba en los barrios bajos urbanos.

El profesor C. R. Henderson, antiguo presidente de la Conferencia de obras de caridad y reformatorios, planteó en la reunión de 1902 en Lake Placid la cuestión de los barrios bajos. El peligro, a su juicio, no procedía de ideologías extranjeras ni de los sindicalistas, sino de *cómo vivía la gente*. «Una vivienda comunista [se refería a una casa de pisos] obliga a los miembros de una familia a adaptarse de forma insensible a los modos comunistas de pensamiento» [66]. Peor aún, las condiciones de vida en semejantes barrios provocaban una regresión evolutiva:

> Sería indigno por nuestra parte que permitiéramos que gran parte de una población moderna vuelva a descender al nivel animal desde el que la raza ha ido ascendiendo sólo tras siglos de lucha y dificultades.

A largo plazo, la única solución era dispersar a los pobres y albergarlos en casas individuales, pero mientras tanto los líderes de la ciencia doméstica creían que el comunismo y la bestialidad que iban introduciéndose podrían ser extirpados si se les enseñaba «la ciencia del buen vivir». En las zonas pobres, proclamaba Ellen Richards, «existe un terreno dispuesto y a mano para el profesor de economía doméstica» [67].

Ese «terreno» estaba ya siendo intensamente cultivado por gran variedad de reformadores urbanos, organizaciones de caridad y servicios de acogida de inmigrantes. Las filosofías en torno a la reforma de los suburbios iban de la visión conservadora (compartida por la mayoría de los especialistas en ciencia doméstica) de los pobres, como una amenaza que había que someter o americanizar lo más rápidamente posible, a la concepción liberal de los pobres como víctimas de una sociedad corrupta e inhumana. Pero, desde cualquiera de las dos perspectivas, la ciencia doméstica era un valioso instrumento. Para los conservadores, que achacaban la pobreza a las deficiencias personales de quienes la padecían, la preparación en ciencia doméstica era una solución evidente al despilfarro, la intemperancia y la desorganización general. Para los liberales, representaba una forma de ayudar a los pobres a salir adelante en medio del debilitador entorno de los barrios bajos, las viviendas de ínfima calidad, las calles llenas de basura, los comerciantes sin escrúpulos. Y, para ambos grupos, enseñar a los pobres a vivir dentro de las posibilidades que les ofrecían sus sueldos encerraba un valor práctico: Si se podía alimentar a una familia con diez centavos diarios, como proponían algunos especialistas, sería innecesario elevar los salarios.

De hecho, era cierto que la ciencia doméstica tenía gran volumen de informaciones útiles para el habitante de los suburbios, sometido a duras presiones y, a menudo, desconcertado. Para reformadores como Jane Addams era evidente que, en cualquier caso, los pobres necesitaban toda la ayuda que se les pudiera ofrecer para lograr su difícil adaptación a la vida en la ciudad. La mayor parte de ellos eran inmigrantes recientes de aldeas rurales, y muchos llegaban con la esperanza de recrear sus viejos modos de vida: criar pollos en las calles, guardar animales en los sótanos de sus viviendas y cocer pan en las aceras [68]. Pero los viejos modos de vida eran impracticables en los barrios abarrotados, por no decir sencillamente anti-higiénicos. Las mujeres que acostumbraban a cultivar sus propios alimentos tenían ahora que hacer la compra; debían aprender a manejar las técnicas del gas o del horno de carbón y la forma de hacer la colada en pequeñas cocinas sin agua corriente. Y no había nada que les preparase para los peligros de la ciudad de principios de siglo: basura sin recoger, amontonada en calles y patios, suministros de agua poco fiables, leche poco segura. Para muchas mujeres inmigrantes y para sus hijas, las enseñanzas de la ciencia doméstica fueron una ayuda bien recibida en su lucha por la supervivencia.

En cada sitio donde se esforzaban por elevar, americanizar o simplemente ayudar a los habitantes pobres del medio urbano, la ciencia doméstica encontró un foro dispuesto a recibirla. Las escuelas públicas y los centros de acogida de inmigrantes empezaron a ofrecer cursos de ciencia doméstica. Organizaciones caritativas como la Asociación neoyorkina para mejorar la condición de los pobres enviaban especialistas preparadas a las casas de mujeres pobres, y algunas se establecieron por su cuenta en los barrios bajos para impartir cursos de cocina o de gestión de la casa.

Pero, junto a los trucos prácticos de supervivencia, la ciencia doméstica ofrecía algunos mensajes de carácter sospechoso. Para empezar, en cuestión de formas, gran parte de la labor misionera de los especialistas se llevaba a cabo de manera arrogante y punitiva. Así ocurría especialmente con las organizaciones caritativas, que usaban las enseñanzas de ciencia doméstica como sustitutivo o requisito previo de formas más concretas de ayuda. Se instruía a los «visitantes amistosos» (los voluntarios de organismos de caridad que más tarde fueron reemplazados por asistentes sociales preparados) para que evitaran hacer donativos a toda costa, porque corrompían el carácter de los receptores y destruían la relación «amistosa» entre las clases:

> El visitante debe ir en calidad de *amigo* personal, entrar en la vida hogareña, descubrir sus necesidades, sus puntos débiles y sus posibilidades; aconsejar, dar ánimos, hacer sugerencias; echar una mano donde haga falta, pero nunca ser un estorbo ni obstaculizar su trabajo repartiendo limosnas de dinero, alimentos ni vestimenta [69].

No todo el mundo caía en la trampa del acercamiento amistoso. Calhoun menciona esta sarcástica sátira sobre el papel del asistente de caridad, escrita por un reformista católico:

> Si las mujeres de los fracasados se desaniman y se sienten desfallecer ante el problema de cómo una familia puede vivir, cocinar, comer, dormir, casarse y admitir inquilinos, todo ello en dos habitaciones, que los representantes o, mejor todavía, las esposas e hijas de los triunfadores vayan e investiguen si la familia vale la pena; y si la vale, que no le den dinero (nunca deben dar dinero a los pobres), sino que viertan buenos consejos, cómo economizar, cómo ahorrar, cómo hacer caldo de huesos, cómo hacer algo a partir de la nada, cómo ahorrar, ahorrar, ahorrar, hasta que al final, desgastados por los ahorros, puedan irse a un mundo mejor en un ataúd de pino [70].

Los visitantes amistosos solían empezar sus «casos» con una valoración sobre el nivel de organización doméstica de la familia. En su informe «Forty-three Families Treated by Friendly Visiting» [43 familias tratadas mediante visitas amistosas], Miss Eleanor Hanson describía la «suciedad» y el «desorden» de las familias «sin tratar», y afirmaba de los casos cuyo tratamiento había tenido éxito: «... se han introducido el orden y la economía en la casa» [71]. No era tarea fácil, como confesó con sensibilidad un visitante amistoso ante la Conferencia nacional de obras de caridad y reformatorios en 1896:

> Antes de vivir tan cerca de esta gente, debo confesar que aparecía a menudo por una casa y les decía que «limpiaran» de la forma más adecuada... [ahora] vemos la suciedad y la lamentamos, y esperamos que la próxima vez se habrá limpiado y estará en mejores condiciones. Me he sentido muy decepcionado de mí mismo y de mi incapacidad para decirle a la gente que limpie. No puedo hacerlo [72].

En la Conferencia de 1908 (que más tarde pasó a ser la organización profesional de asistentes sociales), el reverendo W. J. Kerby propuso un método más impersonal: las organizaciones caritativas podían convocar concursos vecinales de trabajo doméstico. No supondría mucho dinero, añadió, porque los premios «no tienen por qué ser importantes ni costosos» [73].

Incluso cuando se ofrecía en un contexto libre de connotaciones degradantes de tipo caritativo, por ejemplo, en el apropiado marco de un centro de acogida, la formación en ciencias domésticas representaba el esfuerzo por disciplinar y americanizar a los habitantes urbanos más pobres. La información práctica —sobre cocina, compras, etcétera— que atraía a las mujeres de la vecindad iba necesariamente envuelta en toda la ideología del «buen vivir». Y buen vivir significaba vivir como vivía, o al menos aspiraba a vivir, la burguesía norteamericana. Significaba ahorro, orden e intimidad, en lugar de espontaneidad y relaciones de vecindad. Significaba una vida centrada en la familia nuclear, en un hogar limpiamente separado del trabajo productivo (los pollos y los inquilinos tendrían que irse), ordenado con precisión industrial y presidido por un ama de casa de plena dedicación.

El ahorro, obviamente una virtud, iba acompañado de todo tipo de prejuicios sobre qué gastos merecían la pena: el jabón, sí, pero el vino, bebida tradicional en las comidas de numerosos inmigrantes europeos, no, porque demostraba una horrible falta de templanza. La limpieza, una virtud necesaria en unos suburbios azotados por las epidemias, se equiparaba a la propia condición de americanos: el ama de casa que deseara el triunfo de los miembros de su familia tenía que encontrar el modo de mandarles todos los días a la calle con camisas blancas recién lavadas y planchadas. El orden significaba la adopción de un horario familiar: horas exactas para comer, dormir, todo lo necesario para preparar a los hijos para el mundo laboral que les esperaba. Incluso las lecciones de cocina tenían un sabor patriótico y de clase media: era importante introducir a los pobres a las comidas «americanas» como las alubias cocidas y el pastel indio, y apartarlos de las comidas «extranjeras» como los espaguetis. Con tanta carga ideológica, un poco de formación científica doméstica podía ir muy lejos. Como escribió Jane Addams, «una joven italiana que reciba clases de cocina en la escuela pública ayudará a su madre a conectar a toda la familia con las costumbres caseras y alimenticias de América» [74].

Dentro del movimiento de ciencias domésticas, muchas activistas no se conformaron con transmitir las costumbres y técnicas del «buen vivir» a los pobres. A su juicio, la ciencia doméstica era una disciplina lo bastante amplia como para incluir otros aspectos menos tangibles de la cultura casera de la burguesía. Una tal Miss Talbot hacía la siguiente reflexión en la Conferencia de Lake Placid de 1905:

> Me pregunto si no valdría la pena sacrificar media docena de clases de cocina para que las chicas cuenten lo que hacen por fortalecer la vida de la que forman parte, qué se considera adecuado en la familia, qué diversiones tienen, a qué galerías de arte van, cómo gastan su dinero, cuáles son sus relaciones con la iglesia, cuál es su vida moral y espiritual... [75].

Pionero en el esfuerzo de transmitir la «cultura» fue el Louisa May Alcott Club, un establecimiento situado en Boston, en un *ghetto* italiano y de judíos rusos. Isabel Hyams, encargada de obras de caridad y especialista en ciencia doméstica del Alcott Club, relató ante la Conferencia de Lake Placid en 1905 que las visitas amistosas de su personal (siempre «inesperadas») habían revelado pocos casos de intemperancia o extravagancia excesivas, pero:

> Sí encontramos en la mayoría de los casos, sin embargo, casas desordenadas, llenas de accesorios poco higiénicos y con alimentos buenos pero nunca servidos de forma apetecible. De modo que decidimos que,

para nosotros, la forma de servir la comida, la limpieza del hogar, el amueblamiento, la decoración y, por último pero no menos importante, las buenas maneras, eran lo esencial, ya que, como afirma Thomas Davidson..., «en gran parte, la falta de refinamiento en las maneras es lo que hace al hombre sin educar inadecuado para mezclarse con las personas cultivadas... No hay razón en el mundo para que los hombres y mujeres que tienen que ganarse su pan con el trabajo de sus manos no puedan tener unas maneras y un porte tan refinados como cualquier otra clase de gente. [Las comillas finales faltan en el original.] [76].

Puesto que era «deber de los hombres y mujeres cultivados intentar despertar en esas gentes el deseo de vivir bien», el Alcott Club se presentaba a la comunidad como «un hogar idealizado» donde «se enseñan todas las actividades normales de un hogar natural» [77]. Se invitaba a las niñas del barrio a clases nocturnas sobre aseo personal, cómo decorar con gusto el hogar, cómo poner la mesa, cómo mostrar buenas maneras y cómo organizar tés. Hyams reconocía que las lecciones no eran muy prácticas para chicas que vivían en pisos de dos habitaciones, pero aseguraba que así iban tomando forma las aspiraciones de las jóvenes para el futuro:

> Aunque en este momento pueda ser imposible para ellas, por sus condiciones de pobreza, hacer un uso práctico de todo lo que aprenden, estamos enseñando para el futuro y para el mundo, y cuando se les presente la oportunidad serán capaces de aprovecharla con inteligencia [78].

Pocos establecimientos fueron tan innovadores en la enseñanza de los «valores hogareños» como el Louisa May Alcott Club, pero, como aseguraba Jessica Braley, de la Boston School of Housekeeping, «el principal objetivo de toda institución es, por supuesto, crear mejores hogares» [79]. Como enclaves de la clase media en los suburbios, no tenían más remedio que triunfar con el ejemplo: «Los establecimientos son en sí mismos lugares atractivos que constituyen siempre un ejemplo para los vecinos.» En su autobiografía, la dirigente anarquista Emma Goldman describía los efectos del «triunfante» trabajo de estas instituciones:

«Enseñar a los pobres a comer con tenedor está muy bien», dije en una ocasión a Emma Lee [una enfermera que trabajaba en el Lower East Side de Manhattan], «pero ¿de qué les sirve si no tienen comida? Que sean primero dueños de su propia vida, y entonces sabrán cómo comer y cómo vivir». Ella se mostró de acuerdo con mi opinión de que, por muy sinceros que fuesen los trabajadores del centro de acogida, causaban más daño que beneficio. Estaban creando cierto esnobismo entre la gente a la que intentaban ayudar. Una joven que había participado en la huelga de confeccionadoras de blusas, por ejemplo, se vio adoptada por ellos y exhibida como mascota del establecimiento. La chica empezó a darse aires y a hablar constantemente de la «ignorancia de los pobres», que no comprendían la cultura y el refinamiento. «¡Los pobres son rudos y vulgares!», confió en una ocasión a Emma. Su boda iba a tener lugar pronto, en el centro, y Emma me invitó a asistir al acontecimiento... Fue difícil de soportar, sobre todo la importancia que se daba la novia. Cuando la felicité por haber elegido un chico tan guapo como marido, respondió: «Sí, está bastante bien, pero desde luego no es de mi esfera. Sabe usted, en realidad estoy haciendo un matrimonio por debajo de mi posición» [80].

Las escuelas proporcionaron otra salida para los aspectos más descaradamente propagandísticos de la ciencia doméstica. Un plan de estudios muy usado en la escuela secundaria, elaborado por Ellen Richards y Alice Norton y distribuido por el departamento de Educación Doméstica de la New York State Library, empezaba de este modo:

IDEALES Y NORMAS DE VIDA

I. Desarrollo histórico de la familia
   a. Las épocas más oscuras de la historia
   b. Los comienzos de la sociedad humana
   c. La psicología de las razas; expresión del ideal hogareño en razas distintas de la anglosajona
   d. Vida social primitiva del pueblo anglosajón
      1. La vida hogareña de los anglosajones frente al sistema familiar comunista [81]

Los niños empezaban en primer curso con una «comparación entre el hogar y el modo de vida del niño con el de los animales inferiores y los pueblos primitivos». Al llegar al tercer curso, los jóvenes habían progresado hasta construir maquetas de casas y decorarlas. Pese al etnocentrismo de la materia, un especialista en ciencia doméstica de una escuela pública informaba de que «la gran proporción de alumnos con padres extranjeros no es una desventaja, como se ha afirmado» [82].

En los años siguientes, la ciencia doméstica siguió siendo un vehículo importante de transmisión de los «valores hogareños» burgueses a las minorías étnicas y a la clase obrera en general. El número de cursos de enseñanza secundaria sobre las «artes de la casa» aumentó espectacularmente en las décadas de los veinte y los treinta. A través de los cursos de «economía doméstica», las escuelas, las YWCA * y otros organismos municipales, se impartían a las chicas «ideales superiores», «valoración y cultura», además de habilidades tan esotéricas como la de preparar «huevos a la vara de oro» para el desayuno. En algunos casos se usaban, a modo de laboratorios, «villas de prácticas» completamente amuebladas y hogares piloto. Por ejemplo, en los años veinte, la Douglass Community House de Cincinnati se constituyó en «villa de prácticas» domésticas para «un millar de negros»:

> El objetivo es influir en las normas de vida convirtiéndola en un hogar modelo que todos en la comunidad puedan utilizar. Las chicas hacen todas las labores de la casa... Les encanta el trabajo, y no es extraño, cuando se contempla la agradable atmósfera hogareña y la perfecta libertad con la que realizan sus diversas obligaciones [83].

La mayoría de las descripciones que se conservan de los cursos de ciencia doméstica proceden, como ésta, de los propios educadores profesionales o especialistas. No hay forma real de juzgar el impacto de tales enseñanzas en los cientos de miles de mujeres que las recibieron. Pero la siguiente historia, relatada por Elinor Polansky, hija de inmigrantes judíos rusos, es significativa:

---

* YWCA: Young Women Christian Association, Asociación cristiana de mujeres jóvenes, nacida después de su equivalente masculino como centro de organización de tareas sociales. *(N. de la T.)*

En 1949 recibí lecciones de ciencia doméstica dentro de mi primer año de enseñanza secundaria, en una escuela del Bronx. Las recuerdo muy bien. Nos enseñaban a poner la mesa para cenas de invitados. Puedo recordar el olor del amoniaco cuando nos enseñaban a limpiar alfombras. ¿Quién tenía alfombras?...

Lo que se deducía era que tu entorno familiar no era bueno y que *tú* tenías que transformarlo. Por ejemplo, aprendíamos que la única forma correcta de cocinar era hacer cada cosa por separado... ésa era la manera buena y saludable. Las cosas mezcladas, como en los guisos, se consideraban comida de campesinos. Nunca fui capaz de reconocer delante de mi profesora que mi familia comía todo mezclado. Había algo repulsivo en la idea de que los alimentos se *tocaran*. Las judías no debían tocar el puré de patatas, y así sucesivamente. Hasta más tarde no comprendí que odiaba esa forma de guisar. Pero, en aquel momento, recuerdo incluso haber pedido a mi madre que comprase platos con separaciones.

La clase de ciencia doméstica nos enseñaba a hacer las camas de un modo determinado, con «esquinas de hospital»... Mientras que, en casa, sólo se ponían las sábanas y se remetían por debajo. En la escuela, todas las cosas que odiábamos hacer en casa resultaban divertidas. Después yo criticaba a mi madre y ella se enfadaba y me decía: «ésta no es una casa lujosa». Si lo pienso ahora, ése era el motivo por el que mi madre y yo nos peleábamos todo el tiempo. Discutíamos sobre cómo debía ser la vida en casa.

Una vida doméstica sin la participación de la ciencia

Ellen Richards y sus colegas no tuvieron nunca duda de que su movimiento acabaría por triunfar. En cierta ocasión, se permitió fantasear sobre «la mujer universitaria en 1950»:

> Será tan agradable de contemplar, tan gentil y tranquila en sus maneras, que resultará inimaginable su pertenencia a la misma raza que las antiguas rebeldes contra el orden establecido, las que, con ojos llenos de suspicacia y tensión en nuestros corazones, si no en nuestros puños, os planteamos ahora la pregunta «¿Qué vais a hacer al respecto?» [84].

En los años cincuenta, hacía ya mucho tiempo que se había hecho algo «al respecto» —en relación con el hogar en peligro, dejado a la deriva—, aunque no totalmente gracias a los esfuerzos directos de los expertos en ciencia doméstica. En realidad, dicha disciplina se había vuelto casi innecesaria. Ya no había necesidad de autores y conferenciantes dispuestos a luchar para sentar las normas y dictar las obligaciones del gobierno de la casa. A mediados del siglo XX, las exhortaciones de los especialistas —los principios del «buen vivir»— se habían incorporado ya, para una proporción creciente de mujeres, a la organización material de la vida diaria.

La propiedad de la vivienda, durante largo tiempo el sueño de los especialistas en ciencia doméstica, se extendió imparablemente durante el siglo XX. Los reformistas habían creído que el hogar unifamiliar y ocupado por sus propietarios era la condición material necesaria para poder aplicar plenamente la ciencia doméstica, e incluso para el «buen vivir» en su conjunto. Los empresarios pensaban que «el socialismo y el comunismo no arraigan entre quienes tienen sus pies firmemente plantados en el suelo de América mediante la posesión de una casa» [85] *. Con las financiaciones federales de posguerra, la propiedad de la vivienda se extendió a la clase obrera. Al acabar la década de los setenta, más del 60 por 100 de los hogares no rurales son viviendas en propiedad, frente al 36,5 por 100 en 1900 [86]. Al poseer la casa, su gobierno asume una importancia que va más allá de mantener la existencia diaria; se convierte en el mantenimiento de una *inversión*.

Aún más importante, surgieron nuevos elementos que dictaban la forma de realizar las tareas domésticas. Considérese el curioso resultado de la comercialización masiva de los utensilios «para ahorrar trabajo», aproximadamente a partir de 1920. La historiadora Heidi Hartmann ofrece amplia documentación para demostrar que la introducción de nuevos aparatos no ha reducido en absoluto el tiempo dedicado a la casa [87]. En un estudio reciente, Joan Vanek averiguó que «el tiempo dedicado a lavar la ropa, en realidad, se ha incremen-

---

* Probablemente tenían razón. El *New York Times* (30 de octubre de 1974) informa que «estadísticamente, los conservadores suelen ser de mediana edad, blancos, católicos y obreros; residen desde hace tiempo en su vecindario, van al trabajo en coche y son propietarios de sus viviendas».

tado en los últimos cincuenta años», pese a la introducción de lavadoras, secadoras y tejidos de lavar y usar, «al parecer, porque la gente posee más prendas de vestir y las lava más a menudo» [88]. Las lavadoras permiten hacer coladas diarias, en vez de semanales. Las aspiradoras y las máquinas para limpiar alfombras recuerdan que no hay por qué vivir con el polvo ni conservar las manchas en la moqueta. Cada aparato —el lavavajillas, el calentador, el congelador, la batidora— es la encarnación material de una tarea, una obligación implícita de *trabajar*.

Si hubieran vivido unas cuentas décadas más, las especialistas en ciencias domésticas habrían estado satisfechas de ver realizados tantos de sus objetivos: los niveles de limpieza son casi antisépticos; las tareas «organizativas», como ir a la compra, son cada vez más corrientes; el problema del «vacío doméstico» está prácticamente olvidado. La autora de un artículo en el *Ladies' Home Journal* de mayo de 1930 narraba la expansión del trabajo doméstico que había tenido lugar en el plazo que ella podía recordar:

> Como las amas de casa actuales tenemos los instrumentos necesarios, luchamos diariamente contra el polvo que nuestras abuelas dejaban para el cataclismo primaveral. Aunque pocas de nosotras tenemos que bañar semanalmente a nueve niños, sí tenemos que hacerlo diariamente con dos o tres. Si nuestras conciencias no nos remuerden porque se hayan acabado los pasteles en el estante o los botes de galletas estén vacíos, sí lo hacen por las comidas en las que faltan vitaminas o calorías [89].

Pero en algo tendrían que admitir su derrota las reformistas: la promesa que habían hecho al feminismo —la elevación de las tareas domésticas a la categoría de profesión— quedó rota en el camino. En lugar de convertirse en un cuerpo exclusivo de profesionales, las encargadas del hogar siguieron siendo, igual que siempre, un vasto grupo de criadas. El conocimiento científico y el gobierno del trabajo doméstico pasó de las amas de casa, e incluso de los expertos en ciencias domésticas, a manos de las empresas que ya, para empezar, les habían «robado» el trabajo a las mujeres.

Fueron los propios expertos quienes entregaron la bandera del «buen vivir» a los fabricantes de aparatos, sopas, alimentos preparados y accesorios para el hogar. Las especialistas en economía doméstica exhibían equipamientos de marca en ferias y exhibiciones para el hogar, y resguardaban su honor profesional tras el ubicuo «Sello de aprobación para las tareas domésticas». Christine Frederick proporcionó con su persona la continuidad entre los primeros días de la «causa» y los posteriores de comercialización, para terminar como investigadora de mercado para la industria de los electrodomésticos. En su libro de 1929 *Selling Mrs. Consumer* [Cómo vender a la Sra. consumidora] (dedicado a Herbert Hoover), atribuía a la ciencia doméstica el mérito de haber servido de vanguardia para la «revolución de los aparatos», y ofrecía casi 400 páginas de consejos sobre cómo enfocar la publicidad hacia los miedos, prejuicios y vanidades de la Sra. consumidora, el ama de casa [90].

Treinta años más tarde, la especialista en economía doméstica era parte integrante del equipo empresarial, no sólo para ayudar a desarrollar nuevas líneas de productos, sino como participante directa en la comercialización y la publicidad. «Siempre hemos considerado a los miembros de nuestro Departamento de Economía Doméstica como maestros en el arte de vender fácilmente», afirmaba el vicepresidente de Corning (Pyrex), R. Lee Waterman; y *Sales Management*, la publicación sobre temas comerciales, elogiaba a la experta en economía doméstica en las empresas, en un artículo de 1959:

> Para conocer a un hombre hace falta otro igual; lo mismo podría decirse de las mujeres. Desde luego, sólo los miembros más valientes o más locos del sexo fuerte pueden pretender que entienden los entresijos de la mente femenina... De ahí la importancia de la experta en economía doméstica para las ventas...
>
> Posee rasgos de socióloga, un temperamento creativo, un bagaje de ciencias naturales y el alabado toque femenino. Es la experta en economía doméstica de la empresa... una mujer para convencer a otras mujeres [91].

A mediados de siglo, su labor ya no consistía en educar, sino en «convencer». Desde un punto de vista empresarial, nada podía ser más peligroso que un consumidor «científico» y con conocimientos. El ama de casa ideal de los expertos en ciencia doméstica —versada en química, higiene, nutrición y economía— estaba tan fuera de lugar en un supermercado lleno de chillonas seducciones y de Muzaks como lo habría estado la propia Mrs. Richards en una reunión Avon.

Incluso las tareas domésticas se iban quedando anticuadas. Veamos las tontas instrucciones que se encuentran en los envases de comidas: Uno. Abra la caja. Dos. Vacíe el contenido en un gran recipiente. ... He aquí, al fin, la genuina «gestión científica» del hogar: la disgregación completa del trabajo, la total separación entre el «trabajador» (el ama de casa) y el «director» (el fabricante en un despacho lejano). Permanece la apariencia de autonomía: después de todo, usted ha escogido el sabor y la marca y, si quiere, puede añadir un huevo.

Los expertos en ciencias domésticas habían tenido la esperanza de elevar a la trabajadora doméstica al nivel de los expertos científicos: especialistas en nutrición, ingenieros sanitarios, economistas. A mediados de siglo se habrían asombrado de descubrir que el ama de casa se había convertido, por el contrario, en *objeto* de estudio científico. Los sociólogos de empresa exploraban sus puntos débiles; los psicólogos elaboraban técnicas para deslumbrarla y sugestionarla. Por esa razón se diseñaron los supermercados de forma que el trayecto de compra fuera lo mas *largo* posible. Se prepararon los expositores para producir una «sobrecarga sensorial», para estimular «la compra compulsiva». Astutamente, los cereales y dulces fueron colocados a la altura de los niños.

La educación del consumidor se había convertido en manipulación del consumidor. Los investigadores de mercado habían descubierto que la compradora más propensa a gastar es la que está socialmente aislada, tecnológicamente desinformada e insegura sobre su propia competencia en el hogar [92]. Los nuevos «educadores» para el consumo —fabricantes y publicistas— intentaron cultivar precisamente esos rasgos. El ama de casa televisiva está angustiada por el brillo de su vajilla, el sabor de su café o el lustre de sus suelos. Entra el «experto» masculino, un hombre de aspecto profesional o quizá una especie de mago como «el conserje del tambor» o el «Sr. Limpieza», cuyo producto, como «demuestran los estudios», va a arreglar las cosas. La actriz-ama de casa se inclina con gratitud y da testimonio del impacto que tienen el distribuidor de hamburguesas o las pastillas de jabón Brillo en su vida y en su propia estima. Por lo que respecta al fabricante, al ama de casa sigue siendo (a Dios gracias) doméstica pero *no* (por suerte) científica.

Seis

El siglo del niño

Siempre faltó algo en el mundo de los expertos en economía doméstica. Había un curioso silencio en las limpias habitaciones, una ausencia en la cocina y la despensa resplandecientes. Todo eso que preocupaba a los especialistas —la forma adecuada de limpiar, ordenar, programar— no constituía el centro del drama, sino simplemente el escenario. Y el actor para el que se había creado toda esa escena no era ya, en el siglo XX, la figura patriarcal del marido, sino el Niño. Con el cambio de siglo, América «descubrió» al niño como figura fundamental de la familia, incluso de la misma historia.

«Si me preguntasen cuál es el gran descubrimiento de este siglo», declaraba el director de la escuela del Estado de Georgia ante la Asociación Nacional de Educación a finales de 1899,

> ... dejaría de lado los espléndidos logros labrados por el hombre en madera, piedra, hierro o cobre. No acudiría al catálogo de avances como la imprenta, el telar, la máquina de vapor, el buque a vapor, el cable oceánico, el telégrafo, la telegrafía sin hilos, el teléfono, el fonógrafo, ni hablaría del rayo de Roentgen que promete revolucionar el estudio del cerebro y el cuerpo humano.
>
> Por encima de todo esto, con el tiempo, el dedo del progreso mundial señalará decididamente al niño pequeño como el gran descubrimiento del siglo que ahora se acerca a pasos agigantados hacia su final [1].

«En conjunto, es indudable que América ha entrado en el "siglo del niño" —escribió el historiador social Calhoun— ... Como corresponde a una civilización cuyo futuro se expande, el niño se está convirtiendo en el centro vital» [2].

El descubrimiento del niño por parte de los varones adultos, personajes públicos, científicos y expertos de diversas clases, era un paso lleno de esperanzas humanistas. Quizá las mujeres habían sabido siempre lo que las autoridades masculinas afirmaban ahora: que el niño no es simplemente un adulto de baja estatura, sino una criatura con sus propias necesidades y capacidades, con su propio atractivo. Ahora, con el reconocimiento público de las necesidades específicas de los niños, se abría la puerta a la posibilidad de que hubiera una *responsabilidad* pública para la solución de esas necesidades: amplios programas de bienestar y salud infantil, guarderías públicas gratuitas, facilidades comunitarias para hacer frente a los problemas de la educación de los hijos, etc. Pero, excepto en lo relativo a la difusión de las escuelas públicas a principios del siglo XX, pocas de estas promesas se hicieron realidad. Los niños que habían sido «descubiertos» con tanta fanfarria seguirían siendo responsabilidad particular de sus madres. Lo que el historiador Calhoun no consiguió explicar fue que el niño estaba pasando a ser el «centro vital» sólo para las mujeres. Todo interés social más amplio por el niño se expresaría en el nuevo grupo de *expertos* en la educación de los hijos, que, por supuesto, no ofrecerían ayuda material, sino sólo un torrente de consejos, advertencias, instrucciones para consumo aislado de cada mujer.

La ascensión de los expertos infantiles, de la que hablaremos en este capítulo, dependía de la elaboración de un enfoque *científico* de la educación de los hijos, tarea muy prometedora. Tal enfoque científico, aun sin salir de un contexto en el que las madres fueran las únicas responsables del cuidado de sus hijos, podía basarse, en teoría, en las necesidades reales de los niños y en las necesidades y los sentimientos de las madres. Pero la ciencia que se desarrolló en torno a los niños fue una ciencia machista, situada a una distancia cada vez mayor de las mujeres y de los propios niños. Fue una ciencia que se apoyó cada vez más en los juicios y estudios de los expertos, y cada vez menos en la experiencia materna, hasta el punto de llegar, como veremos, a considerar a las madres, no como principales agentes del desarrollo infantil, sino como principales *obstáculos* para él.

El descubrimiento del niño

¿Qué había ocurrido hacia fin de siglo para sacar al niño de su rincón y situarlo en el foco de atención pública? El descubrimiento del niño como forma de vida única y original, igual que el descubrimiento de la mujer como «anomalía» o problema, no podría haber tenido lugar en el Antiguo Orden. Incluso cien años antes, el niño no era una figura que llamara la atención de los adultos. Las mujeres daban a luz, por término medio, a siete niños vivos a lo largo de su vida; la tercera parte o la mitad no sobrevivían más allá de los cinco años. Había que considerar a cada niño como un visitante posiblemente temporal. Los pioneros dejaban muchas veces a sus hijos sin nombre durante meses, para no «desperdiciar» uno que les gustara; y las madres no sólo hablaban de cuántos hijos habían criado, sino de cuántos habían enterrado. De esa época en la que eran los jóvenes, y no los adultos, los que vivían con la sombra de la muerte, es típica esta nota aparecida en un periódico local de Wisconsin en octubre de 1855:

> La maligna epidemia de difteria en Louis Valley, La Crosse County, ha resultado fatal para todos los hijos de la familia Molloy, cinco en total. Tres murieron en un mismo día. La casa y los muebles han sido incinerados [3].

En 1900 la mortalidad infantil estaba descendiendo, no gracias a ningún avance de la profesión médica, sino por mejoras generales en la higiene y la nutrición [4]. Mientras tanto, la tasa de nacimientos había descendido a una media de 3,5; las mujeres esperaban que cada hijo sobreviviera y empezaban a adoptar medidas para evitar más embarazos de los deseados [5]. Por consiguiente, desde un punto de vista estrictamente biológico, los niños comenzaban a tener entidad propia.

También los cambios económicos empujaron al niño a tener una súbita importancia a principios de siglo. Los legendarios chicos preindustriales a los que «se veía pero no se oía» trabajaban duramente la mayor parte del tiempo, quitando hierbas, cosiendo, cogiendo agua y leña, dando de comer a los animales, cuidando al bebé. Hoy en día, un niño de cuatro años que sepa atarse los zapatos ya resulta impresionante. En la época colonial, las niñas de esa edad tejían medias y mitones y eran capaces de realizar complicados bordados; a los seis años hilaban lana [6]. Una niña buena y trabajadora recibía el trato de «Sra.» en lugar de «Señorita», en reconocimiento a su contribución a la economía familiar: no se puede decir que fuera, en sentido estricto, una niña.

Pero cuando la producción dejó la casa y desaparecieron las docenas de tareas que habían llenado la jornada infantil, la niñez empezó a parecer una fase de la vida claramente diferenciada y fascinante. Fue como si la imaginación de la última época victoriana, aún no perturbada por los monos de Darwin, hubiera mirado de repente para abajo y hubiera descubierto, a la altura de sus rodillas, el eslabón perdido de la evolución. Ahí estaba la prístina inocencia que idealizaban los adultos, ahí estaba en miniatura, por supuesto, el futuro en el que los que ya eran adultos no entrarían personalmente. En el niño estaba la clave para *dominar* la evolución humana. Sus hábitos, sus pasatiempos, sus compañías, no eran ya asuntos triviales, sino cuestiones de la máxima importancia para toda la especie.

Esta repentina fascinación por el niño llegó en un momento de la historia norteamericana en el que los abusos infantiles —en el sentido más literal y físico de la palabra— se estaban convirtiendo en un rasgo institucional de la economía industrial en expansión. Hacia fin de siglo, alrededor de 2.250.000 niños norteamericanos por debajo de 15 años [7] trabajaban con plena dedicación, en minas de carbón, fábricas de vidrio, plantas textiles, fábricas de conserva, en la industria del tabaco y en los hogares de la gente acomodada; en resumen, donde podía ser útil una mano de obra dócil y barata. No hay comparación posible entre las condiciones de trabajo de un niño en una granja (que además era, en la mayoría de los casos, un querido miembro de la familia) y las del niño como trabajador industrial. Criaturas de cuatro años trabajaban 16 horas diarias enhebrando cuentas o enrollando cigarros en edificios de Nueva York; niñas de cinco años trabajaban en el turno de noche de las plantas de algodón del Sur.

> Mientras las niñas pueden seguir trabajando y sólo unas cuantas se desmayan, las fábricas continúan funcionando; pero cuando los desmayos son tan numerososos y tan frecuentes que ya no compensa seguir, las fábricas se cierran [8].

Esos niños crecían deformados y raquíticos, a veces cegados por un trabajo minucioso o por el intenso calor de los hornos, con los pulmones deshechos por el polvo del carbón o del algodón, si es que conseguían crecer. Para ellos no existía el «siglo del niño» ni ninguna clase de niñez:

> Los campos de golf están tan cerca de la fábrica
> Que casi a diario
> Los niños que trabajan pueden mirar
> Y ver a los hombres mientras juegan [9].

El trabajo infantil tuvo sus defensores ideológicos: los filósofos educativos que alababan lo que se aprendía en la disciplina de la fábrica, la jerarquía católica que aseguraba que el padre tenía el derecho patriarcal de disponer del esfuerzo de sus hijos y, por supuesto, los propietarios de las fábricas. Sin embargo, para el ciudadano de clase media y tendencias reformistas, el espectáculo de máquinas desgarrando la carne infantil, de fábricas sacando el jugo a hileras de niños encorvados cada mañana, no sólo inspiraba indignación pública, sino una especie de horror personal. Ahí residía la «racionalización» última del mercado: todos los miembros de la familia igualmente reducidos a la esclavitud del salario, todas las relaciones humanas, incluidas las más íntimas y antiguas, disueltas en el vínculo del dinero. ¿Quién podía refutar la lógica del proceso? No había motivo (dentro de los términos del mercado) para apoyar la existencia de unos niños ociosos y dependientes. No existían lazos de interés económico que mantuvieran viva a la familia. El trabajo infantil representaba un gran avance hacia la «anti-utopía» definitiva que parecía siempre estar germinando en el desarrollo capitalista: un mundo engullido por el mercado, un mundo sin amor.

De modo que, por un lado, el interés de fin de siglo por el niño constituía la reivindicación de lo que se consideraban los valores humanos tradicionales contra los horrores del capitalismo industrial. El niño representaba, como había hecho durante decenios, un pasado idealizado, rural, hogareño, regido por ritmos naturales y no por el reloj de la industria. El psicólogo G. Stanley Hall veía a los niños como una raza relacionada con los «salvajes» de África, amables, espontáneos y con una desesperada necesidad de que les protegieran los hombres adultos (y blancos).

Pero no fue sólo la imagen romántica y pastoril de la niñez lo que inspiró el «siglo del niño». El Niño Pequeño en cuyo nombre se ondeaban tantas campañas de reforma —para implantar la educación pública obligatoria, los programas de sanidad pública, etc.— no era sólo un símbolo del pasado sino del futuro industrial. En 1898, ante una reunión de mujeres, el doctor W. N. Hailman declaraba no aceptar la imagen «primitiva» del niño, ni como «animalillo» ni como «embrión de salvaje», y lo presentaba como la vanguardia evolutiva de la raza:

> La infancia no es un arreglo provisional para impedir que la humanidad se extinga; es la genuina abolición de la muerte, la vida continua de la humanidad en el avance hacia su destino divino... Es la capacidad de aprendizaje en la infancia lo que ha permitido al hombre superar su herencia a lo largo de la historia... El significado y la misión de la niñez consisten precisamente en el progreso continuo de la humanidad. Eso, y sólo eso, hace que la vida sea digna de ser vivida [10].

La exaltación del niño por su «capacidad de aprender» y su flexibilidad reflejaba una sensación creciente de que los niños serían más capaces de adaptarse al mundo industrial que los adultos. La Norteamérica de fin de siglo padecía una epidemia masiva de «asombro ante el futuro». La tecnología parecía transformar el mundo cada día, de modo que ¿para qué servía la experiencia? ¿Cómo iba a significar la «madurez» otra cosa que una atrofia? Con la introducción de la gestión científica y los procedimientos de la cadena de montaje, la industria empezaba a necesitar más al joven flexible que al artesano avezado. La ascensión del niño (y el ocaso del padre patriarcal) resultó probablemente más dolorosa en las familias inmigrantes de clase obrera: los padres seguían teniendo, muchas veces, actitudes y lenguajes de raíces campesinas y dependían sin remedio del hijo o la hija que habían ido a una escuela americana, hablaban inglés y entendían la forma de vida en la gran ciudad.

La idea de que el niño era la llave hacia el futuro, por muy superficial que suene, contenía un mensaje político preciso. Afirmar que sólo el niño poseía la llave del cambio social era asegurar que la generación de los adultos no la poseía. Que, en contra de las esperanzas de socialistas y sindicalistas, la estructura social no podía transformarse en el curso de una sola generación. La ideología paidocentrista imaginaba una sociedad que avanzaba hacia su reforma poco a poco, generación tras generación. El profesional o empresario de extracción yanqui y el obrero polaco podían parecer, temporalmente, miembros de especies distintas, pero, con una educación «americana», habría menos distancia entre sus hijos, menos aún entre sus nietos, y así sucesivamente. Las distinciones sociales se desvanecerían, con el tiempo, gracias a la enseñanza pública generalizada, mientras que el perfeccionamiento de los métodos para educar a los hijos produciría un tipo «superior» de personalidad humana. Al centrarse en el niño —en vez de, por ejemplo, en la agitación política, la organización de sindicatos u otras alternativas precipitadas—, se podría llegar a una sociedad justa de forma indolora, aunque con cierta lentitud.

La exaltación del niño a principios de siglo fue a la vez romántica y racionalista, conservadora y progresista. El niño era «primitivo», pero eso significaba que era además maleable, es decir más «moderno» que ninguna otra persona. El niño era la razón para luchar por las reformas, pero también el motivo para aplazarlas. El niño era el «fundamento de la familia», la piedra angular del hogar; era también el único miembro de la familia verdaderamente preparado (por su misma inexperiencia) para el torbellino tecnológico del mundo exterior. Sólo la figura del niño tenía la clave de un futuro en el que entrarían fábricas y afectuosos hogares, la fría lógica de Wall Street y el cálido sentimentalismo de la Navidad.

La «cuestión infantil» y la cuestión femenina

Si bien no siempre estuvo claro cómo la dedicación a los niños podría resolver problemas sociales como los disturbios laborales o la corrupción urbana, desde el primer momento fue evidente que el niño encerraba la respuesta a la cuestión femenina. El niño no era ya «un mero incidente en la conservación de la especie», sino el eslabón potencial hacia una etapa superior de desarrollo evolutivo. Dado que nadie más iba a asumir la responsabilidad del niño, correspondía a la madre forjar ese eslabón. El conocido éxito de la autora sueca Ellen Key, *The Century of the Child* [El siglo del niño], enumeraba en 1909 las nuevas responsabilidades evolutivas de la feminidad:

> Mujeres en el parlamento y en el periodismo, representadas en los gobiernos locales y estatales, en congresos para la paz y en asambleas de trabajadores, en la ciencia y la literatura, todo ello producirá escasos resultados mientras las mujeres no comprendan que la transformación de la sociedad comienza con el niño por nacer... Esta transformación requiere una concepción completamente nueva de la vocación maternal, un tremendo esfuerzo de voluntad y una permanente inspiración [11].

Según Key, sólo a fuerza de dedicarse totalmente a los hijos, durante varias generaciones, podrían confiar las mujeres en obtener «el hombre completo, el superhombre». Las propuestas de Key eran radicales: a su juicio, incluso habría que abandonar la monogamia si estorbaba a las mujeres para seleccionar compañeros adecuados desde una perspectiva evolutiva. Pero, por lo demás, sus ideas sintonizaban completamente con la línea romántica establecida. Nada podía ser más importante que la maternidad, según declaró el Presidente Roosevelt ante una reunión de mujeres:

> La buena madre, la madre sabia —no se puede realmente ser una buena madre si no se es sabia— es más importante para la comunidad que el más hábil de los hombres; su trabajo es más digno de honores y más útil para la comunidad que el de cualquier hombre, por importante que éste sea...
>
> Pero... la mujer que, bien por cobardía, bien por egoísmo, bien por una concepción vacua y falsa, elude su deber de esposa y madre, se hace merecedora de nuestro desprecio, del mismo modo que el hombre que, por cualquier motivo, teme cumplir su obligación durante la batalla cuando su país le reclama [12].

Muchas mujeres estaban de acuerdo, ya fuera porque estaban orgullosas de atribuirse un trabajo tan importante, o porque, como advertía el Presidente, la única alternativa era el desprecio. Una oradora norteamericana declaraba ante una conferencia internacional sobre la maternidad en 1908:

> Debemos ver con ojos claros el objetivo de nuestros esfuerzos y caminar con paso resuelto hacia él. Ese objetivo es nada menos que la redención del mundo a través de una mejor educación para quienes pueden configurarlo y construirlo. El guardián de las puertas del mañana es el niñito que está en brazos de su madre. El camino hacia ese reino que se plasmará en la tierra, así como en el cielo, está en manos del niño, en esas manos cuya madre sostiene [13].

Con el reflejo de la gloria del niño, la maternidad ya no podía considerarse como una condición biológica o un trabajo de media jornada; se convertía en una «noble vocación».

El «siglo del niño» hace una llamada tan estridente al culto a la maternidad que sería fácil, ahora, desechar toda la atención a la infancia como otra forma de propaganda en pro de la domesticidad femenina. En parte, así era: el hogar de una mujer no podía tener cancerbero más enérgico que un niño pequeño. Pero había algo más: el descubrimiento del niño fue, en cierto sentido, el del *poder* de las mujeres. Con arreglo a la ideología oficial de la época, la mujer estaba ya secuestrada en el terreno de la vida privada, que después de todo era «su esfera». Allí, dada la trivialidad de las preocupaciones domésticas, incluso se le permitía «reinar», tal como en teoría hacía el hombre en el exterior. Ahora, en cambio, era como si la imaginación machista hubiera echado un vistazo por encima del hombro y hubiera descubierto que se había dejado olvidado algo importante en la «esfera de la mujer»: su hijo. Y éste —el nuevo niño del siglo XX— no era simplemente un heredero, como en el caso de los hijos del patriarcado. Ese niño se concebía como una especie de protoplasma evolutivo, un medio de *control* sobre el futuro no tan lejano de la sociedad. Ese niño no podía dejarse a merced de la mujer.

Por consiguiente, si los niños tenían que quedarse con sus madres, no podían quedarse *a solas* con ellas. Una nueva figura entra en el cuadro familiar, un hombre equipado para hacerse cargo de los niños y de sus madres y para dirigir la interacción entre ambos; el experto científico en la educación de los hijos.

La rápida ascensión de estos expertos fue un reflejo del creciente prestigio que tenían los especialistas en otras áreas de la vida femenina. La asunción de las tareas medicinales por parte de los varones había debilitado las relaciones de grupo entre mujeres —las redes de conocimientos y de intercambio de información— y había creado un modelo de autoridad profesional en todos los campos de la actividad doméstica. Pero el terreno que los expertos psicomédicos empezaron a desbrozar con el «descubrimiento» del niño era más antiguo, más esencialmente femenino que el oficio de sanar. Las curaciones eran, en realidad, una consecuencia derivada de la maternidad, una respuesta a las exigencias del parto, los niños enfermos, los resfriados invernales, etc. Cuando los expertos invaden la educación de los niños, penetran en lo que hasta entonces había sido, para bien o para mal, el núcleo irreductible de la existencia de las mujeres, el último refugio de su capacidad y su dignidad.

El movimiento de madres

No obstante, los expertos no llegaron sin haber sido invitados. La mujer joven educada y «moderna» de principios de siglo se negaba a considerar que el cuidado de los hijos fuese algo instintivo, como el apetito, o automático, como las contracciones uterinas. Todo lo demás estaba adecuándose a la era industrial y haciéndose «científico»; ¿por qué no la antigua actividad de educar a los hijos? En 1888, un grupo de madres de clase media alta de la ciudad de Nueva York se agruparon en la Sociedad para el Estudio de la Naturaleza del Niño y decidieron explorar todas las facetas de la «naturaleza» infantil, desde la apreciación de la música hasta el concepto de propiedad privada. Estas mujeres, según Bernard Wishy, «estaban deseando remitirse en lo posible a las ideas más fecundas, pero querían extraer su información directamente de los expertos dedicados al estudio de la niñez, y no de los divulgadores» [14]. En la década siguiente, la idea de que las mujeres se reunieran para estudiar y debatir el cuidado de los hijos se extendió por todo el país. Los círculos de madres y de estudio del niño surgieron a montones, los conferenciantes sobre dicha materia viajaron por todas partes, los folletos proliferaron; como si las mujeres norteamericanas estuvieran estudiando afanosamente para el nuevo «siglo del niño».

El «movimiento de madres» —ellas se consideraban un movimiento— era la respuesta a las mismas fuerzas que habían impulsado el movimiento de ciencias domésticas. Si en la granja preindustrial las «tareas domésticas» no habían sido nunca un problema, tampoco lo había sido educar a los hijos. La relación madre-hijo se había configurado en las labores diarias; era, en parte, una relación de aprendizaje. «Educar a los hijos» significaba enseñar a los niños las técnicas y la disciplina necesarias para mantener en marcha las actividades del hogar. No era algo que se *hacía*, sino algo que ocurría, o tenía que ocurrir, para poder realizar el trabajo familiar.

Pero en el vacío doméstico del hogar moderno ya no había forma «natural» de educar a los hijos. Cada vez había menos habilidades que aprender en casa, y las que había estaban cada vez menos relacionadas con las que el niño (especialmente el varón) podía necesitar un día en el mundo exterior. Aprender a ayudar a la madre a recoger la casa no iba a ayudar a que Juan pasara los exámenes del colegio diez años después ni a que Susana aprendiera a escribir a máquina. Con la separación del hogar y el trabajo, de los terrenos público y privado, las pautas de «éxito» en la educación de los hijos se empezaron a fijar fuera del hogar y del dominio materno. Paradójicamente, cuanto «mejor» era la madre —cuanto más decididamente hogareña era—, menos experiencia tenía acerca del mundo exterior en el que, al final, se iban a juzgar sus esfuerzos. En la sociedad de segregación sexual construida por el capitalismo industrial sobre las ruinas del antiguo orden, no existía forma, en definitiva, de que las *mujeres* pudiesen educar a los *hombres*.

El movimiento de madres, como el movimiento de ciencias domésticas, fue un intento de dar una respuesta digna a esta situación difícil y contradictoria. En medio del vacío doméstico estaban poco claras las prioridades del hogar y había gran desconcierto ante la educación de los hijos. Las mujeres se empezaron a reunir de forma natural para discutir problemas domésticos, intercambiar información y estudiar todos los consejos científicos que podían obtener. Al reconocer que la educación de los hijos no era cuestión de instinto, ni de mera supervisión, habían dado un gran paso respecto a las mujeres de dos generaciones antes, que no tenían tiempo de pensar en los niños más que como ayudantes en miniatura. Pero, si las mujeres que se reunían en los círculos de fin de siglo estaban preparadas para afrontar los problemas planteados por su nueva situación como madres, *no* lo estaban para hacer frente a la situación misma. Los líderes de la ciencia doméstica que habían vislumbrado con horror el vacío doméstico no proponían el abandono del hogar. Y el movimiento de madres no estaba dispuesto a sugerir que pudiera haber escenario colectivo más propio para educar a sus hijos.

En realidad, cuando el movimiento de madres se institucionalizó como National Congress of Mothers [Congreso Nacional de Madres] en 1897, su preocupación por la salvaguarda del hogar parecía casi importar más que el interés por los niños. Por ejemplo, en la Declaración de Principios del Congreso, realizada en 1908, la palabra «hogar» aparece cuatro veces en los cuatro primeros principios, mientras que «niño» o «niños» sólo lo hacen dos veces. El primer principio empieza: «Considerando que el hogar es la base de la sociedad...», y después continúa:

> Considerando que la función divina de la paternidad es el deber máximo y de más largo alcance de la humanidad, y que el cumplimiento y la santidad del matrimonio son el fundamento de la sociedad...
>
> Considerando que todos los estudiosos de la situación social, al buscar las causas del crimen y la enfermedad, las encuentran en hogares que no funcionan...
>
> Considerando que los hogares no funcionan porque no hay nada en la educación que prepare a los jóvenes [es decir, las jóvenes] para regir sabiamente la casa... [15].

Las conferencias nacionales de madres dieron a las mujeres la ocasión de oír hablar a los escasos expertos en educación infantil de la época, como G. Stanley Hall y el pediatra de los Rockefeller, Emmett Holt (*vid.* capítulo 3), pero, a juzgar por las actas, el problema que verdaderamente se discutía era la cuestión femenina. Como preguntó Mrs. Birney en la primera reunión: «... ¿Cómo, me pregunto, podemos separar la cuestión femenina de la cuestión de los hijos?» [16]. Ni las dirigentes del movimiento —mujeres de clase alta como Mrs. Adlai Stevenson o Phoebe Hearst— ni la base, formada por americanas medias pertenecientes a los círculos, eran en absoluto feministas. El Congreso Nacional de Madres representó una reacción de la época contra el feminismo, del mismo modo que el movimiento del «derecho a la vida» en la década de 1970. «No debemos preocuparnos por quién hace las leyes —aseguraba una oradora— si nosotras, como madres, *las* convertimos en lo que deberían ser» [17]. Mrs. Birney, presidenta del Congreso durante varios años, expresó su fe en que el intrínseco amor anglosajón al hogar (*vid.* capítulo 5) acabaría por «devolver al hogar la marea de feminidad que ahora corre hacia el exterior en busca de una profesión» [18].

Pero las feministas de entonces, como ya hemos visto, estaban tan comprometidas en el culto a lo doméstico como sus hermanas más conservadoras del movimiento de madres. «La mujer es la madre de la raza —gritaba Julia Ward Howe, sufragista de Boston—, la guardiana de su infancia desamparada, su primera maestra, su más celosa defensora. La mujer es también la encargada del hogar, en torno a ella se desarrollan los detalles que bendicen y embellecen la vida familiar» [19]. Un enfoque más científico de la educación de los hijos prometía elevar la categoría de la ocupación tradicional de la mujer y, cuanto más alta fuera la categoría de la mujer (en cualquier función), más firmes serían los argumentos en favor del sufragio femenino. Más aún, las feministas podían emplear el «corazón de madre» como excusa para casi cualquier área de activismo femenino: el bienestar y las reformas sociales, la lucha por el voto. «La era del feminismo —declaró la militante Beatrice Hale— es también la era del niño. Este hecho debería acallar los escrúpulos de los timoratos, ya que prueba que las mujeres no pierden en feminidad por ganar en humanidad» [20]. Y las feministas tenían buenas razones para intentar disfrazar sus actividades como una forma ampliada de maternidad: el tono imperante era tal que incluso se criticó al Congreso Nacional de Madres por haber sacado a las mujeres de sus casas.

En un discurso con el que tanto feministas como antifeministas (o quizá deberíamos decir sufragistas y antisufragistas) habrían podido probablemente estar de acuerdo, una tal Mrs. Harriet Hickox Heller expresaba, en el segundo Congreso anual, su confianza en que la educación superior no destruiría el instinto maternal:

... ni todos los «ismos» y las «ologías» conocidos, ni todas las lenguas vivas o muertas, ni togas ni birretes, ni siquiera las gafas de sol, son suficientes para erradicar de un corazón femenino el deseo de cuidar a las criaturas de su especie [21].

No obstante, sí admitía que la educación superior podía *atenuar* en cierto modo ese instinto. Cuidar de los hijos no era lo bastante estimulante para una mujer aficionada a los «ismos» y las «ologías». Para que esa tarea pudiera absorber a la mujer por completo, había que volver a definirla, ampliarla y enriquecerla. Así como los especialistas en ciencia doméstica habían declarado su intención de llenar el vacío doméstico, Mrs. Heller exhortaba: *«Descubramos la lente que centre el poder de la mujer en su maternidad.»* [Subrayado en el original.]

La solución inmediata —como en el caso del trabajo doméstico— era reinterpretar la maternidad como *profesión*. «Me parece», declaraba Birney como presidenta del Congreso ante la segunda reunión anual,

que deberíamos comprender todas lo que la paternidad inteligente significa para la raza, y que conseguir alcanzarla merece nuestros esfuerzos y nuestra atención tanto como estudiar griego, latín, matemática superior, medicina, derecho o *cualquier* otra profesión [22].

Una escritora de la revista *Cosmopolitan* apoyó que la maternidad se constituyera formalmente como profesión, abierta sólo a quienes demostraran «aptitud». «Los médicos y abogados, maestros y sacerdotes, se preparan para encargarse de las vidas humanas. ¿Por qué no van a hacerlo las madres?» [23]. E incluso Charlotte Perkins Gilman argumentó, aunque desde una postura de feminismo racionalista, que la maternidad debía convertirse en «trabajo cerebral y espiritual», y no en «mero instinto» [24].

La idea de que la maternidad fuera una profesión que podía exigir títulos superiores era tal vez perturbadora para la madre media, sin preparación. pero había en ella algo tranquilizador. Insistir en la necesidad de que hubiera «profesionales» en lugar de aficionadas a la vieja usanza era, al menos, admitir que la educación de los hijos se había convertido en una tarea arriesgada. La madre que se sentía aislada, confusa e irritada podía recordar que su trabajo era reconocido como una profesión difícil y apasionante. Estaba encerrada en su hogar pero, dentro de esos límites, podía ser tan decidida y lógica como cualquier hombre emprendedor. Es más, dadas las contradicciones inherentes al hecho de educar a los hijos en ese escenario privado y extrañamente marginado, iba a tener que serlo.

ENTRAN LOS EXPERTOS

Pero la aparición de la «madre profesional» se vio ensombrecida, desde el principio, por la aparición simultánea de otro tipo de profesional cuya especialidad sería dictar a las madres lo que tenían que hacer. Los nuevos expertos en la educación de los hijos iban a proceder, por supuesto, de la medicina, pero también de la recién nacida disciplina de la psicología. En épocas menos rigurosas, la medicina había perseguido alegremente los entresijos de útero y ovarios hasta las tinieblas de la psique; discutía con igual tranquilidad sobre fracturas que sobre fantasías, sobre tejidos que sobre rabietas. Pero la medicina carecía de los instrumentos necesarios para diseccionar las zonas intangibles de la personalidad y el sentimiento. Cuando la psicología entró en escena, entre 1880 y 1890, la medicina se vio obligada oficialmente a retirarse a su territorio. La psicología reclamó la psique; a la medicina le quedó el puro soma (o cuerpo material). En la práctica, esta división del trabajo dejó a ambas disciplinas libertad para hablar de las áreas que abarcaban cuerpo y alma, como la educación de los niños, la vida familiar y la mayoría de los demás aspectos de la existencia humana, tanto en lo social como en lo biológico.

Al contrario que la medicina, la psicología no tenía un pasado comercial. Nacía como ciencia (y sólo posteriormente se vio mezclada con el mercantilismo). Según el historiador Eli Zaretsky, la necesidad de una ciencia psicológica plena reflejaba la división entre las esferas pública y privada de la vida [25]. La vida interior del individuo no podía seguir siendo un simple reflejo de lo que ocurría en el mundo «exterior» visible. La gente real no era como los hombres totalmente calculadores y racionales que, de acuerdo con los economistas, habitaban en el mercado. Las personas reales tenían peculiaridades, cometían errores, no siempre hacían las cosas en su propio interés; actuaban, como se suele decir, por razones «psicológicas». La ruptura entre el mundo del mercado y el mundo de la vida privada revelaba, por consiguiente, que la misma naturaleza humana era algo anómalo e imprevisible, algo que debía ser estudiado, analizado y, en la medida de lo posible, dominado.

Posiblemente, éste era el paso más audaz dado por la ciencia. La teoría de la evolución, vista sin las reconfortantes capas de moralismo religioso, había sacado a la luz una historia natural de luchas despiadadas y probablemente sin objetivo. Ahora la psicología pretendía adoptar como objeto de estudio nada menos que la propia alma. Si se sujetaba la naturaleza superior «del hombre» a la dura inquisición de la ciencia experimental moderna, ¿no resultaría ser mera biología —simple materia— como el cuerpo? Ese era, de hecho el proyecto de la psicología: apropiarse de los sentimientos, las sensaciones, las ideas, etc., y reducirlos a una cuestión de impulsos nerviosos; aprehender el material tradicional de la filosofía y reclamarlo para la biología. William James, el primer psicólogo norteamericano, lo comprendió a través de una enorme angustia personal (resuelta gracias a su construcción filosófica de un recinto especial en el que los sentimientos religiosos, el misticismo y otras experiencias trascendentes podían habitar sin miedo a la investigación científica). Gilman, rector de Johns Hopkins, lo entendió así cuando hizo que G. Stanley Hall, primer profesor de psicología en la universidad, prometiera mantener sus investigaciones completamente aparte de la materia religiosa, para que los administradores no se sintieran ofendidos.

Al final resultó que no había mucho de qué preocuparse. El gran logro de la psicología primitiva (y ello vale, en gran medida, incluso para los tiempos actuales) no fue transformar la filosofía en biología, sino lo contrario: convertir la biología en una especie de filosofía general. El escenario de esta porción de alquimia actualizada fue el moderno laboratorio experimental. Recordemos lo que dichos laboratorios habían hecho por la medicina. Gracias a ellos (y a otras reformas, por supuesto), la medicina se había vuelto «científica» y había adquirido autoridad absoluta para hablar sobre cualquier cosa relativa a la condición humana. El pupitre de laboratorio se convirtió en un podio de oradores desde el que el psicólogo podía sentar cátedra sobre sexualidad, criminología, diferencias étnicas en cuestión de inteligencia, productividad industrial, educación de los hijos, disturbios laborales, por no mencionar más que unas cuantas áreas en las que podían aplicarse los conocimientos de los psicólogos norteamericanos de principios de siglo.

Existe controversia sobre quién creó el primer laboratorio psicológico e impulsó la disciplina en América. William James estableció uno en Harvard ya en 1875, pero no está claro que lo empleara alguna vez. Según reconocía, «odiaba» el trabajo experimental. El primer laboratorio americano en funcionamiento fue probablemente el de G. Stanley Hall, antiguo estudioso de la teología, profesor de inglés y conferenciante sobre temas de educación, que se había formado con el gran psicólogo experimental alemán Wundt, en Leipzig. Al volver a Estados Unidos para trabajar en Hopkins, Hall organizó, primero su laboratorio, después toda la profesión de psicólogo. Su principal preocupación era hacer que la psicología fuese tan rigurosa y cuantificable como, por ejemplo, la física. Bajo la influencia de Hall «una ola de fundación de laboratorios barrió América» y éstos se convirtieron, como dijo alguien ingeniosamente, en la «marca de fábrica» * de la psicología norteamericana [26]. Incluso William James, más deseoso que nadie de ver la psicología establecida como disciplina científica, pensó que Hall había llevado demasiado lejos el culto al laboratorio y lo describió como

> una criatura maravillosa. Nunca sale de él una idea articulada, sino una especie de influjo palpitante que hace creer a todos los hombres que la forma de salvar psicológicamente sus almas reside en la infinita asimilación de artículos de laboratorio alemán que son verdaderos trabalenguas [27].

Hall no realizó personalmente ninguna labor experimental importante. Hacia 1890 ya había abandonado el rutinario empirismo del laboratorio (medición de tiempos reflejos, pruebas de percepción

---

* Juego de palabras entre el apellido Hall y la palabra *hallmark*, «marca registrada». *(N. de la T.)*

espacial, etc.) para fundar el nuevo campo de estudios sobre el niño. Sus esfuerzos experimentales en este terreno fueron, según las normas científicas habituales, poco menos que grotescos. En un estudio intentó elaborar el «inventario» de la mente de un niño de seis años, mediante el lógico sistema de preguntar todo tipo de cosas a los niños de esa edad. En otro, aún más ambicioso, envió por correo 102 cuestionarios a padres en los que les interrogaba acerca de los caprichos y miedos de sus hijos, sus juguetes, sus fantasías, su forma de hablar, sus sentimientos religiosos, sus afectos, sus juegos y su sentido del propio yo; además —como si eso no bastase para un cuestionario— preguntaba por los propios sentimientos de los padres sobre la vejez, la enfermedad y la muerte, la posición y las pérdidas, la piedad, la menstruación, la educación de las mujeres y la fe religiosa (no se publicaron los resultados) [28]. E. L. Thorndike, miembro de la joven generación de psicólogos formados en la tradición experimental que el propio Hall había creado, recordaba con escalofríos que

> la posibilidad de que las pretensiones pseudo-científicas del movimiento de estudios sobre la niñez pudieran tomarse erróneamente por psicología educativa era demasiado horrible para pensar en ella [29].

Sin embargo, para el público cultivado de fin de siglo, Hall fue un hombre de ciencia ejemplar y su nombre quedó indeleblemente unido a la imagen del laboratorio de psicología. Como conferenciante y divulgador, atemorizaba a la audiencia con atisbos de misteriosas investigaciones alemanas y, al mismo tiempo, la tranquilizaba con su prolija reverencia por la infancia, la maternidad, la adolescencia, la naturaleza, etc. El movimiento de madres lo adoraba. En realidad, en la larga relación entre la madre norteamericana y el experto en educación infantil, fue Hall quien empezó los coqueteos. Su presencia en las reuniones del Congreso Nacional de Madres, llevando consigo, al parecer, un ligero olor a las sustancias químicas de su laboratorio, era la promesa de una gloriosa unión entre la ciencia y la maternidad. Tanto si describía sus trabajos como si daba consejos prácticos (por ejemplo, que los niños necesitaban hacer ejercicio), como si solamente exhortaba a las madres a ser mas «científicas», las mujeres del movimiento lo consideraban una fuente de inspiración. Como escribía una madre, reflejando la influencia de Hall y sus colegas en el área de los estudios sobre el niño:

> La maternidad científica significa más de lo que puede captar un pensamiento superficial. Significa una raza superior, más noble, una humanidad altruista que preparará la tierra para la venida del Salvador. Significa la reforma del borracho, la redención del criminal, el arrepentimiento del asesino, la abolición de los asilos para ciegos, retrasados y locos... la eliminación del egoísmo, la muerte de la opresión, el nacimiento del amor fraterno, la elevación de la humanidad a través del verdadero cristianismo espiritual...[30]

Pero, en cierto modo, fue la misma ausencia de contenido científico lo que dio a la «maternidad científica» su dignidad. Si la educación de los hijos era una ciencia, las «leyes» de esa ciencia estaban aún por descubrir. La psicología experimental no tenía nada que ofrecer, como tampoco la medicina. Ello supuso que las propias madres pudieran ser científicas o, al menos, ayudantes de los verdaderos científicos, en el esfuerzo por descubrir las leyes capaces de regir el desarrollo humano. A juicio de Hall, una madre genuinamente científica no se limitaba a educar a su hijo, sino que lo estudiaba y tomaba notas que pudieran servir de datos empíricos para los expertos académicos del sexo masculino. Hall empujaba a las madres a llevar un «libro de la vida» de cada hijo, en el que registrasen «todas las incidencias, los rasgos de su carácter, fotografías frecuentes, etc., además de las ansiedades de los padres, sus planes, sus esperanzas...» [31]. Mrs. Emily Talbot, de la American Social Science Association [Asociación Americana de Ciencias Sociales], creó un «registro de desarrollo infantil» para recoger las observaciones de los padres y ponerlas a disposición de los investigadores académicos [32]. Para la madre científica y «profesional», «... el niño no era ya simplemente su fruto bien amado o el futuro de la nación en microcosmos, sino además un experimento de laboratorio casero» [33].

No obstante, la carrera de la madre como científica —tomando notas sobre la conducta de su hijo, comparando sus observaciones con las de otras madres, etc.— iba a tener corta vida. Los psicólogos como Hall y sus colegas dispensaron una buena acogida a la colaboración de las madres, al menos como recolectoras de datos. Pero la siguiente generación de expertos, al empezar este siglo, no se mostró interesada por las contribuciones de madres aficionadas. A su juicio, sólo los científicos podían recoger datos y formular las reglas; todo lo que las madres tenían que hacer era seguir las instrucciones. Veamos esta severa observación del doctor Holt, cuyo libro de 1896, *The Care and Feeding of Infants* [El cuidado y la alimentación de los niños pequeños], le convirtió en el doctor Spock * de su época:

> Si un hombre quiere cultivar el mejor cereal o las mejores hortalizas, o criar el mejor ganado o los mejores caballos, todos reconocen que debe estudiar las únicas condiciones en las que esas cosas son posibles. Si tiene dudas sobre esas cuestiones, puede acudir al Departamento de Agricultura en Washington, y se le informará sobre los mejores trabajos científicos en la materia, realizados por expertos que se dedican a estudiar esos asuntos bajo la supervisión del gobierno. Sin embargo, en demasiadas ocasiones se cree que el instinto y el amor materno son guía suficiente para una madre [34].

¿Qué podía ser más sencillo? La madre insegura, como el granjero que quería producir «los mejores cereales u hortalizas», no tenía más que solicitar las últimas informaciones científicas y aplicarlas fielmente.

Los expertos en educación infantil de principios del siglo XX, como Holt, basaban su prestigio en la ciencia, pero el contenido de sus consejos, lo que realmente tenían que decir a las madres, no procedía tanto del laboratorio como de la *fábrica*. Hall había idealizado a la juventud; deseaba proteger su espontaneidad y su franqueza de las feas realidades del mundo adulto. Pero esa vulnerabilidad del niño provocó impulsos muy distintos en la mayoría de los expertos de su época. Si el niño era tan flexible, se le podía moldear. Y si era moldeable, ¿por qué no empezar, desde el principio, por adaptarlo al mundo «real» de la industria moderna?

El objetivo era el hombre industrial —disciplinado, eficiente, exacto—, tanto si se iba a tratar de un trabajador de la fábrica como de un empresario o de otro experto. La clave para producir ese tipo

---

* Doctor Spock: famosísimo pediatra y especialista en educación infantil de este siglo; *vid.* capítulos siguientes. *(N. de la T.)*

de hombre era la *regularidad*. Nunca era demasiado pronto para introducir al niño en los ritmos de la vida industrial, tal como explicaba el doctor Winfield Hall en la Chicago Child Welfare Exhibit [Exposición sobre el bienestar del niño] en 1911:

> Este período de la primera infancia es la época durante la cual el niño adquiere hábitos que tal vez perduren para toda la vida... y muchas madres empezarán, casi desde el primer día de vida de su hijo, a vigilar esos hábitos y a introducir el elemento de la regularidad en su vida... [35].

Infant Care [El cuidado del niño], folleto que el gobierno federal distribuía a 25 centavos y que fue la publicación más vendida de la Imprenta del Gobierno durante la segunda década del siglo, daba consejos similares:

> Con el fin de establecer buenos hábitos en el recién nacido, la madre debe conocerlos, primero, y después saber cómo inducirlos. Tal vez el primer hábito, y más esencial, sea el de la regularidad, que comienza desde el nacimiento y afecta a todas las funciones físicas del niño: las comidas, el sueño y los movimientos intestinales [36].

En interés de la regularidad industrial, la espontaneidad tenía que ser estrangulada desde la cuna. «La norma de que los padres no jueguen con sus hijos puede parecer dura —aconsejaba el folleto del gobierno antes citado—, pero no cabe duda de que es saludable.» Incitar al recién nacido a que se riera «con evidente placer» era ejercer una peligrosa presión sobre su sistema nervioso. Coger en brazos al niño entre sus horas de comer era fomentar, para el futuro, una enfermedad mental o, al menos, la laxitud moral. El doctor Winfield Hall pintaba un cuadro espeluznante ante la madre indulgente:

> Comer una cosa porque sabe bien, o beber algo porque es sabroso, es satisfacer la sensualidad. Madres, si así empezáis a tratar al niño, con sentidos tan sencillos como el gusto y el olfato, como el sabor de la comida y la bebida, ¿qué vais a hacer dentro de quince años, cuando en la sangre de ese joven aparezca el deseo primordial y empiece a mirar a derecha e izquierda en busca de otras formas de gratificación? [37].

El enfoque industrial de la educación infantil encontró la inmediata aprobación de los expertos en ciencia doméstica. En una de sus raras alusiones a los hijos, Ellen Richards escribió:

> Casi todos los poderes son producto de los hábitos. Si se trazan unos surcos lo suficientemente profundos mientras las células cerebrales son flexibles, las energías humanas resultarán eficaces y la línea acertada será la de la mínima resistencia... A la mujer, a la trabajadora del hogar, le decimos: «Debes tener, por tu hijo, la fuerza de voluntad de poner a su servicio todo lo que se ha descubierto para estimular el rendimiento humano, con el fin de que él pueda poseer el hábito, la *técnica*» [38].

Además, el gobierno científico del hogar era incompatible con todo lo que no fuera un hijo completamente obediente y programado Christine Frederick describía cómo sus hijos de cuatro y dos años se acomodaban a su programa:

> Algunos amigos míos se ríen de lo que llaman mis «niños programados», porque sus horas de dormir, comer y jugar, son muy regulares. La mayoría de los niños en buen estado de salud puede ser educados con facilidad para que adquieran hábitos regulares [39].

El desarrollo del modelo industrial de educación infantil acabó automáticamente con las aspiraciones profesionales del movimiento de madres y contribuyó a su pérdida de importancia en la segunda década del siglo. Mrs. Helen Gardener había preguntado en una intervención ante el Congreso Nacional de Madres en 1897:

> ¿Qué profesión en el mundo necesita un punto de vista tan amplio, un equilibrio tan perfecto, un desarrollo individual tan minucioso, tal diversidad de campos, tal profundidad de comprensión, tal plenitud filosófica, como la profesión de la maternidad, considerada tan a la ligera? [40].

¿Pero cuánta profundidad de comprensión o «plenitud filosófica» se necesitaba para seguir unas instrucciones normales relativas a las horas exactas de despertar, alimentar, bañar, etc., al niño? También se habían perdido en el esquema industrial los ennoblecedores efectos secundarios del contacto con los niños que había exaltado el movimiento de madres («¿Te conoces a tí misma? ¿Entiendes a la raza humana? *Corre, lee en tu hijo*»)[41]. El niño no era ya un ejemplar para el estudio del ser humano, sino el objeto de trabajo de las madres, una materia prima que había que modelar y encauzar. Y el trabajo en sí no era ya el de una profesional, sino el de una empleada semicualificada que siguiera instrucciones en una tarjeta perforada.

El enfoque industrial de la educación infantil logró por fin unas raíces científicas casi en 1920, con el desarrollo del «conductismo». John B. Watson, uno de los primeros psicólogos, luego numerosos, que empezaron su trayectoria académica con el estudio de ratas metidas en laberintos, formuló la nueva teoría en Johns Hopkins, en los primeros años del siglo. El conductismo desarrollado por él no era tanto una teoría elaborada para explicar ciertos hechos como una afirmación categórica sobre el carácter de la naturaleza humana. Brevemente, el conductismo de Watson abolía la mente, el alma, la subjetividad, la conciencia y las demás oscuras nociones filosóficas: sólo existe lo observable, y lo único observable es la conducta. La experiencia subjetiva no es más que la «conducta» de diversos músculos y sustancias químicas. Por ejemplo, sugería que los sentimientos acabarían viéndose como «la tumescencia y de-tumescencia de los tejidos genitales»; el pensamiento, como la suma de «pequeños movimientos laríngeos» que producían un monólogo inaudible[42]. (No parecía preocuparle el hecho de que esos hipotéticos «pequeños movimientos» no fuesen más observables que el propio pensamiento.)

Otros expertos defensores del modelo industrial de educación infantil habían insistido en que se podía entrenar al niño para que se comportase como una máquina o, al menos, para que encajase en un mundo que necesitaba la disciplina y la regularidad de las máquinas. Watson añadió la afirmación «científica» de que, en realidad, la persona era una máquina, una cosa: el problema de la educación infantil consistía simplemente en programar a esas máquinas pequeñas para que se adaptaran al gran mundo industrial. A su juicio, se les podía programar para adecuarlos a cualquier cultura determinada; como conductista, sólo le preocupaba el problema práctico de adaptarlos a la cultura en la que habían nacido. Y ésta, en concreto, exigía estoicismo, independencia y una disciplina de hierro; probablemente, las cualidades a las que Watson atribuía su propio éxito. El niño ideal, escribió, es

> un niño que nunca grita salvo si de verdad se ha pinchado con un alfiler, por poner un ejemplo... que construye muy pronto un caudal de hábitos que le conduce a través de días oscuros y lluviosos; que asume tales costumbres de urbanidad, orden y limpieza que los adultos están deseosos de estar con él, al menos, parte del día... que come lo que le ponen delante, que duerme y descansa cuando se le lleva a la cama para dormir y descansar, que deja atrás las costumbres de los dos años cuando va a cumplir los tres... que, por último, entra en la edad adulta tan armado de hábitos estables en el trabajo y en las emociones que ninguna adversidad es capaz de derribarlo [43].

La fabricación de estos niños modelo necesitaría una clase de madre muy diferente a la que había exaltado el Congreso Nacional de Madres. Este movimiento había reconocido que el instinto no podía ofrecer una guía práctica para educar a los hijos, pero seguía considerándolo como la fuerza emotiva subyacente tras todas las actividades de la maternidad. Su madre ideal, pese a todos sus esfuerzos por ser «científica», era una madre regida por incontrolables instintos maternales y dada a arrebatos de ternura ante la invocación de su hijito. Todo ello era anatema para el conductista:

> Existe una forma sensata de tratar a los niños. Tratadlos como si fueran jóvenes adultos. Vestidlos, bañadlos con cuidado y circunspección. Que vuestro comportamiento sea siempre objetivo y cariñosamente firme. Nunca los abracéis ni los beséis, nunca les dejéis sentarse en vuestro regazo. Si no hay más remedio, dadles un beso en la frente cuando digan las buenas noches. Dadles la mano por la mañana... [44].

Nada preocupaba más a Watson que la posible existencia de elementos irracionales y emocionales en la relación entre madre e hijo. En realidad, el espectáculo del afecto espontáneo era suficiente para ponerle al borde de tener, él mismo, una explosión de emociones:

> Si se quiere que un perro crezca para servir de perro guardián, cazador o raposero, para que sea algo más útil que un perrito faldero, no se osa tratarlo del modo que se trata a los niños. Cuando oigo a una madre

decir «bendito sea su corazoncito» cada vez que se ha caído o se ha tropezado, o cuando le pasa alguna otra cosa, tengo que alejarme una o dos manzanas para tranquilizarme [45].

En los años veinte apareció *The Psychological Care of Infant and Child* [La atención psicológica al niño en su primera y segunda infancia], la síntesis elaborada por Watson de su teoría conductista sobre la educación infantil. Para entonces, el movimiento de madres había muerto y el Congreso Nacional de Madres había quedado absorbido por el nuevo Congreso Nacional de Padres y Maestros (National Congress of Parents and Teachers). El siglo había empezado con las madres de clase media organizándose para descubrir la «ciencia» de la educación de los hijos. Ahora que se había encontrado esa ciencia, al parecer, quedaba escaso sitio para las madres. «Una cuestión en la que pienso seriamente» escribía Watson,

> es si debe haber hogares individuales para los niños, incluso si los niños deben conocer a sus padres. Existen, sin duda, formas más científicas de criar a los hijos, que probablemente signifiquen niños mejores y más felices [46].

Pese a la palabrería neutra de esta afirmación, Watson captó cuál era el problema más peliagudo: ¿Cómo iban a educar las *mujeres* a los *hombres*? La madre burguesa no estaba templada por la disciplina del mundo laboral exterior. ¿Cómo iba a confiar el experto en educación infantil, desde su despacho universitario, en que ella supiera dominar sus perversos instintos de mecer, acariciar y corromper de otras formas a los jóvenes? Sin ninguna supervisión, ¿cómo podía ella producir otra cosa que una generación de «perritos falderos»? Watson lamentaba las innumerables «tradiciones» que se interponían en el camino de una educación verdaderamente científica, huérfana, para los niños:

> El hogar va con nosotros, de forma inevitable e inexorable. Aunque demuestre haber fracasado, siempre nos acompañará. El conductista tiene que aceptar el hogar y sacar el mejor partido de él [47].

Mientras Watson reconocía resueltamente las limitaciones del hogar burgués, una amenaza aún más grave se cernía sobre los barrios pobres. El movimiento de madres y sus expertos colaboradores habían prestado escasa atención a las clases «inferiores», en parte por el prejuicio burgués de que los pobres, para empezar, no debían tener hijos. Desde luego, si el sueño profesional del movimiento de madres se hubiera conseguido, la madre trabajadora corriente no habría podido nunca obtener el título que la autorizara a criar hijos. El mismo Watson descalificó a los pobres con la sencilla regla de que nadie debería tener un niño hasta que no pudiera darle una habitación propia. Pero los pobres y los miembros de la clase obrera, a modo de desafío, seguían teniendo hijos, en número bastante superior al de los WASP. Todo ello planteaba un grave problema al reformador: si no siempre se podía asegurar que la mujer de clase media siguiera las instrucciones, al menos sí se podía contar con que leyera los libros escritos por los expertos. Pero ¿qué ocurría con la mujer que no sabía leer en inglés, o en ningún idioma? ¿Qué ocurría con la mujer trabajadora, que no tenía tiempo de asistir a las reuniones de madres ni a las conferencias de expertos? Además se sabía, o se sospechaba, que los pobres eran *más* impulsivos y cariñosos con sus hijos que las clases «superiores». Un trabajador de un centro de acogida informaba en 1900, con aires de reprobación, que en los hogares de los pobres «no hay horas para comer ni para ir a la cama, los hijos se acuestan tarde, con los padres, y comen cuando y donde desean...» [48].

Lillian Wald, famosa enfermera y trabajadora en un centro de acogida, observó que

> No siempre nos acordamos de que los hijos de hogares normales [es decir, burgueses] reciben una educación aparte de las enseñanzas y clases formales. Sentarse a la mesa a horas precisas, comer los alimentos servidos correctamente, todo eso es formativo, igual que la ordenada organización de la casa...
>
> Comparemos esta vida doméstica regulada con la experiencia de niños —gran número de ellos en Nueva York— que quizá nunca se han sentado alrededor de una mesa de manera ordenada, a una hora concreta, para una comida familiar... [49].

Como producto de un «desorganizado hogar situado en un piso», Wald citaba a Emil, de 17 años. Emil era un joven y capaz estudiante de secundaria que se mantenía dando clases nocturnas a sus compañeros inmigrantes. Pero sus bajos orígenes le delataron un fin de semana en el que llegó vergonzosamente tarde a una fiesta en la casa de campo de uno de los asistentes sociales. El problema era que no se había dado cuenta de que los trenes salen a horas fijas; una consecuencia evidente (para Wald) de los irregulares hábitos de su infancia.

Inevitablemente, el reto de los niños de clase obrera atrajo el interés de los ricos y poderosos. Si los Emils comían cuando querían, ¿cómo iban a conseguir llegar a tiempo al trabajo cuando fuesen adultos? ¿O cómo iban a seguir las instrucciones del capataz? Las ideas industriales sobre la educación infantil, reforzadas por la teoría psicológica del conductismo, parecían ofrecer una clave irresistible para la productividad futura. Existían o estaban a punto de ser descubiertos, en los modernos laboratorios de psicología, métodos para inculcar a los obreros obediencia, puntualidad y civismo desde la cuna, mucho antes de que hubieran oído hablar de sindicatos o de socialismo. Con las técnicas desarrolladas en los laboratorios psicológicos, aplicadas en fábricas y suburbios, unos horizontes de infalible dominio social se extendían ante los Rockefellers y compañía.

En los primeros años veinte la Laura Spelman Rockefeller Memorial Foundation empezó a prestar atención al problema de la educación de los hijos. Creada por John D. Rockefeller en memoria de su esposa, el objetivo global de la fundación era fomentar la búsqueda de soluciones «científicas» a los problemas sociales. Tal como afirmaba el informe final de la fundación en 1933:

> Se pensó que, a través de las ciencias sociales, podrían obtenerse medidas de control social más inteligentes y que redujeran absurdos como los representados por la pobreza, la lucha de clases y la guerra entre las naciones [50].

Beardsley Ruml, director del L. S. R. Memorial, había mostrado siempre interés especial en la psicología como posible instrumento para el control social [51], y la educación de los hijos era un punto de intervención evidente. Para abolir los «absurdos» de la pobreza, la lucha de clases, etc., ¿por qué no empezar por abolir los absurdos de la educación infantil? De acuerdo con el informe final del L. S. R.

Memorial, «la conducción del niño, tanto en el hogar como en la escuela», pecaba de una ignorancia fundamental acerca de las técnicas educativas y de una falta de análisis psicológico. El único modo de racionalizar y normalizar la educación de los hijos, dado que ésta se realizaba en la intimidad de cada hogar, era formar un grupo de expertos, duchos en métodos científicos, que pudieran llegar a todas las madres ignorantes y aisladas.

Entre 1923 y 1929, la fundación Laura Spelman Rockefeller empleó más de 7 millones de dólares en plasmar su idea de una educación infantil normalizada y controlada por expertos. El dinero se destinó a crear «institutos» y «centros de investigación» en universidades de todo el país; a reunir expertos de numerosas disciplinas (1.500 se encontraron durante una semana en 1925, en una convención patrocinada por Rockefeller); a formar economistas domésticos y maestros para que se convirtieran además en «educadores de padres». Una investigación realizada a finales de los años veinte descubrió 75 organizaciones «*importantes*» dedicadas a la educación de padres, en gran parte gracias al estímulo del dinero de Rockefeller. Entre ellas había organismos gubernamentales (el gobierno federal había empezado a patrocinar la educación masiva sobre el gobierno de la casa y la educación de los hijos en 1914), facultades y escuelas públicas, organizaciones voluntarias de bienestar social, organizaciones religiosas, escuelas de párvulos, organismos sanitarios y organizaciones nacionales como la Child Study Association of America [Asociación americana para el estudio del niño], descendiente del pequeño grupo de madres neoyorkinas que se reunió por primera vez en 1888 [52].

Orville Brim, historiador del «movimiento» de educación de padres, atribuye a la fundación Rockefeller la rápida «profesionalización» de la educación infantil en los años veinte. Pero los nuevos profesionales no eran madres, como habría querido el primitivo movimiento materno. Donde había existido una organización de madres, ahora había dos disciplinas gemelas, el estudio del niño y la educación de los padres. Donde las madres —normalmente profanas— se habían reunido, había ahora convenciones formales de expertos académicos. Nadie pensaba ya en las madres como posibles asistentes en la investigación, y mucho menos como profesionales. Por el contrario, los educadores de padres, los semi-expertos que diluían las obras de psicólogos y médicos en folletos y cursos de divulgación, ya se estaban organizando en una profesión independiente y con credenciales, publicaciones profesionales e investigación sobre nuevas técnicas para llegar a la madre rural.

La crisis económica de 1929 supuso un alto repentino para el movimiento de educación de padres patrocinado por Rockefeller. Sin el dinero de la fundación, la educación de padres no podía pasar a ser una profesión independiente ni suministrar pedagogos que abarcaran todo el país y penetraran en los hogares más recalcitrantes. La visión que Rockefeller había tenido de una educación infantil homogénea, ajustada a las necesidades empresariales y que garantizase un futuro libre de «absurdos» sociales, se vio temporalmente abandonada. Pero los esfuerzos por hacer más «científica» la educación de los hijos —que habían empezado con el movimiento de madres y habían conducido a la educación de padres, profesionalizada y dirigida por la fundación— no habían caído en saco roto. En los años veinte existía un aparato nacional que garantizaba la difusión de los consejos de expertos sobre educación infantil, tanto entre la clase obrera como entre los ricos y cultivados, en los pueblos como en las ciudades más cosmopolitas. Y, en parte gracias a lo que había empezado a organizar el movimiento de madres, existía una demanda masiva de cualquier cosa que dijesen los expertos. En su clásico estudio de «Middletown», una pequeña ciudad del medio oeste en los años veinte, los Lynd advertían que:

> la actitud de que la educación de los hijos no es algo que deba darse por descontado, sino que hay que estudiar, aparece entre padres de ambos grupos [clase obrera y «clase empresarial»]. No se puede hablar con las madres de Middletown sin quedar continuamente impresionado por lo dispuestas que muchas están a acudir a cualquier recurso disponible para que les ayude a educar a sus hijos...[53].

En su busca de orientaciones, las madres de Middletown acudían a médicos, especialistas en economía doméstica, folletos del gobierno, cursos de la iglesia sobre el cuidado de los niños, revistas femeninas (que cada vez dedicaban más espacio a los consejos de expertos sobre educación infantil) y libros como el de Emmett Holt *Care and Feeding of Infants...*, antes citado, que aún goza de prestigio. En los años cincuenta Dorothy Canfield Fisher examinaba cómo había ido aumentando la confianza materna en los expertos y recordaba que sus parientes de más edad se burlaban «de las madres que educan a sus recién nacidos *¡según un libro!*». Pero el tiempo había pasado rápido y, durante la segunda y la tercera década del siglo, el nombre del doctor Holt «era tan reverenciado por las madres jóvenes como ridiculizado por sus abuelas» [54], que no podían comprender, sin duda, en qué cosa tan difícil y angustiosa se había convertido la tarea de educar a un niño.

En resumen, éstos fueron los logros del «siglo del niño» en sus tres primeras décadas: las madres no se profesionalizaron y la educación de los hijos no se hizo «científica». Pero sí empezó a considerarse como una actividad más estimulante y acaparadora que antes. «Acomodo toda mi vida a mi niña», aseguraba una madre de clase «empresarial» a los Lynd [55]. «La vida era más sencilla para mi madre —observaba otra madre de Middletown—. En esos días una no se daba cuenta de que había que aprender tantas cosas sobre el cuidado de los hijos» [56]. El niño pequeño había proporcionado lo que parecía ser una respuesta eficaz y definitiva a la cuestión femenina, pero en el proceso no se había *cedido* el niño a las mujeres. Ya que el otro gran logro de los primeros tiempos del «siglo del niño» fue la creación del experto en educación infantil y su instalación en el hogar como nueva fuente de autoridad patriarcal.

Siete

La maternidad como patología

El objetivo de la maternidad científica, de acuerdo con los expertos, había sido «situar el hogar en armonía con las condiciones industriales». Se suponía que las madres debían buscar sus ideales y sus métodos en los laboratorios y centros comerciales del mundo «exterior». Si el hogar podía alcanzar los niveles industriales de disciplina, rendimiento y ahorro, sus pequeños productos en forma de hijos serían capaces de rodar sin problemas por la cinta transportadora que llevaba de la familia al gran mundo de los negocios. El éxito de la madre se mediría, en definitiva, según los criterios de una fábrica lejana.

Pero a lo largo del siglo XX tiene lugar una gran transformación cultural: la vida privada se convierte en un objetivo y el trabajo en el mundo exterior se hace un mero instrumento para alcanzar mayor satisfacción *privada*. A partir de los años veinte, la madre «progresista» no acude a la fábrica ni al despacho en busca de pautas de educación infantil, igual que no acudiría a las anticuadas ideas de sus abuelas. La educación de los hijos no se ve trastornada por ningún fin externo, es un fin en sí misma, que invita a las mujeres a profundizar cada vez más en el oscuro mundo de los sentimientos y las intuiciones, la culpa, la introspección y cualquier matiz de ambivalencia.

En este mundo cerrado de la habitación infantil, el experto adquiere más importancia y autoridad que nunca; no obstante, con el tiempo, incluso él deja de representar una norma externa «objetiva», científica o industrial, como si se hubiera visto también arrastrado a la intensa vida interior de la familia para convertirse en la figura central del nuevo drama de mediados de siglo en el que participaban la Madre, el Niño y el Experto. En este capítulo vamos a ocuparnos del desarrollo del carácter del experto (a través de la publicación de sus consejos) desde el final de la década de los veinte hasta los años sesenta: con un espíritu optimista y bondadoso, al principio, y —a medida que su labor se vuelve más frustrante— dando paso a un horror sin tapujos ante las mujeres y su actitud punitiva hacia los niños.

El nuevo espíritu que iba a dominar la multiplicidad de técnicas pedagógicas en el siglo XX era la *permisividad.* En su sentido más amplio, la permisividad rebasó la educación infantil, fue una especie de talante nacional, un viento de cambios que barrió todo. La economía norteamericana estaba empezando a depender, cada vez más, del consumo individual —de coches, viviendas y una panoplia creciente de artículos para el hogar— y en ese clima consumista floreció el espíritu permisivo. Los expertos que tanto se habían preocupado por la disciplina y el autocontrol descubrieron que la indulgencia con uno mismo era tan saludable para la personalidad individual como para toda la economía.

Empresarios y expertos en psicología estaban de acuerdo en la necesidad de reformar drásticamente el carácter norteamericano. Las viejas costumbres puritanas del trabajo y las obligaciones habían quedado obsoletas y tenían que ser sustituidas por las nuevas «contra-costumbres» del consumo y el ocio. El período de recesión impuesto por la Depresión y la Segunda Guerra Mundial no fue más que una pausa previa mientras la gente se iba habituando a la idea de que las privaciones eran tan innecesarias como desagradables. La prosperidad comercial *exigía* que las personas intentaran gratificarse mediante el consumo individual, y cualquiera que opinase de otro modo estaba objetivamente equivocado, quizá era antiamericano y, lo peor de todo, estaba «anticuado». A lo largo de este siglo, el firme incremento del índice de gastos en bienes de consumo sería paralelo al declive de las viejas inhibiciones en materia de sexo, vestimenta, actitudes y etiqueta.

La nueva importancia dada al disfrute personal fue, de forma inevitable, fatal para el feminismo y los demás esfuerzos reformistas que habían ocupado a las mujeres de clase media en las primeras décadas del siglo. En la novela de Mary McCarthy *The Group,* Mrs. Renfrew, miembro de una de las primeras promociones de tituladas de Vassar, reflexiona sobre el «abismo entre generaciones» con su hija Dottie (de la promoción del 33), que está a punto de hacer un matrimonio de conveniencia con un hombre rico:

> «... En mi época, las mujeres de cualquier tipo estaban dispuestas a sacrificarse por amor, o por algún ideal, como obtener el voto o seguir los pasos de Lucy Stone. Conseguían que las echasen de los hoteles por registrarse como Señor y Señorita cuando estaban legalmente casadas. Mira a tus profesoras, observa lo que tuvieron que abandonar. O a las médicas y asistentas sociales.» «Esa era tu época, madre —respondió pacientemente Dotty—. Ya no hacen falta sacrificios. Nadie tiene que elegir entre casarse o ser una profesora. Si es que alguna vez tuvieron que hacerlo. Reconoce que las que se convirtieron en profesoras eran las menos atractivas de tu grupo... El sacrificio es una idea pasada de moda. Una superstición, en realidad, como incinerar a las viudas en la India. A lo que la sociedad aspira ahora es al pleno desarrollo del individuo» [1].

Pero la individualidad femenina que se iba a desarrollar en la «era del disfrute» sería tan claramente doméstica como hubiera podido imaginar Ellen Richards. El hogar, que en otro tiempo habían criticado las feministas racionalistas como reducto apartado de la corriente de transformaciones, estaba ahora indudablemente en el centro de la situación, tanto en lo económico como en lo social. En 1929 las mujeres satisfacían mediante sus compras más del 80 por 100 de las necesidades familiares. No había por qué apresurarse a entrar en el mundo masculino si ese mundo no existía más que para suministrar al *hogar* todos los bienes, el dinero y la información que necesitaba. A partir de entonces, las madres volcarían sus energías en educar a una juventud americana que, desde la cuna, se ajustara al molde de la sociedad de consumo.

El experto, aliado del niño

La permisividad en la educación de los hijos representó un giro de 180 grados respecto a las teorías de principios de siglo. El cambio sobrevino de forma tan rápida que las madres se sintieron desconcertadas. Muchas se encontraron con que tenían que reemplazar sus métodos en pleno proceso de educar a sus hijos. Una de ellas describió cómo, de repente —una noche mientras cenaba—, se había dado cuenta del cambio que sus ideas habían sufrido: «Estaba sirviendo a los chicos una verdura nueva. De pronto comprendí que lo que esperaba era que Peter, el mayor, dejara su plato limpio. Daniel, el mediano, no tenía obligación de comérsela pero sí tenía que probarla. Y el pequeño Billy, por mí, podía hacer lo que quisiera» [2]. Incluso el doctor Spock y su esposa cambiaron de caballo a mitad de camino: su primer hijo había sido educado con arreglo a las rígidas pautas del conductismo.

Los conductistas había considerado al niño como una materia prima a la que había que dar forma. Sus impulsos naturales —comer cuando tenía gana y lo que quería, jugar, etc.— debían ser suprimidos con tanta firmeza como mojar la cama o chuparse el dedo. Por el contrario, los permisivistas proclamaban que los impulsos infantiles espontáneos eran buenos y razonables y que el niño, en lugar de ser una *tabula rasa, sabía* verdaderamente, en cierto sentido, lo que le convenía.

Lawrence Frank, directivo del Fondo Laura Spelman Rockefeller e importante estratega del mundo de las fundaciones, advertía a los padres que era mejor para los niños que se adecuaran a sus iguales, y no a sus mayores, si querían triunfar en el futuro:

> No hay nunca que olvidar que el joven debe seguir a su propio grupo, ya que es en ese grupo donde deberá emparejarse, realizar su vida social y lograr su posición económica. Cuando el dominio de los padres bloquea o impide todo esto, surgen a menudo conflictos devastadores... [3].

Floyd Dell, importante escritor de los años veinte y treinta, secundó el consejo de Frank: «... resulta fatuo por parte de los padres —escribió en *Love in the Machine Age* [El amor en la era de las máquinas]— suponer que pueden establecer el estilo de vida de sus hijos adolescentes» [4].

La única área en la que parecía que los padres podrían haber ejercido cierta autoridad, incluso desde el punto de vista de los expertos, era la preparación de los jóvenes para la vida de familia. Pero hasta en este aspecto se mostraban desconfiados los especialistas. El informe elaborado por un subcomité para la Conferencia sobre Salud y Protección Infantil organizada en 1932 por la Casa Blanca descubrió, paradójicamente, que

> existen pruebas indiscutibles de que hoy en día el hogar, que trabaja con las desventajas que le imponen las condiciones de la vida moderna, no puede hacer frente por sí solo al problema de cómo enseñar a los hijos a adaptarse a la vida familiar [5].

A partir del segundo decenio del siglo XX, la opinión fundamental de los expertos fue que los detalles de la vida familiar —desde cómo cepillarse los dientes hasta las relaciones entre padres e hijos o las salidas con novios— sólo podían aprenderse correctamente fuera de casa, en escuelas y con expertos. Hijos y especialistas estaban de acuerdo: ¿Cómo podían pensar los padres, productos de la *vieja* educación infantil, que iban a saber criar a los hijos de la *nueva* educación? He aquí un fragmento de la discusión entre un grupo de adolescentes que aparece en *Middletown*, a propósito de «lo que no funciona en casa»:

> CHICO: Los padres no saben nada sobre sus hijos ni sobre lo que hacen.
> CHICA: No quieren saberlo.
> CHICA: No les dejamos que sepan.
> CHICO: Nuestro mundo es demasiado rápido y ellos son viejos.
> CHICO: Los padres deberían estar de acuerdo.
> Normalmente uno es más duro y el otro más blando.
> Nunca están de acuerdo.
> CHICO: Los padres necesitan un tercero a quien puedan acudir en busca de consejo.
> *(Coro de síes)* [6].

No sólo los adolescentes se beneficiaban de la nueva permisividad educativa. Ellos fueron los primeros en cosechar los frutos, pero el cambio de actitud llegó pronto hasta los más pequeños. Martha Wolfenstein, en un estudio sobre el boletín del gobierno *Infant Care* (una guía bastante exacta sobre el estado de las teorías de los expertos), descubrió que en las ediciones publicadas entre 1914 y 1942 el recién nacido había sufrido una «transformación extrema», de ser una pequeña fiera a una criatura tierna y suave:

> Al principio se describía al niño como si poseyera impulsos peligrosos y dañinos, tales como la tendencia a masturbarse o a chuparse el pulgar... La madre debía vigilar sin descanso; debía librar un combate despiadado contra la naturaleza pecadora del niño. Se le aseguraba que la masturbación «debe ser erradicada... el tratamiento consiste en impedimentos mecánicos». ... El celo de la madre contra el acto de chuparse el dedo debía ser tan firme que se le recordaba que dejase libres las manos al niño durante algún tiempo para que pudiera desarrollar habilidades legítimas...» [7].

Sin embargo, posteriormente

> ... el niño se ha transformado en algo casi completamente inocuo... los impulsos tan intensos y concentrados del pasado han desaparecido... En su lugar, encontramos impulsos de una naturaleza mucho más vaga y moderada. El niño está interesado por explorar su mundo. Si por azar mete el dedo en su boca o toca sus genitales, se trata de simples incidentes, escasamente importantes en sus progresos que, por encima de todo, consisten en investigar... Todo le divierte, nada es demasiado excitante [8].

Habían desaparecido las perversiones que el conductista pretendía domar. En este niño moderno, lo que quería y lo que necesitaba eran una misma cosa. El llanto ya no se debía al «espíritu de contradicción», sino a una necesidad concreta, de comida, de bebida o de atención. El juego, que antes era una actividad estrictamente limitada a ciertas horas del día, se había convertido en el «sano desarrollo de las actividades motoras». Por tanto, los niños pequeños, como los adolescentes, no necesitaban ya que sus madres les pusieran límites, les enseñasen disciplina o instaurasen un modelo al que pudieran aspirar; por el contrario, necesitaban a sus madres sólo para que les siguieran por todas partes y diesen satisfacción a sus necesidades de estímulo, juego y alimento. Las madres diligentes se encontraron con que necesitaban cada vez más tiempo para estar a la altura de sus hijos y de los expertos. Como afirmaba una madre de Middletown:

> He abandonado el trabajo en la iglesia y en el club desde que nacieron los niños. Siempre me gusta estar aquí cuando vienen de la escuela para conocer sus juegos y a sus amigos. Todo el resto del tiempo se va en leer libros sobre nutrición y sobre la construcción del carácter [9].

Los médicos exigen permisividad

En la novela de Mary McCarthy *The Group*, dos madres (de la promoción del 33 de Vassar) siguen por Central Park a sus hijitos de un año. «¿Has oído hablar de los estudios de Gesell en Yale? —pregunta una de ellas—. Por fin vamos a tener una imagen científica del niño» [10]. Si la tarea de la madre permisiva era consentir los deseos de su hijo, el deber de la ciencia era traducir el comportamiento infantil, aparentemente incomprensible, a una serie de indicios que ella pudiera seguir. El doctor Arnold Gesell, investigador, pediatra y gran autoridad a ojos de la posterior figura de Benjamin Spock, dio el paso decisivo de colocar al propio niño dentro del laboratorio. Con el apoyo de las fundaciones Rockefeller y Carnegie, Gesell creó una guardería experimental en la Yale School of Medicine, donde los niños jugaban en habitaciones con falsos espejos tras los que equipos de profesionales los vigilaban para estudiar cada uno de sus movimientos.

El resultado fue una teoría de las etapas del desarrollo, origen de la típica frase «no es más que una etapa que está atravesando». En cada una de esas etapas, el niño seguía unas pautas de comportamiento perfectamente predecibles. Gracias a ello, Gesell fue capaz de trazar la conducta de un niño de dos años a lo largo de una jornada con los detalles de un guión de cine:

Conducta del niño a lo largo de una jornada

> El niño de dos años se despierta con cierta lentitud, por ejemplo a las 7 de la mañana. Le gusta despertarse pero no le apetece saltar inmediatamente de su cuna. Se despierta mojado, pero soporta la situación y juega satisfecho duante media hora, más o menos. Saluda con pres-

teza a su madre, que lo limpia y lo envuelve en un albornoz durante un rato. En este tiempo, le gusta ir al cuarto de baño para ver cómo se afeita su padre. También se muestra contento de volver a su habitación, donde mordisquea una galleta y juega con la puerta cerrada. En el desayuno admite bastante ayuda de su madre, pero realiza unos cuantos intentos de arreglárselas solo (en la comida de mediodía se mostrará mucho más autónomo) [11].

Con este niño tan decidido, la función de la madre no consiste nunca en «moldear», ni siquiera en «influir»:

> Para empezar, reconoce la individualidad de tu niño tal como es, y abandona la idea de que es producto tuyo (excepto a través de la herencia) o de que puedes cambiarla en lo fundamental. Reconócela, entiéndela, admítela... [12].

La madre ideal de la permisividad científica aplicaba su comprensión de las vicisitudes del desarrollo infantil al estímulo de ciertas conductas y la inhibición de otras, con inagotable paciencia y siempre de forma indirecta, mostrando su «disposición a emplear un número infinito de métodos para sortear las rigideces, los rituales y las obstinaciones» [13]. Las madres sensibles seguían la marcha del niño, sin resistirse nunca ante ninguna «fase». Por ejemplo, un niño caprichoso de siete años tenía días buenos y malos. «Una maestra consciente de ello cambiará su régimen intelectual en esos días. Y una madre sensata dejará a su hijo en casa si su día malo empieza ya desde que se levanta, como ocurre tantas veces» [14].

Gesell y sus colegas propusieron técnicas de «ingeniería doméstica» mediante las cuales la madre bien organizada podía eliminar con facilidad los conflictos familiares. Como explicaban Ilg y Ames, autoridades del Gesell Institute:

> El director de una fábrica no se limita a decir a sus obreros que *deberían* producir más. En lugar de ello, intenta hacer los arreglos necesarios para permitir una mayor producción. Del mismo modo, unas cuantas ideas creativas sobre algunas de las cuestiones domésticas más corrientes pueden dar como resultado, muchas veces, que el niño se comporte mejor [15].

«Las posibilidades —escribían— son, por supuesto, infinitas»:

> Por ejemplo, supongamos que dos hermanos no pueden estar juntos mucho tiempo sin reñir. Si se quiere, se puede intentar solucionar el problema con advertencias, reprimendas, castigos. Pero es más sencillo separarlos físicamente. Si no hay espacio para ello, se pueden pensar formas de variar sus horarios. Se pueden cambiar las horas de siesta. A veces incluso vale la pena que los niños coman por separado [16].

La idea de la «ingeniería doméstica» recuerda las cruzadas de Ellen Richards y los especialistas en ciencias domésticas para convertir al ama de casa en una «técnica» doméstica profesional, que economizara tiempo, dinero y trabajo. Transformada por la ideología permisiva, la ingeniería doméstica suponía que, gracias al esfuerzo, la planificación y la diligencia, la madre podía ahorrar, no tiempo ni dinero, sino tensiones. Ahorrarle tensiones a su hijo, en concreto. La obligación a la que ahora se enfrentaba era que no debía economizar esfuerzos que facilitasen el camino hacia una niñez libre y natural. Por ejemplo, sugerían la siguiente serie de «Normas generales para ayudar a que los niños disfruten de la comida»:

1. Servir los alimentos de forma atractiva
2. Dar raciones escasas
3. Servir la comida sin comentarios
4. No hacer hincapié en la cantidad de comida que debe comer...
5. Intentar mantener una actitud tranquila y despreocupada.. [17].

En la etapa «científica» de principios de siglo, la madre había representado en el hogar al experto, cuyos regímenes había impuesto al niño. Pero ahora era el niño el que actuaba como representante del especialista, instruyendo a la madre en las rutinas de la vida diaria.

Gesell recomendaba que la espontaneidad del niño quedase reflejada, las veinticuatro horas del día, en gráficos especialmente diseñados, con símbolos que indicaran cada acción: beber el zumo de naranja, dormir, evacuar, llorar, soñar, etc. A su juicio, la adopción de una política alimenticia «autorregulada» creaba «una atmósfera favorable para el tipo de observación que permite a la madre captar las características fundamentales de su hijo»:

> En vez de mirar el reloj, presta toda su atención a la conducta del niño a lo largo de la jornada, tal como va quedando registrada en el gráfico diario... El resultado es éste: Convierte al recién nacido (con toda su sabiduría innata) en un compañero de trabajo que la ayuda a elaborar un horario óptimo y flexible adaptado a sus diversas necesidades [18].

La madre científica que antes especulaba sobre la naturaleza de la infancia y que guardaba sus observaciones para G. Stanley Hall se limitaba ahora a apuntar datos en gráficos, una actividad trabajosa pero esencialmente pasiva.

La maternidad libidinosa

El hijo de la permisividad no necesitaba la autoridad ni la orientación paterna. Los niñitos de Gesell se desarrollaban con arreglo al tictac de un reloj interior que los padres no podían ajustar. Los adolescentes de Frank seguían sus impulsos —y a sus amigos— hacia un futuro que los adultos no podía entender ni dominar. Pero, según los expertos que sigueron desarrollando la teoría de la permisividad de los años treinta y cuarenta, sí había algo que el niño necesitaba de sus padres (léase «madres»), y ese algo era amor: un *amor* incondicional, espontáneo, cálido y avasallador.

En realidad, el amor era la condición necesaria, la premisa esencial de la permisividad. Como afirmaba el doctor Spock, el divulgador mundial de esta teoría, «los niños criados en familias cariñosas *quieren* aprender, *quieren* adaptarse, *quieren* crecer. Si las relaciones son buenas, no hace falta obligarles a comer ni a que aprendan a usar el cuarto de baño» [19].

Sólo una atmósfera de amorosa aprobación podía permitir que un niño se desarrollara hasta ser un miembro completamente adaptado de la nueva sociedad de consumo. Por consiguiente, las madres debían proporcionar, no sólo un entorno libre de tensiones y administrado con destreza, sino un cariñoso estímulo de cada impulso infantil. Para los expertos en educación de los años treinta y cuarenta, amar era un *trabajo* de madres.

Pero el amor que reclamaban los expertos en permisividad no era el amor comedido de la madre científica, el austero de la madre moralizadora ni el doloroso de la madre mártir, ni cualquier otra variedad de amor que se pudiera encontrar en la iconografía maternal del siglo XX. Era una fuerza de la naturaleza, algo instintivo. Hasta Gesell, tan cuantitativo y racionalista cuando se trataba del desarrollo infantil, parecía aflojar sus ataduras científicas al pensar en el amor de madre. En su descripción de los atributos típicamente maternos, enumeraba «una voz agradable... agilidad y habilidad manual... calma en sus movimientos junto a rapidez de reacción... un conocimiento básico de la teoría y los principios del desarrollo infantil» y otros rasgos que teóricamente debía intentar poseer una madre devota. Pero, tras hacer este análisis, admitía que la maternidad era una «aptitud natural» y afirmaba sorprendentemente:

> Es bien sabido asimismo que en la raza de color hay muchas mujeres enormemente dotadas de aptitudes casi únicas que hacen que sus cuidados sean ideales para los niños [20].

La mujer negra —presente en la imaginación de Gesell como un alma cálida y sencilla, una niñera— simbolizaba, a su juicio, la esencia primitiva del amor materno.

Sería necesario otro tipo de experto —el psicoanalista— para reclamar el amor materno como campo de conocimiento científico. Los psicoanalistas descubrieron el instinto maternal con el mismo espíritu que si hubieran aislado un nuevo elemento químico que sólo se encontrase en las mujeres. Obviamente, el amor era el único ingrediente de la educación de los hijos que no podía mecanizarse, comercializarse ni encargarse a instituciones ajenas. Era el núcleo intangible de la relación entre madre e hijo, la única cola que podía mantener pegada a la madre con el hijo y a la mujer con el hogar. El psicoanálisis asumió el proyecto que la ginecología decimonónica había afrontado anteriormente: buscar las raíces de la domesticidad de la mujer en el fondo de la *biología* femenina: «El comportamiento maternal —declaró la psicoanalista Therese Benedek— está regulado por una hormona pituitaria» [21].

Los psicoanalistas estaban de acuerdo con Gesell en que el trabajo de la madre no era intentar moldear por las buenas al niño, sino suministrar un entorno perfectamente propicio. Sin embargo, observaban los expertos de tendencia psicoanalítica con amable desaprobación, trazar gráficos a lo largo del día no iba a ayudarla en su tarea. La educación infantil, desde su punto de vista, debía definirse más bien como una extensión de la gestación. En una mujer sana, el aura maternal contendría todos los preciosos nutrientes necesarios, de forma tan natural y milagrosa como su cuerpo había alimentado al niño en su útero.

Los psicoanalistas habían fabricado la madre ideal que se adaptaba al niño educado en la permisividad, una madre que encontraba su apasionada realización en las minucias del cuidado infantil. Gracias a sus recién hallados instintos biológicos, esta «madre libidinosa» era una compañera mucho mejor que la «ingeniera doméstica» para el hijo liberado de las teorías permisivas. No se limitaría a satisfacer las necesidades de su hijo, sino que sólo iba a lograr su *propia* realización en esa satisfacción de las demandas infantiles. La madre libidinosa disfrutaría del embarazo y de la lactancia. No buscaría compañía más enriquecedora que la de su propio hijo, ni preocupación más seria que los detalles cotidianos de su cuidado. Instintivamente, necesitaría a su hijo tanto como él a ella. Evitaría los compromisos externos para no «perderse» una fascinante fase de desarrollo ni «verse privada» de una etapa tan remuneradora de la maternidad. Ya no se vería la maternidad como un «deber» ni la educación infantil como una profesión disciplinada. En su lugar, madre e hijo podían disfrutar uno de otro, responder a sus mutuas necesidades de una manera perfecta, instintiva, como si la Naturaleza en su infinita sabiduría hubiera creado dos consumidores felizmente emparejados y dispuestos a alimentarse recíprocamente.

La teoría de la maternidad libidinosa dejó el terreno de la interpretación racional como dominio exclusivo de los profesionales. Los libros de consejos infantiles animaban ahora a las mujeres a que se fiaran de sus instintos, si bien, por supuesto, insistían en definir cuáles tenían que ser exactamente esos instintos. No hacía falta ningún estudio científico, comparar notas con otras madres ni «mantenerse al día» de los últimos descubrimientos, aseguraban los libros. La buena madre era la madre instintiva. ¡No había más que relajarse!

La educación —incluso el pensamiento— se consideraba, una vez más, como una amenaza para la maternidad, ya no porque provocara «atrofia del útero», sino porque alejaba a la mujer de sus instintos. En *The Group*, Norinne tenía la formación suficiente para entenderlo:

> «Nuestra educación en Vassar me hizo difícil aceptar mi papel de mujer... [reconoció Norinne]... El problema es mi cerebro... Lockwood [un profesor de Vassar] y los demás me formaron para ser una intelectual.» Priss se sorprendió... Se suponía que el cerebro, pensó, tenía que ayudarte a organizar tu vida más eficazmente... «¿De verdad crees que nuestra educación fue un error?», preguntó ansiosamente. Sloan [su marido, que es pediatra] había expresado a menudo la misma opinión, pero lo hacía porque, debido a esa educación, ella tenía ideas con las que él no estaba de acuerdo. «Totalmente —respondió Norinne—. Me ha dejado tullida para toda la vida» [22].

Así se abrió el abismo entre el experto científico y la madre instintiva y se estrechó la distancia entre madre e hijo, a medida que se fue viendo que *sus* naturalezas eran claramente similares.

Los psicoanalistas como Therese Benedek no se inmutaron por el hecho de que ese lazo romántico, el idilio entre madre e hijo, no podía basarse más que en una *regresión* materna, un retroceso al estado infantil. A su juicio, era una pena que en nuestra cultura muchas mujeres pudieran desarrollar una «imagen propia, activa y extrovertida» antes del matrimonio. Dado que eso chocaba con la facilidad «natural e intuitiva» que ella debía aplicar al cuidado de su bebé, su teoría era que la mujer tenía que «deshacer» su propio ideal masculino:

> Para convertirse en madre, la mujer experimenta una regresión biológica con cada fase de su fisiología reproductiva. Los hombres, en cambio, tienen que superar sus tendencias regresivas para afirmar su virilidad en el acto heterosexual y tienen que integrar un potencial psíquico activo y extrovertido para cumplir el papel de padre como protector y proveedor [23].

En la jerga psicoanalítica, la maternidad se había convertido en «una característica normal de la madurez psicosexual de la mujer».

Sin embargo, esa «madurez psicosexual» empezaba mediante una regresión: ¡Las mujeres sólo podían «crecer» volviéndose más infantiles! *. La explicación de esta paradoja, según los psicoanalistas, era que sólo a través de la regresión podía superar la mujer su envidia infantil del pene. La regresión le permitía aceptar inconscientemente al recién nacido como «regalo» simbólico de un pene, una compensación por su «castración» tan largamente sentida. Reconciliada por fin, la mujer podía admitir su feminidad y someterse sin envidias al amor de su marido:

> Las sensaciones de imperfección y carencia que tenía de niña se han visto compensadas... Su amor por el esposo que ha hecho posible tal plenitud se hace más profundo. No desea el hijo sólo para ella, sino como significativo producto de la relación con su marido, que la ha satisfecho con el regalo, una parte de sí mismo que sitúa en ella para que la cuide pero, al mismo tiempo, algo de ella que su esposo va a amar. En cierta medida, el recién nacido es ella misma, amada por un padre benévolo [24].

Marcel Heiman, tocólogo muy influido por Benedek, aplicó la teoría de la regresión materna a sus pacientes y sugirió que «... más que ningún otro médico, el obstetra necesita comprender íntimamente la psicología femenina». En un documento titulado «Visión psicoanalítica del embarazo», escribía:

> ... la regresión en el transcurso del embarazo es universal y normal, al fin y al cabo a la gestación se le ha dado el apropiado nombre de «enfermedad normal»... igual que la regresión de la mujer encinta saca a la superficie los miedos de la infancia, vemos que la mujer embarazada es tan sugestionable como un niño. Es una reminiscencia de parte de los miedos que los niños suelen tener; todo lo que la madre tiene que hacer, en esos casos, es coger al niño en brazos y decir «ya está, ya está...», con lo que imprime en el niño una sensación de seguridad que

* La idea psicológica de que la madurez femenina se alcanza a través de la regresión es un extraño eco de la teoría biológica decimonónica que afirmaba que, para las mujeres, el avance evolutivo significaba hundirse en una condición animal cada vez más primitiva.

elimina el temor... Esa es la razón del éxito que tienen los tocólogos autoritarios con sus pacientes... [25].

(En el mismo sentido, el doctor Spock definía la mayor disposición femenina a escuchar los consejos de profesionales como una de las diferencias esenciales entre los sexos) [26].

La ruptura de la integridad maternal fue completa: la misma madre se había transformado en una niña. Al haber retrocedido a una repetición psicológica de su propia infancia a través de la experiencia de la maternidad, debía convertirse en un oído devoto y obediente ante las figuras paternas que iban a instruirlas en su nueva función. Del mismo modo, la voz del profesional se hizo insidiosa y paternalista. Después de comentar humildemente que «no puedo decirle exactamente lo que debe hacer, pero puedo escribir sobre lo que significa», el doctor Winnicott, presidente durante un tiempo de la Asociación Psicoanalítica de Gran Bretaña y autor de *Mother and Child: A Primer of First Relationships* [Madre e hijo: un manual para las primeras relaciones], tranquilizaba con estas condescendientes palabras a la joven madre:

> No tienes que ser lista, ni siquiera tienes que pensar si no quieres. Puedes no haber tenido remedio con la aritmética en el colegio; o quizá todas tus amistades consiguieron becas pero tú no podías soportar la visión de un libro de historia, por lo que fracasaste y tuviste que dejar la escuela; o tal vez habrías salido adelante si no hubieras tenido el sarampión justo antes del examen. O tal vez seas verdaderamente lista. Nada importa, ni tiene que ver con que seas una buena madre ó no. Si una niña puede jugar con una muñeca, tú puedes ser una madre devota como las demás... [27].

Como era natural, sólo la madre completamente hogareña, que no trabajaba en el exterior, podía esperar la liberación del inconsciente libidinoso, la bendita ignorancia que ahora era la condición *sine qua non* de la buena maternidad. Las madres trabajadoras de fines de los cuarenta y de los cincuenta se vieron empujadas a abandonar y a dejar paso a los instintos contra los que habían luchado. Por ejemplo, una mujer escribió a *Child Study* (Estudios infantiles, publicación para los padres en cuya junta asesora estaban Lawrence Frank, Benjamin Spock e importantes psiquiatras como René Spitz y David Levy):

> Soy una mujer profesional con un hijo de cinco años, temerosa de que con mi ajetreada vida no le esté dando todo lo que necesita... aunque siempre tengo el proyecto de dejar el trabajo, hasta ahora no lo he hecho... Puesto que me doy cuenta de que no pertenezco, evidentemente, al tipo doméstico, no estoy segura en absoluto de que fuera sensato dejar mi empleo e intentar ser sólo una madre.

Después de regañarla por la expresión final, «sólo una madre», la redacción de *Child Study* contestaba en tono alentador:

> Quizá crea usted honradamente que carece de lo que se necesita para dar al término «doméstico» [este] pleno significado. Si es así, quizá desee cierta ayuda de profesionales para averiguar qué ha hecho que pierda usted confianza en su capacidad. Puede que usted pertenezca al «tipo doméstico» más de lo que piensa y que, en las circunstancias adecuadas, sus poderes de esposa y madre puedan liberarse en bien de su hijo, su marido y —por último pero no menos importante— para su propia satisfacción permanente [28].

Se daba por sentado, claro está, que todas las mujeres tenían maridos y que éstos podían mantener a la familia por sí solos. Los medios de comunicación transmitían el mismo consejo a las mujeres de todas las clases: las mujeres que trabajaban, no importaba cuáles fueran sus motivos, estaban haciendo desgraciados a sus hijos y rechazando sus instintos más profundos.

Las malas madres

La teoría psicoanalítica no se entretuvo mucho tiempo en la imagen romántica de la relación madre-hijo. Incluso en el momento de más auge de las ideas sobre maternidad libidinosa, siempre hubo sospechas de que las mujeres norteamericanas no eran, en realidad, madres innatas; y esa sospecha no hizo más que crecer durante los años cuarenta y cincuenta. Después de todo, los psiquiatras eran médicos educados para buscar la patología, las oscuras lesiones, las esporas microbianas escondidas tras un exterior saludable. Cuando empezaron a estudiar la optimista imagen de la relación entre madre e hijo con los rayos X de la introspección psicoanalítica, salió a la luz un interior de patologías ocultas que pasó a dominar las teorías educativas de mediados de siglo.

Los síntomas se extendieron por las salas de espera de psicólogos escolares, asistentes sociales especializados en psiquiatría y (en el caso de los padres de clase acomodada) los propios psicoanalistas. Había niños irritables, niños destructivos, niños introvertidos, niños asustados y alterados, recién nacidos que lloraban desconsoladamente, bebés que se masturbaban de forma obsesiva, y así sucesivamente. Todo ello, a pesar de una teoría científica que incluía a la madre y el hijo en una dicha común, a pesar del aislamiento nupcial del que ahora tenían que disfrutar ambos, supuestamente, en tantos hogares burgueses y de clase obrera. Los expertos no se plantearon poner en duda la teoría ni alarmarse por la terrible soledad en la que muchas mujeres intentaban criar a sus hijos *. La teoría era sólida; el hogar era sagrado; era la mujer la que había fallado.

A medida que la atención del psicoanalista se trasladó de lo normal a lo desviado, de lo «sano» a lo patológico, la teoría de la maternidad instintiva dejó de ser para las mujeres tan conveniente como podía haber sido hasta entonces. El lado bueno de la teoría de los instintos era que las mujeres poseían conocimientos sobre la educación de los hijos, independientemente de los expertos. No tenían por qué dominar técnicas ni métodos formulados en la clínica o el laboratorio de psicología. Pero, con la nueva importancia de la patología, el «instinto» resultaba ser un capataz más duro que la disciplina y el estudio para la mujer. Si algo salía mal en la relación madre-hijo o en el desarrollo del niño, el dedo de la acusación no responsabilizaría ya a fallos en la técnica materna, sino a unos instintos defectuosos. Lo importante no era lo que la madre leyera o pensase, lo que qui-

---

* Al evaluar datos antropológicos sobre la crianza de los hijos en muchas otras culturas, la socióloga Jessie Bernard relata que el aislamiento y la exclusividad en que las madres norteamericanas educan a sus hijos es un fenómeno históricamente nuevo y culturalmente único [29].

siera o intentase hacer, sino cuáles eran sus motivaciones inconscientes. Y los instintos no podían fingirse.

Cuando la mujer expresaba sus impulsos subconscientes a través de la maternidad, escribía en la psique del niño, como si dijéramos, con tinta invisible. Con el tiempo, el experto podría leer y juzgar lo escrito con esa tinta.

El énfasis dado a la patología reforzó la imagen heroica que los expertos en educación tenían de sí mismos como cruzados de la salud pública, que trabajaban por un futuro saludable del mismo modo que los expertos en higiene trabajaban por un presente lleno de salud. En el período de la maternidad científica, los expertos en educación infantil se habían enfrentado, en calidad de expertos en salud pública, al reto de formar la mente materna. Ahora el reto era examinar el subconsciente de la madre en busca de las neurosis que pudieran infectar a una generación de niños con los gérmenes de la enfermedad mental. René Spitz encabezó una corriente de psicoanalistas que se esforzaron por buscar el origen de cada trastorno infantil en un trastorno específico de la madre, del mismo modo que los bacteriólogos pretendían encontrar el origen de cada enfermedad en un tipo específico de microbio.

Usando un lenguaje de laboratorio de patología, Spitz identificó las «enfermedades psicotóxicas de la infancia». Se trataba de las enfermedades en las que «la personalidad de la madre actúa como agente provocador del mal, como una toxina psicológica». Dedicó gran parte de su libro, *The First Year of Life* [El primer año de vida], a relacionar cada una de estas actitudes maternas con un disturbio infantil: «Exceso de primario de permisividad, de origen ansioso» (que, a su juicio, producía el cólico de los tres meses); «hostilidad en forma de ansiedad manifiesta» (eczema infantil); «oscilación entre los mimos y la hostilidad» (balanceos en los niños); «cambios cíclicos de carácter en la madre» (juegos con heces y coprofagia); «hostilidad materna conscientemente compensada» (niño hipertímico) [30] *.

---

* En 1973, en el *New England Journal of Medicine*, Lennane y Lennane examinaban la literatura científica que situaba el origen de los trastornos infantiles de la conducta, especialmente los cólicos, en psicosis maternas. Averiguaron que toda la evidencia científica existente tiende a desautorizar la teo-

Las madres no podían hallar salida a los imperativos del instinto. Sus defectos se hacían patentes a través de los síntomas patológicos de su hijo. Es decir, que no bastaba con afirmar que se disfrutaba del momento de bañar al niño: había que disfrutarlo *verdaderamente*. La teoría psicoanalítica identificó dos grandes categorías de malas madres, la que sentía rechazo y la superprotectora, imágenes reflejas e igualmente perjudiciales. La acusación de «rechazo materno» se extendió de tal forma en la práctica clínica y en la literatura de divulgación que incluso la psicoanalista Anna Freud acabó por lamentar su abuso:

> ... la idea del rechazo por parte de la madre empezó a invadir, de pronto, los terrenos del trabajo clínico y el estudio. En la clínica se empezaron a atribuir perturbaciones cada vez más graves (autismo, desarrollo atípico y psicótico, retraso mental, retraso en el lenguaje, etc.) a la presencia del rechazo. En el estudio de antecedentes patológicos, cada vez se fue acusando más a las madres de ser frías, nada expansivas, insensibles, no mostrar amor, manifestar odio, en resumen, rechazar a sus hijos. Todo ello provocó gran cantidad de exámenes de conciencia y graves autoacusaciones, especialmente entre las madres de niños subnormales [32].

Pocas madres podían leer sobre el síndrome de rechazo materno sin sentir una punzada en la conciencia. Toda mujer ha huido, en algún momento, de su hijo de dos años cuando pregunta por décima vez «por qué»; ha dejado al pequeño llorando durante quince interminables minutos; ha permitido que vague su mente durante la conversación con el niño de cuatro años; en definitiva, ha «rechazado» de un modo u otro a su hijo. Las madres de plena dedicación, que luchan por conseguir un hogar ordenado y limpio, saben lo que es enfadarse, odiar fugazmente a su hijo pequeño como si se tratase de un adversario adulto. Si la maternidad era «satisfacción», estas ráfagas de hostilidad debían de ser traiciones y destruir implícitamente

ría psicogénica y a confirmar la existencia de causas orgánicas determinadas. No obstante, tal como demostraban, el prejuicio sobre la motivación materna persiste entre los médicos, como por ejemplo en un conocido manual de pediatría que enumera el cólico entre los «trastornos psicológicos» [31].

todo lo normal, bueno y decente. La ciencia no podía justificar esos sentimientos más que como perversiones, serpientes en el Edén de la relación madre e hijo. El resultado fue la duda agónica: la madre acusada de sentir «hostilidad», «agresividad» y, además (ante el experto en educación infantil o en salud mental), de «disimularla», era una madre cuya propia vida interior era inhumana e ininteligible. A medida que sus deseos y necesidades se interpretaban como toxinas destructivas, se iba viendo arrastrada hacia una verdadera psicosis. Adrienne Rich, que educó a sus hijos en los años cincuenta y primeros sesenta, habla de «la violencia invisible de la institución materna»:

> ... la culpa, la impotente responsabilidad por las vidas humanas, los juicios y condenas, el temor a su propio poder, la culpa, la culpa, la culpa. Gran parte de este corazón de las tinieblas consiste en un sufrimiento nada espectacular ni dramatizado: la mujer que sirve la comida a los miembros de su familia pero no se siente capaz de sentarse con ellos, la que no puede levantarse de la cama por la mañana, la que limpia el mismo trozo de mesa una y otra vez, la que lee las etiquetas del supermercado como si estuvieran en un idioma extranjero, la que mira en el cajón donde está el cuchillo de carnicero [33].

Veinte o treinta años más tarde, las mujeres, reunidas en grupos o talleres de concienciación, descubrirían que la violencia materna contenida está tan extendida entre las madres de plena dedicación como las migrañas o los kilos «de más». Y que se puede curar, antes de que ocurra ningún acto abiertamente violento, con la ayuda de guarderías, grupos femeninos de apoyo, padres responsables, etc. (Recientes estudios demuestran que las madres que sí tienen ayuda —por ejemplo, de una abuela— se muestran «más estables y coherentes desde el punto de vista emotivo» en su relación con los niños.) Pero la ciencia de mediados de siglo no tenía consuelo que ofrecer a la madre normal, ambivalente. En los años cincuenta, bajo la influencia del estudio de John Bowlby *Maternal Care and Mental Health* [Atención maternal y salud mental], los expertos presentaron su acusación definitiva y más devastadora en torno al rechazo materno: la madre que albergaba sentimientos hostiles y de rechazo hacia su hijo no sólo estaba plantando las semillas de la neurosis, sino que estaba verdadera y materialmente destruyendo al niño. Pensar en la violencia, aunque fuera de modo subconsciente, era cometerla. La intención del estudio hecho en 1950 por John Bowlby era indudablemente humanista. Al acabar la Segunda Guerra Mundial había sido encargado de estudiar las necesidades de los huérfanos de guerra, los niños que habían estado hospitalizados durante largos períodos y los que habían sido alojados en zonas rurales para protegerlos de los ataques aéreos. La revisión que Bowlby hizo de la literatura sobre estos niños arrojó unos resultados sombríos: mostraban un índice bajo en las pruebas de desarrollo de Gesell y en las normales de C. I.; emocionalmente, eran retraídos, muchas veces autistas, y —lo más horrible de todo— era probable que fuesen a quedar físicamente tullidos y enfermizos. En su descripción del niño sin hogar, Bowlby escribía:

> El tono emocional es de aprensión y tristeza, hay un retraimiento del entorno que llega a su rechazo... Las actividades están retrasadas y el niño, muchas veces, se sienta o yace inerte en un aturdido estupor. El insomnio es corriente y la fata de apetito, universal. El niño pierde peso y se hace presa de infecciones continuas [34].

Bowlby concluía con una serie de recomendaciones prácticas, que iban desde la ayuda económica a madres desamparadas hasta la eliminación de la atención institucional para tender a la asistencia en situaciones llenas de afecto y semejantes a un hogar.

Hasta aquí, muy bien. Pero Bowlby saltaba con agilidad desde su base de datos hasta el niño *en* el hogar. Sus conclusiones implicaban que las espantosas consecuencias de la carencia de madre podían darse siempre que no hubiera una atención materna única y de plena dedicación. Por ejemplo, en un análisis de por qué fracasaban las familias, enumeraba «trabajo externo de la madre a tiempo completo», sin calificación, al lado de cuestiones como «muerte de un progenitor», «encarcelamiento de un progenitor», «calamidad social: guerra, hambre», etc. [35].

Incluso dentro del hogar que no había sido visitado por la calamidad del empleo de la madre, podía haber una maligna «carencia parcial» debida, por supuesto, al rechazo materno. Bowlby no definió esa «carencia parcial», pero las normas que estableció para la «buena maternidad» dejaban enorme espacio para ella:

> Igual que el recién nacido necesita sentir que pertenece a su madre, la madre necesita sentir que pertenece a su hijo y, sólo cuando ella tenga la satisfacción de este sentimiento, le será fácil dedicarse a él. El ofrecimiento de una atención constante, día y noche, siete días a la semana y 365 días al año, sólo es posible en una mujer que obtenga profunda satisfacción de ver cómo su hijo crece desde pequeño, atraviesa las numerosas etapas de la niñez y se convierte en un hombre o una mujer independiente, sabiendo que son sus atenciones las que lo han hecho posible [36].

Bowlby creía que los consejeros de educación infantil debían buscar esos casos de carencia parcial y «dedicar tanto tiempo a la terapia de los padres como a la de los hijos». Exigía una campaña masiva de salud pública para detectar casos de carencia y equiparaba tal esfuerzo con las campañas sanitarias de principios de siglo que se habían centrado en los portadores de enfermedades microbianas:

> Los niños despojados, ya sea en sus propios hogares o fuera de ellos, son una fuente de infección social tan seria y real como los portadores de la difteria o el tifus... [37].

Los seguidores de Bowlby continuaron la búsqueda de «carencias» en el hogar norteamericano medio. Los psiquiatras infantiles Dane Prugh y Robert Harlow, en la obra *Deprivation of Maternal Care: A Reassessments of Its Effects* [Privación de los cuidados maternos: nueva valoración de sus consecuencias], un volumen de comentarios profesionales sobre la monografía inicial de Bowlby, observaban solemnemente que

> ... hay que subrayar que los casos de carencia «enmascarada» o cubierta pueden tener efectos tan devastadores sobre el desarrollo emocional como las carencias maternas más amplias destacadas por Bowlby [38].

Los psicólogos demostraron los efectos perniciosos de la carencia materna en crías de mono, rata y pato, con pérdidas de peso, aumento de las glándulas suprarrenales, mayor susceptibilidad a las enfermedades infecciosas y las sustancias químicas venenosas y crecimiento atrofiado. Según la lógica de los expertos, la conclusión era que la madre incapaz de satisfacer sus exageradas pautas de amor materno estaría actuando como si hubiera aguado la leche de su bebé.

Los libros de divulgación sobre educación infantil empezaron a plasmar ominosas referencias a animales huérfanos y niños internados en instituciones:

> La comida y el alojamiento mejores, los cuidados médicos de más calidad, no le valdrán de nada [al niño] si no tiene amor. Se sabe de recién nacidos que en una inclusa se han dejado morir, no porque médicos y enfermeras no emplearan todos sus recursos científicos para salvarlos, sino porque no había suficientes brazos cariñosos dispuestos a mecerlos y consolarlos [39].

Aunque los estudios de mitad de siglo sobre la carencia de madre no produjeron ninguna mejora sustancial en la asistencia pública para los niños abandonados, sí imprimieron en la mente materna corriente la trágica imagen del niño sin madre, con ojos hundidos sobre mejillas macilentas, piernas flacas y flácidas, presa de cualquier infección que pasara cerca, y todo ello debido, seguramente, a la falta de «constante atención día y noche, siete días a la semana y 365 días al año».

El segundo espectro que amenazaba al dulce ideal de la maternidad fue la temida y odiada madre «superprotectora», la imagen opuesta de la «repudiadora». La omnipresente madre «superprotectora» *se había* sumergido en el cuidado de los hijos hasta límites excesivos. En realidad, parecía haber aprovechado su aislamiento en el hogar y la ausencia de su marido para incrementar sus poderes e influencia sobre los niños.

En 1943 el doctor David Levy llamó la atención sobre este tipo de madre problemática y dio nombre al síndrome con la publicación de *Maternal Overprotection* [Superprotección maternal]. Según su diagnóstico, ciertas mujeres habían «convertido la maternidad en una enfermedad» con «síntomas... tan claros como los síntomas orgánicos» [40] *. Levy había escogido entre miles de expedientes del centro de orientación familiar que dirigía y seleccionó especialmente 20 casos de lo que consideraba superprotección «pura» (en 19 de 20 casos, los niños superprotegidos que había elegido eran varones).

Estas madres superprotectoras resultaban tener poco en común; sus métodos variaban de un autoritarismo extremado al exceso de permisividad. Lejos de desanimarse por ello, Levy dividió a las madres en dos grandes categorías: la madre «sumisa» y la madre «dominante». Como era de prever, los hijos de las madres dominantes eran sumisos, mientras que los de las madres sumisas eran dominantes. Por consiguiente, los «síntomas» de los niños superprotegidos iban de la agresión tiránica a la docilidad y el comportamiento «demasiado bueno». Levy agrupó todos estos síntomas en una «infantilización» causada por madres que se negaban a que sus hijos creciesen.

Las «madres libidinosas» que tanto se habían esforzado en los años treinta y cuarenta por no rechazar a sus hijos podrían haberse sentido aliviadas por el hallazgo de que *existía* algo llamado superprotección. Pero pronto se vio que una mujer podía ejercer *a la vez* rechazo y superprotección; aún más, si hacía una cosa, era probable que hiciera la otra. La conclusión fundamental de Levy sobre las madres superprotectoras fue que eran «agresivas»: en términos psicoanalíticos, un juicio nada ligero y prácticamente equivalente a «hostiles» y «destructivas». Ahora bien, a su juicio, la agresividad era también el principal componente del *rechazo* materno, por lo que elaboró la teoría de que la superprotección y el rechazo eran dos formas alternativas para una mujer de poder expresar sus «hostilidades inconscientes». El factor que determinaba la dirección emprendida por cada mujer

* Levy refleja la teoría decimonónica de la evolución (*vid.* capítulo IV) en su creencia de que la reproductividad hace que las mujeres estén más estrechamente relacionadas con los animales que los hombres. Miraba con esperanza hacia el día en el que la ciencia demostrara el fundamento hormonal de toda la conducta materna, pero dudaba que se pudieran hacer hallazgos similares en relación con los demás impulsos humanos, compartidos por ambos sexos. Especulaba: «Puede ser cierto que el impulso maternal, un impulso tan básico para la supervivencia, posee un mayor grado de semejanza entre el hombre [es decir, la mujer] y los animales que el impulso sexual» [41].

(hacia la superprotección o hacia el rechazo) era probablemente la «fuerza de la tendencia maternal» o la cantidad de hormonas maternales que poseyera.

Las teorías de Levy se basaban en sus «datos», pero pendían de un hilo sumamente delgado. No sólo sus madres superprotectoras no presentaban rasgos de personalidad comunes, sino que sus niños superprotegidos no conseguían desarrollar una neurosis común. Los estudios de seguimiento demostraban que había escasas diferencias entre los adultos que habían sido niños superprotegidos y cualquier otra muestra al azar de adultos jóvenes. De hecho, bastantes de ellos parecían ser felices y estar bien adaptados *.

Pero todo ello tenía poca importancia. La «superprotección» había entrado a formar parte del vocabulario del público lector y los principales expertos en educación infantil. La visión de la madre acaparadora y hambrienta de poder aterrorizó a las mujeres con nuevos tormentos e inseguridades, sin duda exacerbados por el hecho de que la madre malévola y superprotectora se pareciera tanto a lo que poco antes había sido la madre ideal. Betty Friedan cita al doctor Edward Strecker, asesor del Responsable de Sanidad (*Surgeon General*) en el Ejército y la Marina de Estados Unidos, cuando describió el tipo de madre que «consideraba culpable» de castrar a los posibles soldados de la nación:

> ... Desde el amanecer hasta altas horas de la noche su felicidad con-

---

* En realidad, la metodología investigadora de Levy es tan chapucera, con arreglo a las normas científicas convencionales, que es imposible decir cuáles podrían ser los resultados a largo plazo del «exceso de protección». Sus 20 niños superprotegidos no se comparan con ningún tipo de grupo de control (aunque es cierto que sería difícil seleccionar un grupo de control para una muestra tan heterogénea como los 20 mencionados). Además, las evaluaciones psiquiátricas de estos 20 como adultos son muy tendenciosas. El equipo de investigación solía calificar de «normales» a sujetos que habían alcanzado trabajos administrativos, y de sólo «parcialmente adaptados» a quienes trabajaban como obreros. Las calificaciones de «normal» iban acompañadas de opiniones tales como «fiable, estable, trabajador», y las de «parcialmente adaptado», de adjetivos como «estúpido». Un sujeto aparece descrito en el resumen de casos como un «hombre de buen carácter, perezoso, amable y gordo» [42].

siste en trabajar para sus hijos. La casa les pertenece a ellos. Tiene que ser «precisamente así»; las comidas a su hora, calientes y apetitosas... Cada cosa en su justo lugar. Mamá sabe dónde está. Sin quejarse, contenta, coloca cada cosa en su sitio después de que los niños las hayan desparramado por aquí, por allí, por todas partes... Todo lo que los niños quieran o necesiten, se lo conseguirá alegremente mamá. Es el hogar perfecto... Al no encontrar una paz comparable en el mundo exterior, es casi seguro que uno o más miembros de la camada permanecerán o volverán al hogar feliz, encerrados para siempre en el útero materno [43].

La «superprotección» se convirtió en una acusación que no sólo se lanzaba a las mujeres una por una, sino a culturas enteras como las de los italianos y los judíos. Las mujeres progresistas que intentaban mantenerse al día de los últimos datos científicos se examinaban ansiosamente en busca de indicios de este nuevo peligro. En sus memorias, Margaret Mead describe su propia y dócil reacción a Levy y sus teorías:

... Yo fui una «mirona de cochecitos de bebé», que era como el doctor David Levy definía al niño con un interés absorbente por los recién nacidos, y que él identificaba como uno de los rasgos que predisponían a convertirse en una madre superprotectora. Cuando le conté, en una conversación telefónica, que estaba esperando un hijo, preguntó con su maravillosa voz terapéutica, que podía proyectar incluso por el teléfono: «¿Será usted una madre superprotectora?» Yo le contesté: «Intentaré no serlo...»

Mead recordaba:

«Sabía que iba a tener que esforzarme para no proteger en exceso a mi hijo» [44].

Mantener el rumbo entre los acantilados del rechazo materno y los bancos de arena de la superprotección requería, desde luego, mucho esfuerzo. La hermosa relación libidinosa entre la madre y su hijo había resultado ser, con un escrutinio profesional más estricto, un intenso conflicto libidinoso, en el que estaba en juego la integridad psicológica del niño, e incluso su propia vida. El doctor Joseph Rheingold, de la Escuela de Medicina de Harvard, llevó las sospechas de los expertos sobre la patología de la madre a su extremo lógico: cualquier madre intentaba subconscientemente *matar* a su hijo. El instinto destructivo materno era parte integrante de la psique femenina, escribió, y procedía de un horror fundamental a ser mujer, que era el «conflicto básico de la personalidad femenina». Tener un hijo era para ella la confirmación de que *era* una mujer y «... para salvarse debe repudiar su maternidad destruyendo al niño y rechazándolo. Sólo ese miedo exagerado, ese terror infantil, hace que surja la necesidad autoprotectora de deshacer la maternidad. Se trata de matar o acabar muerta. La mayor parte de las madres no asesinan ni rechazan totalmente a sus hijos, pero la muerte impregna la relación maternofilial» [45].

EL «MAMAÍSMO» Y LA CRISIS DE LA VIRILIDAD AMERICANA

La desilusión de los expertos ante la maternidad libidinosa reflejaba un extendido temor de que algo marchaba mal con América, con los americanos. La Segunda Guerra Mundial llevó el problema a primer plano. Las cajas de reclutamiento norteamericanas usaron por primera vez métodos de examen psicológico, y más de dos millones de hombres se vieron rechazados o exentos debido a motivos de ese tipo, porque, en palabras de una autoridad médica, carecían de «capacidad para enfrentarse a la vida, convivir, pensar con autonomía y valerse por sí mismos» [46]. ¿De quién era la culpa? Obviamente, de sus madres. El espíritu del varón norteamericano se quebraba desde su primera infancia.

Betty Friedan sufrió la profunda corriente de misoginia que invadió el país en los años cuarenta, cincuenta y primeros sesenta:

> De pronto se descubrió que podía culparse a la madre de casi todo. En cada caso de niños con problemas; en adultos alcohólicos, esquizofrénicos, psicópatas, neuróticos; varones impotentes, homosexuales; mujeres frígidas, promiscuas; en cada americano ulceroso, asmático o con otro tipo de trastornos, se podía encontrar una madre. Una mujer frustrada, reprimida, perturbada, martirizada, insatisfecha, desgra-

ciada. Una esposa exigente, quejica, con mal genio. Una madre repudiadora, superprotectora, dominante [47].

A primera vista, la madre norteamericana no parecía ser un objetivo probable para expresiones públicas de misoginia. La mayor desaprobación había ido a parar siempre a la mujer «ligera», «mala» o ambiciosa, que osaba romper con las expectativas románticas acerca de su sitio y función. La psiquiatra Marynia Farnham y el sociólogo Ferdinand Lundberg, autores del éxito de 1947 *Modern Woman: The Lost Sex* [La mujer moderna: el sexo perdido], una diatriba de tipo freudiano contra las mujeres, reconocían que la madre norteamericana no era «una feminista ni una cortesana», sino que *había* intentado cumplir su deber como mujer. Pero aun así estaba «afectada, muy a menudo, de envidia de pene», esa tendencia masculina hacia el poder que, dentro de los límites del hogar, no podía sino enconarse hasta destruir a todas las personas de alrededor [48].

En la imaginación popular, la madre norteamericana se había vuelto realmente *más* poderosa de lo que cualquier mujer profesional podía aspirar a ser, probablemente incluso más poderosa que su marido. Había aceptado la solución romántica, pero ahora se veía que en la intimidad de su hogar había ido acumulando más y más poder: primero, poder sobre los hijos, después —así parecía desde una perspectiva machista—, poder sobre la *economía.*

El ama de casa había sido, tal vez, invisible en la economía acumulativa del siglo XIX, pero en la del siglo XX, orientada hacia el consumo, pasó a ser una fuerza con la que había que contar. «Nunca hay que subestimar el poder de una mujer» se convirtió en el lema del *Ladies' Home Journal* en los años cuarenta; y el poder al que se refería era claramente el poder *adquisitivo.* Los especialistas en asuntos comerciales deliraban con «la mujer USA: el mayor fenómeno consumidor del mundo». Los publicistas lanzaban su artillería psicológica contra ella. Parecía como si, por un extraño capricho de la historia —pese al declive del feminismo en los años veinte y la hegemonía incontestable del romanticismo sexual—, las mujeres se hubieran hecho con el país. A las mujeres se les había garantizado que el hogar sería «su esfera» y ahora extendían furtivamente su dominio al mercado. Un libro divulgativo sobre educación infantil de los años cincuenta observaba ansiosamente que la mujer norteamericana «domina a su marido, domina a sus hijos y, cada vez en mayor medida, está empezando a poseer y a dominar la empresa americana» [49].

El verdadero poder de las amas de casa en la economía de consumo consistía en la capacidad de elegir entre marcas comerciales como Ivory y Lux, entre Bendix y Westinghouse, entre Cheerios y Sugar Pops. Como es natural, publicistas, vendedores y especialistas comerciales conspiraron para causarle tal admiración que ni siquiera estas decisiones tan triviales dependiesen de ella. Sin embargo, la sabiduría popular promovida por novelistas, dibujantes, políticos y expertos insistía en que Norteamérica no sólo había alcanzado la igualdad entre sexos, sino que había superado la barrera y se había convertido en un *matriarcado*.

Philip Wylie, novelista y observador social, hizo cundir la alarma en 1942 con su obra *Generation of Vipers* [Generación de víboras]. La insistencia romántica en ver a la Madre como figura de un cuadro de Norman Rockwell, siempre llevando pasteles calientes a la mesa, había impedido a los hombres ver su verdadera naturaleza, que era astuta, despiadada y hambrienta de poder. Y cuando los hombres norteamericanos habían sido lo bastante tontos como para abrirles las puertas, las madres de todo el país se habían apresurado a entrar y dar un golpe de estado cultural. Norteamérica tenía su propia dictadora, tan maligna como cualquier producto del fascismo en Europa, y su nombre era Mamá:

> ... El culto megaloide a mamá se ha desmandado por completo. Si hiciéramos un mapa subjetivo de nuestro país, en él figurarían más cadenas de plata y lazos de delantal que vías férreas y cables telefónicos. Mamá está en todas partes y en todas las cosas, cerca de cada uno, y de ella depende el resto de Estados Unidos. Disfrazada de la buena de mamá, querida mamá, mamá amable, mamá cariñosa, etc., es la novia en todos los funerales y el cadáver en todas las bodas [50].

El acusador «mamá» acuñado por Wylie ascendió rápidamente al lenguaje profesional. El psicoanalista Erik Erikson, por ejemplo, aceptó el «mamaísmo» como si fuera un término de diagnóstico científico creado por investigadores clínicos, y ofreció este devastador análisis:

> ... «mamá» es una mujer en cuyo ciclo vital se unen restos de infantilismo con una senilidad avanzada, para invadir la feminidad de la madurez y volverla autoabsorbente y estancada [51].

La enorme figura de «mamá» no reflejó ningún cambio en la posición social o laboral de las mujeres, que alcanzó el punto más bajo de todo el siglo XX. Tras el odio y el miedo a la madre había una sensación creciente de que los *hombres* habían perdido poder, en cierto modo, de que ya no eran «verdaderos hombres».

El final de la Segunda Guerra Mundial llevó a millones de hombres a una repentina conciencia de su situación: habían permanecido durante meses o años lejos, dedicados a la más masculina de las tareas, en la que no contaba nada más que la solidaridad entre varones, el empuje y las «pelotas». Pero un día, poco después de que acabara la guerra, el varón americano se despertó para verse conduciendo un Ford azul igual a todos los demás que poblaban la autopista, yendo de un trabajo que no significaba nada para él a una casa que sólo podía identificar por el número de la calle. Es decir, que el reverso de la mamá megalómana fue un papá degradado, el hombre de clase media que a mitad de siglo se sintió impotente, conformista, a la deriva en un mundo que no necesitaba su virilidad.

La crisis de la virilidad a mitad del siglo XX golpeó sobre todo a la burguesía, la clase a la que pertenecían los expertos. Una generación antes, la clase media urbana en ascenso se había atribuido un papel heroico como domadores y «racionalizadores» de la sociedad capitalista. Habían dado forma a las profesiones y se habían hecho imprescindibles para la industria como gestores, abogados e investigadores. Ahora sus hijos se enfrentaban a un mundo en el que todo parecía estar completamente mecanizado, racionalizado y organizado. La investigación se había burocratizado durante la guerra; la medicina se organizaba cada vez más en grandes hospitales; las universidades se parecían cada vez más a empresas; y las empresas empezaban a ser como naciones de mediana dimensión, con amplios y complicados sistemas de gobierno interno. William H. Whyte escribió que la burocratización del mundo laboral exigía un tipo de hombre nuevo, el «hombre de organización»:

> Los hermanos de sangre del titulado en empresa que entra a trabajar en Du Pont son el alumno del seminario que termina en la jerarquía eclesiástica, el médico que se une a la clínica privada, el físico que está en un laboratorio del gobierno, el intelectual que se dedica al proyecto patrocinado por una fundación, el ingeniero que trabaja en la sala de proyectos de Lockheed, el joven aprendiz en un despacho de abogados de Wall Street [52].

La descripción clásica del cambio en la virilidad norteamericana fue el libro publicado por David Riesman en 1950, *The Lonely Crowd* [La multitud solitaria]. Los primeros americanos, a su juicio, habían vivido «gobernados por un empuje interno», habían sido luchadores movidos por la ambición y espoleados por la ética protestante del trabajo. Pero «... la "psicología de la escasez" de muchas personas gobernadas por sus intereses, que resultaba socialmente conveniente durante el período de grandes acumulaciones de capitales... necesita dar paso a una "psicología de la abundancia" que permita un consumo "despilfarrador" de ocio y de excedentes de producción» [53]. Los nuevos hombres del capitalismo posterior a la acumulación, «dirigidos por los demás», eran consumidores relajados y trabajadores adaptables a la burocracia. No les movía ningún impulso interior, en su subconsciente no acechaban obsesiones de ningún tipo; sólo querían «salir adelante» en el trabajo y emplear sus ganancias en una vida propia de bienestar suburbano.

El declive de las ambiciones individuales registrado por Whyte y Riesman no tuvo lugar sin lamentaciones. En gran medida, la aparición del orden burocrático parecía ser un ataque a la misma virilidad. Tanto liberales como conservadores examinaron al hombre norteamericano con disgusto. Lo encontraban «absurdo» y «alienado». Era el hombre del traje gris, una pieza de la maquinaria, y lo peor de todo era que ellos eran, o estaban empezando a ser, *ese* hombre. Pero la empresa era tan cómoda, tan segura, tan tranquilizadora, que, según el novelista Alan Harrington, uno se iba tragando gradualmente su desagrado y

> acostumbra a ir en pos de la utopía. Pronto otra inhibición puede hacernos aún más adaptables. Si alguien ha vivido durante una serie de años en una situación fácil, se siente en baja forma. Incluso en los jóvenes, el duro músculo de la ambición tiende a aflojarse, y tienen dudas sobre aventurarse de nuevo en la jungla... Parece que, cuando se elimina el miedo de la vida de un hombre, se elimina también su empuje [54] *.

Para los hombres que no tenían nada que temer, salvo la pérdida de su «empuje», el hogar ofrecía la única posibilidad de redención masculina. El mundo del trabajo «colectivizado» no ofrecía ya ninguna sensación de virilidad; quizá la vida privada, convenientemente aderezada de herramientas, manualidades y reparaciones caseras, pudiera arreglar las cosas. ¿No era el hogar de un hombre su castillo, el único lugar en el que podía tener garantizado un sentimiento de individualidad, autonomía y dominio? Pero, por desgracia para todos, alguien se le había adelantado: la mujer americana.

El ama de casa norteamericana, como advirtieron a su regreso muchos soldados, no era ninguna *geisha* ni una *coquette* francesa. Era una ajetreada madre, ama de casa y gestora de la economía familiar. En el pequeño espacio del hogar, su cacareado poder económico tenía un significado real. El deber del esposo era ganar dinero, pero gastarlo era tarea de *ella.* Y, en una sociedad de consumo centrada en la vida privada, esa labor parecía cada vez más importante. Desde el punto de vista del hogar, todo lo que interesaba acerca del trabajo masculino era el tamaño del cheque que obtenía, tamaño que el ama de casa iba a confrontar con todos los deseos, necesidades y expec-

* Como es natural, las mujeres nunca habían tenido el duro músculo capaz de ablandarse. Había que envidiarlas o dejarlas de lado, puesto que escapaban con tanta facilidad a la transformación burocrática del mundo laboral. Por ejemplo, en *Growing up Absurd*, Paul Goodman se dirigía a los «jóvenes y chicos» «... porque los problemas que deseo tratar... atañen fundamentalmente, en nuestra sociedad, a los chicos: cómo ser útil y llegar a algo. Un chica no tiene que «llegar a algo», nadie lo espera de ella. No necesita una profesión que la justifique, ya que se dedicará a tener hijos...» [55]. Riesman también ignoró a las mujeres. Advirtió que el paso de la personalidad egoísta a la altruista era más patente en los hombres que en las mujeres, pero, sin preocuparse por buscar los motivos de la diferencia, dedujo que «el cambio caracteriológico en Occidente parece tener lugar antes en los hombres».

tativas de la familia. ¿El marido llevaba 78 dólares semanales a casa? Entonces podía haber niñera para la noche del sábado pero no viaje de vacaciones. ¿Llevaba 200 dólares? Podría haber campamento de verano para los niños pero ningún mueble nuevo hasta el año siguiente. Mientras ella hiciese las compras y los presupuestos, la decisión seguiría siendo suya. Después de todo, la ideología del romanticismo sexual había insistido durante décadas en que la vida privada era «la esfera femenina». Ahora los hombres estaban furiosos de ver que las mujeres dominaban el hogar y que no había ningún sitio al que poder enviarlas.

La cultura de masas empezó a obsesionarse por la decadencia del macho americano. En las tiras cómicas, el varón solía ser mucho más pequeño que su mujer, que normalmente entraba en escena llena de rulos y blandiendo un rodillo sobre su marido acobardado. La televisión explotó ese sentido disminuido de la virilidad del hombre americano para obtener todas las risas —o emociones— posibles. El papá domesticado, que resultaba cómico, sobre todo, cuando intentaba ser masculino y emprendedor, era el blanco de todas las comedias de situación. Danny Thomas, Ozzie Nelson, Robert Young y (aunque no hacía un personaje de padre) Jackie Gleason, en «The Honeymooners», resultaban divertidos como caricaturas de los patriarcas, pioneros y aventureros que en otro tiempo habían definido la virilidad norteamericana. Mientras tanto, las películas del Oeste ofrecían el escape hacia un mundo en el que los hombres eran hombres y las mujeres estaban ausentes. En literatura, Norman Mailer glorificó la masculinidad suprimida de América como principio subversivo que podía derribar «el sistema» y a la mujer dominante. (Dos de las más memorables novelas sobre dominación femenina y revuelta masculina se escribieron en los años sesenta; *Portnoy's Complaint* [1969] y *One Flew Over the Cuckoo's Nest* [1962] *).

La ciencia psicomédica se apresuró a ratificar la idea de que las mujeres dominaban al varón norteamericano. Con su habitual precisión anatómica, los expertos anunciaron que las mujeres america-

---

* Roth, Ph., *El lamento de Portnoy*, Versión española: Barcelona, Bruguera, 1980. Kesey, K., *Alguien voló sobre el nido del cuco*, Versión española: Barcelona, Planeta, 1984. *(N. de la T.)*

nas estaban verdaderamente *castrando* a los hombres. «La "Guerra de los sexos" es una realidad —escribían Farnham y Lundberg— y uno de sus resultados ha sido una amplia castración psicológica del varón» [56]. Naturalmente, el combate que más preocupaba a los expertos en educación infantil era la lucha desigual entre la madre —ahora conocida en el mundo de la ciencia y para el misógino de la calle como «mamá»— y su hijo pequeño. La ciencia había llegado ya a la conclusión de que la relación entre madre e hijo estaba llena de peligros mortales para el niño. Con arreglo a la misoginia de mitad de siglo, quedó claro que lo que estaba en juego, en el caso de los hijos varones, no era sólo su vida y su cordura, sino algo mucho más precioso: su virilidad.

El obligatorio complejo de Edipo

A mediados de siglo, los expertos reconocieron lúgubremente que, pese a su vigilancia constante, la madre norteamericana no conseguía cumplir su tarea. Sólo quedaba una persona en la que confiar, que era el padre, largamente olvidado. Los artículos de orientación familiar en los medios de comunicación empezaron a tener títulos como «Lo que todo padre debe saber», «Dejad que se haga cargo papá» o «Los hombres son madres estupendas». Pero, como dejaban bien claro los expertos, no se llamaba al padre a casa sólo para que «echase una mano». Se le necesitaba para que *protegiese a sus hijos*, especialmente a los varones. Levy, el descubridor de la «superprotección», creía que los pacientes superprotegidos tenían que «luchar» para liberarse de su madre. «Cuando el padre entró en escena —observaba en uno de sus estudios—, el paciente ganó un aliado para la batalla» [57]. Al volver a tener un papel activo en el hogar, el hombre podía defender a sus hijos y, al mismo tiempo, recuperar su propia masculinidad en peligro.

En el período de postguerra, los expertos delinearon dos funciones esenciales para papá en el hogar. Una hacía referencia al sexo: Sólo el sexo podía desahogar las perniciosas energías que, si no, mamá dirigía hacia sus niños, y, por supuesto, sólo papá podía proporcionar sexo. La otra función se refería a las diferencias entre sexos: si se dejaba que mamá campara por sus respetos, mamá produciría varones desvirilizados y mujeres iguales a ella. Según la teoría de los expertos, sólo papá podía reparar el daño y orientar a los chicos hacia lo masculino y a las chicas hacia la verdadera feminidad. Era un golpe de efecto acudir a papá para que realizara esa labor. No sólo se salvarían los niños, o al menos así lo esperaban los expertos, sino que al fin se encontraría alguna tarea para el pobre papá, un trabajo que no era manual, como trastear con las herramientas, ni un trabajo de mujer, como secar los platos, sino que era la quintaesencia de la virilidad. «Ser un verdadero padre no es de "mariquitas"», escribió un psiquiatra en *Parents' Magazine* en 1947. «No es un pasatiempo, una afición que haya que cultivar en el tiempo libre. Es un trabajo. Y, tanto para el padre como para sus hijos, es el trabajo más importante en y para el mundo» [58].

Levy había sido uno de los primeros en proponer la hipótesis de que el sexo podía ser necesario, además de para concebir hijos, para educarlos con éxito. Su argumento era que la mujer podía resguardarse a sí misma y a sus niños de la superprotección sumergiéndose en la feminidad heterosexual:

> Una esposa dedicada a su marido no puede ser exclusivamente madre. Y, lo que es fundamental, la liberación de la libido a través de una relación sexual satisfactoria desvía una energía que, en caso contrario, se orienta en otras direcciones; en el caso de nuestro grupo, en el ejercicio de la maternidad. El hijo tiene que aguantar el peso de la vida amorosa insatisfecha de su madre. Se podría deducir, en teoría, que la mujer sexualmente satisfecha no se hace excesivamente superprotectora [59].

A partir de la hipótesis de Levy en 1943, la idea maduró hasta esta confiada afirmación de un libro sobre cuidados infantiles de 1959:

> La madre verdaderamente femenina, satisfecha en su matrimonio con un padre verdaderamente masculino, no superprotege, domina ni malcría a sus hijos. Los deja sensatamente solos. Sabe exactamente qué necesidad tienen de comida, cobijo o vestidos, porque espera a que se lo digan... [60].

La conclusión era que el deber del marido *como padre* era mantener a su esposa sexualmente satisfecha:

> El hombre que es buen amante de su esposa es el mejor amigo de sus hijos... El cuidado de los hijos es un juego para la mujer que es feliz. Y sólo un hombre puede hacer feliz a una mujer. En su sentido más profundo, el primer deber de un padre hacia sus hijos es hacer que su madre se sienta completa como mujer [61].

Se había descubierto que las buenas relaciones sexuales eran el antídoto de la mala maternidad. Eran la cura del mamaísmo y la superprotección, del rechazo al papel femenino y el menosprecio del padre. Además, sugerían con sutileza los expertos, podía servir de prevención contra la posible homosexualidad masculina en el futuro. «Ese chico unido a su madre, tan poco creativo en el trabajo y en el amor, es una víctima de las malas relaciones conyugales de su madre» [62].

Entre los años treinta y cincuenta los sexólogos produjeron una serie de manuales de orientación matrimonial, dirigidos esencialmente a los maridos, que les alertaban sobre la necesidad de que su esposa estuviera satisfecha y les instruían (aunque fuese erróneamente) sobre las técnicas para conseguirlo. Mientras el esposo leía este manual, la esposa leía el libro sobre cuidados infantiles, y ambos recibían el mismo mensaje. El sexo conyugal no sólo era permisible, sino obligatorio. El sexo cumplía una función terapéutica para toda la familia. «Tu felicidad sexual es la seguridad emocional de tus hijos», proclamaba el título de un capítulo en la guía para padres antes mencionada, para declarar: «Unos amantes felices podrán ser unos padres verdaderamente eficaces... *¡Si no os amáis el uno al otro, no podéis amar realmente a vuestros hijos!»* [63].

Por un lado, relacionar el sexo con la paternidad fue un tremendo avance para las mujeres. Recordemos la negación decimonónica (y el temor) de la sexualidad femenina. Ahora los expertos la reconocían e incluso le daban la bienvenida al insistir en que el marido tenía el *deber* de satisfacerla. Pero había también indicios amenazadores para las mujeres dentro de esta nueva insistencia en las alegrías del matrimonio. La mujer no podía «descuidarse» en el arreglo ni en el vestido, o dejaría de ser «femenina». Al parecer, este argumento era válido hasta para el momento del parto. En la novela *The Group* de Mary McCarthy, Priss Crockett acaba de dar a luz a su hijo Stephen:

> Llevaba una mañanita de color azul claro, y su fino pelo de color ceniza caía en ondas; la enfermera en prácticas se lo había peinado por la mañana. Sus labios resecos estaban pintados de un color nuevo de Tussy; su médico le había ordenado que se los pintara y se diera polvos en pleno parto; tanto él como Sloan [su esposo, el doctor Sloan Crockett, pediatra] pensaban que era importante que la nueva madre se mantuviera en forma... Habría estado más cómoda con el camisón corto de algodón del hospital, que se ataba a la espalda, pero las enfermeras de su piso le hacían ponerse todas las mañanas un camisón de satén y encaje de su ajuar. Ordenes del doctor, aseguraban [64].

La mujer que no se esforzaba por ser atractiva y femenina en todo momento podía perjudicar a sus hijos pero, sobre todo, perder a su marido. «A menudo se olvida a los maridos —escribió Goodman, experto en educación infantil—. Algunos se sienten incómodos por ello, aunque no lo digan. Algunos empiezan a vagar, y eso nunca es bueno. Las esposas inteligentes cuidan de que eso no suceda» [65]. En realidad, el tipo de sexo recomendado en la época se centraba, de forma casi exclusiva, en el marido: penetración vaginal, con escasa atención al clítoris. (Las teorías freudianas etiquetaron la sexualidad clitoridiana de «inmadura», como veremos en el próximo capítulo.) La «esposa inteligente» no tenía más que fingir que le gustaba. «Resulta adecuado recomendar a las mujeres lo ventajoso de la *simulación inocente* de un interés por el sexo —aconsejaba un libro de ginecología de 1952 a los médicos— y, en realidad, muchas mujeres han aprendido, en su deseo de complacer a sus esposos, las ventajas de un fingimiento tan inocuo» [66]. [Enfasis añadido.]

Lo que se suponía que salvaba a los niños no era el sexo en sí mismo, sino los esfuerzos de la mujer por ser sexualmente atractiva para su marido. De ese modo, la combinación de sexo y paternidad sentó las bases de una nueva «economía energética» para la familia americana: la mujer tendría que trabajar duro para mantenerse atractiva y así sujetar al marido en casa. Este, a su vez, lucharía para hacer que su mujer se sintiese más femenina, con el fin de que pudiera relacionarse con los hijos en actitud serena y permisiva. Como resultado, la energía femenina que podía haber destruido a los niños se desviaría hacia los coqueteos conyugales y todos serían felices. En los años cincuenta se celebró este estado de cosas como «unión familiar».

Tener relaciones sexuales con mamá no era más que el primer paso de la nueva labor de papá, consistente en impedir que ella echara a perder a los niños. Su segunda función importante era emplear mano firme para guiarlos a ellos hacia sus apropiadas identificaciones sexuales, la virilidad para los chicos y la feminidad para las chicas. Su función como compañero sexual, desde luego, contribuía a ello, al desviar energías maternas que habrían podido dedicarse a la superprotección —es decir, la castración— de los hijos varones. Pero, para que la familia volviera a producir «verdaderos hombres» y «verdaderas mujeres», hacía falta un poco más de puesta a punto. En los años cuarenta y cincuenta los sociólogos, psicólogos y expertos en educación infantil llegaron a obsesionarse por el problema de la «socialización» de los niños para que asumieran su correspondiente «género» o «papel sexual».

Las generaciones anteriores no se habían preocupado ni en distinguir «sexo» de «género», dado que estaban seguras de que las conductas de la gente terminaban por encajar en sus órganos genitales. «Los chicos siempre serán chicos», decía el viejo adagio, como si la virilidad fuera un potencial genético que se desarrollara sencillamente con el tiempo. (Si existía algún problema, era en las chicas, cuyo cerebro, recordemos, podía anular la influencia del útero y los ovarios.) Pero, desde el centro de la crisis masculina de mitad de siglo, las cosas no parecían tan sencillas. Toda esperanza que pudiera quedar de predestinación biológica quedó destruida por las noticias de los antropólogos sobre culturas en las que las mujeres hacían cosas «masculinas», como dedicarse al comercio, y los hombres hacían las cosas «femeninas», como cuidar a los niños. Mientras que los psicoanalistas anticuados se aferraban al «instinto maternal» y a otros impulsos sexuales innatos, los psicólogos sociales, sociólogos y psicólogos de la conducta asumieron la postura, menos biológica, de que la identificación sexual no era natural, sino que debía ser aprendida. Se nacía con un sexo, pero no con un género. En la nueva terminología acuñada entre la psicología y la sociología, la conducta adecuada al sexo no era algo incorporado a los genes, ni grabado en las neuronas por medio de efluvios hormonales; era un «papel», como el desempeñado en una obra de teatro escolar.

Pero los científicos estaban de acuerdo en que los papeles sexuales no eran algo que se pudiera aprender con tanta facilidad como las declinaciones latinas o los nombres de los presidentes. Los papeles sexuales, obviamente, se situaban a más profundidad, se convertían en parte permanente del yo. Desde luego, no bastaba el mero conocimiento *sobre* los papeles sexuales, como advertía preocupado un experto:

> Hay numerosos individuos que conocen las normas relativas a su papel sexual pero prefieren comportarse de manera opuesta. Por ejemplo, un chico puede ser consciente de que es un varón y conocer los juguetes estereotipados para su sexo y, sin embargo, preferir jugar con juguetes de chicas [67].

Es decir, que los expertos estaban de acuerdo en que los papeles sexuales debían ser inculcados. Los libros de orientación pedagógica comenzaron a prestar cada vez más atención a preparar a los padres para que consiguieran que sus hijos asumieran los papeles sexuales apropiados. El primer paso, por supuesto, era que los padres dominaran estrechamente sus propios papeles sexuales, con el fin de suministrar «modelos» para sus hijos. «¡Vive tu sexo!», exhorta el título de un capítulo en el libro de 1959 sobre educación mencionado anteriormente. «¿Qué padres son los mejores para los hijos? —pregunta el autor a sus lectores—. Los hombres viriles y las mujeres femeninas. Proporcionan un hogar armonioso y una sólida herencia» [68]. Lundberg y Farnham aseguraban que las niñas tenían pocos problemas mientras la madre estuviera en casa y ejerciera funciones femeninas:

> ... la niña depende sobre todo del dominio que la madre ejerza sobre su propia feminidad... Si la niña posee la fortuna de tener una madre que encuentra completa satisfacción, sin conflictos ni ansiedades, en vivir su papel de esposa y madre, es poco probable que tenga que sufrir serias dificultades [69].

El caso de los chicos era un problema ligeramente más complejo, ya que el papel sexual tradicional del varón incluía el no estar presente en el hogar, al menos no lo suficiente como para poder servir de modelo. Los expertos estaban de acuerdo en que los padres tenían que estar allí ocasionalmente para cumplir su función en la fabricación de papeles sexuales. Pero más importante que el tiempo que pasara el padre en casa era que se atuviera estrictamente al papel masculino mientras estuviese presente: «La imitación del padre sólo fomentará el desarrollo viril del chico si el padre muestra una conducta masculina en presencia de su hijo» [70]. [!] Tenía que pasar cierto *tiempo* con sus hijos para estar seguro, pero no implicarse en los asuntos domésticos lo bastante como para disminuir el valor de su presencia confundiendo a los niños acerca de su papel sexual:

> Un factor crucial en el desarrollo viril del niño en presencia del padre es el grado de exhibición de conducta masculina por parte de este último... los adolescentes cuyos intereses masculinos son escasos suelen proceder de hogares en los que el padre cumplía una función tradicional femenina. Los padres de esos chicos se encargaban de actividades tales como cocinar, las tareas domésticas... [71].

En la práctica, el problema de qué tipo de conducta masculina debía «mostrar» o «exhibir» el padre (como el plumaje de un ave macho) quedaba resuelto por los deportes. El mundo deportivo se convirtió en una especie de drama secundario masculino dentro de la amplia representación de papeles familiares, el único escenario en el que los padres podían transmitir los antiguos valores viriles de la competitividad, la solidaridad masculina y el valor físico. Además, al contrario que el trabajo o las obligaciones religiosas, o que los deberes de ciudadano (todos ellos, aspectos de una experiencia masculina anterior), los deportes atraían a los chicos educados en la permisividad, formados para disfrutar. El nuevo ideal de paternidad entre los varones no era el de patriarca, sino el de «compañero». «La aparición del padre como diablillo divertido —observó Jules Henry al hablar de la vida en los años cincuenta— es una revolución de nuestra época» [72].

Pero ambos progenitores tenían que hacer algo más que ofrecer modelos para los papeles sexuales. Tenían que orientar activamente a los hijos hacia sus papeles adecuados, y en esta tarea el padre resultó ser muy superior a la madre, pese al tiempo relativamente escaso que pasaba con los niños. Según Talcott Parsons, «decano» de la sociología norteamericana y autor de la mayor parte de la teoría original sobre los papeles sexuales, los padres (y los hombres, en general) tenían unos papeles «instrumentales» en la sociedad, es decir, cumplían funciones técnicas, ejecutivas y judiciales. Las madres eran «expresivas», emotivas, afectuosas, ofrecían su apoyo. Los padres, al ser «instrumentales» y tener un dominio racional de sí mismos, eran capaces de actuar de *modos distintos* con sus hijos e hijas, siguiendo pautas que condicionaran respectivamente su virilidad y su feminidad. Como afirmaba la teoría de Parsons, explicada por un psicólogo:

> ... la madre tiene una relación fundamentalmente expresiva tanto con niños como con niñas; por el contrario, el padre premia de diferente forma a sus hijos varones o hembras, ya que estimula una conducta instrumental en el chico y expresiva en la chica. El padre debe ser el principal transmisor de las concepciones culturales sobre la masculinidad y la feminidad [73].

Por tanto, un padre instrumental capacitado podía compensar incluso la dañina influencia de una madre nada femenina.

La terminología sociológica —«transmisor», «instrumental»— hacía que la imposición del género pareciese más un problema de ingeniería que una cuestión de desarrollo de la psique humana. Pero existía un nivel emocional, más profundo, como admitían los sociólogos, aunque también se podía llegar a entender y manipular. Talcott Parsons explicaba que las personas asumían sus papeles para satisfacer sus «necesidades de relación» profundas. Por ejemplo, una niña pequeña tiene la necesidad de ser amada: aprende que, si asume el papel sexual femenino, lo será, y que no la amarán si adopta el papel de un hombre. El propósito de la familia como pequeño sistema social, en el lenguaje de Parsons, era ajustar las opciones sociales de la niña a sus necesidades de relación de modo que se obtuvieran los resultados apropiados en cuanto a los papeles. En palabras más sencillas, los padres podían introducir cierto encanto heterosexual para influir en el desarrollo infantil de los papeles. Spock escribió: «Pienso en las pequeñas cosas que puede hacer él [el padre], como alabarle el vestido, o el peinado, o las galletas que acaba de hacer» [74].

Estos pequeños coqueteos intersexuales e intergeneracionales, que eran tan importantes para la socialización de los papeles sexuales, no podían darse nunca en una guardería ni escuela correctamente dirigida. Sólo la familia podía ofrecer el apropiado nido edípico para incubar las identidades sexuales de los niños. Parsons y sus seguidores en materia de educación infantil no sólo aceptaron los complejos de Edipo y Electra, sino que prácticamente insistieron en que las familias los fomentaran en sus hijos. Los niños no se harían hombres si no se enamoraban de sus madres y después pasaban gradualmente a aliarse con el padre; las niñas no se harían mujeres si no competían con sus madres por el afecto heterosexual del padre, etc.

En esta mezcla de ideas psicoanalíticas con la teoría sociológica de los papeles, ocurrió algo curioso con el complejo de Edipo. Freud lo había concebido como una crisis psíquica, tan profundamente perturbadora, que su recuerdo sólo podía desenterrarse mediante el psicoanálisis, tras atravesar capas de resistencia y negación. En la teoría de Freud, el niño pequeño configuraba automáticamente, desde el principio, un apego erótico a su madre. Pero de esta fantasía incestuosa le despertaba con brusquedad la poderosa figura del padre, quien (en el subconsciente del niño) amenazaba con la castración si intentaba llevar a cabo sus deseos. Como resultado de este análisis traumático, el niño abandonaba su propósito subversivo de acostarse con su madre y seguía en su conducta la pauta marcada por el padre, que era, al fin y al cabo, la figura más poderosa de su entorno. Las niñas sufrían un «complejo de Electra» vagamente paralelo pero menos intenso, en el que aprendían que no podían *llegar a ser* el padre y que tendrían que contentarse con su amor. Pero, ahora que el complejo de Edipo y su equivalente femenino, el complejo de Electra, se consideraban etapas corrientes de la «socialización de los papeles sexuales», el drama perdía su carácter trágico y, por supuesto, su carácter de conmoción. Parsons y sus seguidores consiguieron transformar la tormenta épica de Freud en una ordenada serie de necesidades funcionales.

Los padres tendrían que dirigir suavemente al niño a través de las fases del complejo. Los niños que tardaran en querer matar al progenitor del mismo sexo y casarse con el del sexo opuesto necesitarían una ayuda. Los libros sobre cuestiones infantiles se apresuraron a plasmar el argumento y los personajes de la obra, con sugerencias de diálogos y pies de entrada y salida. He aquí unas típicas instrucciones del doctor Spock:

> Creemos que la atracción del niño por su madre en el período de los tres a los seis años es vital para establecer un modelo romántico ideal en su vida futura de adulto... [Pero en] la familia corriente, se le impide pensar que la puede tener toda para él a través de tres factores interrelacionados: el miedo a su padre, la comprensión de que el amor romántico de su madre pertenece al marido y el sutil rechazo de ella a que el niño sienta excesivo apego hacia ella en un sentido físico [75].

La nueva formulación del complejo de Edipo como proceso higiénico en la familia avanzó paralelamente a las nuevas realidades de la hombría norteamericana. Papá, el «hombre organizado» y «divertido diablillo» doméstico, no podía ser un modelo de dominación (si lo hubiera sido, los expertos no habrían creído necesario, para empezar, legislar sobre el complejo de Edipo). Seguía teniendo un papel protagonista en el drama, pero no habría resultado apropiado en el de patriarca vengador. En la nueva teoría psicológica sobre educación infantil, papá era sencillamente un dotado diseñador doméstico de papeles sexuales, que hacía su trabajo. Y este trabajo consistía en engatusar a su hija para que se identificase con el papel sexual femenino y en rescatar a su hijo de la esclavitud erótica de la madre, no con la amenaza de la castración (como figuraba en el guión original), sino tal vez con una entrada para el partido de los Yankees.

A mediados de los cincuenta la teoría pedagógica dependía de tal forma del padre que los expertos no podían contemplar su ausencia sin alarma y confusión. En el hogar privado de padre, todo el peso dramático del cumplimiento de papeles sexuales en la familia recaería sobre la mujer. Pero no por eso tendría ella que asumir una función masculina e instrumental en la educación de sus hijos, ni mucho menos, sino que la ausencia del padre exigiría que se aferrase aún más a su papel femenino: «... incluso en ausencia del padre, una madre adecuadamente identificada reaccionará ante el chico "como si" él fuese un varón *[sic]* y esperará que él la trate como un varón trata a una mujer» [76]. El doctor Spock sugirió, incluso, que el desamparo que la madre sola sentía ante el deber de criar a sus hijos podía emplearse para bien, ya que, para una mujer, reconocer su incapacidad era ser más plenamente mujer:

> ... A mí me parece una buena señal que una madre confiese que, para ella, los chicos son más misteriosos que las chicas, en ciertos aspectos; significa que se siente muy mujer y que respeta al sexo masculino como algo diferente... Cuando una madre es capaz de admitir que no es más que una mujer, la caballerosidad de su hijo se ve estimulada, tanto si tiene cuatro años como si tiene dieciséis [77].

Pero a la madre sola no le bastaba con ser ultrafemenina para compensar su situación antinatural. Tenía además la dramática responsabilidad de crear un padre *mítico* que presidiera la familia. Al margen de lo que hubiera sido el padre real, esa figura espiritual del padre tenía que dar una imagen firme y positiva de la virilidad a sus hijos. Spock estaba tan convencido de ello que incluso defendió la necesidad de mentir a los niños, lo que era raro en él. A la mujer que había tenido dificultades para construir una historia positiva sobre el padre que se había ido o que quizá no se había quedado ni a presenciar el nacimiento del niño (esto ocurría mucho antes de que se legalizara el aborto), Spock le proponía el siguiente discurso:

> Tu papá y yo nos queríamos mucho y nos casamos. Queríamos tener un niñito para cuidarlo y amarlo. Entonces naciste tú y yo te quise mucho y tu papá te quiso mucho. Pero, después de un tiempo, tu papá y yo dejamos de llevarnos bien. Empezamos a discutir y a pelearnos, igual que Tommy y tú discutís y os peleáis... Por último, tu papá se entristeció tanto que pensó que era mejor marcharse. Pensó que se iba a sentir mejor y que yo me sentiría mejor si ya no teníamos discusiones. Pero le apenaba dejarte porque te quería mucho. Le gustaba abrazarte y jugar contigo. Estoy segura de que sigue pensando mucho en ti y de que le gustaría vivir contigo. Pero creo que tiene miedo de que, si vuelve para vernos, empiecen otra vez todas las discusiones y peleas [78].

Spock reconocía que «una madre que ha tenido que indignarse por la falta de cariño del padre hacia el hijo puede pensar que estas afirmaciones sobre lo que él quiere al niño son el colmo». Pero, si pensaba en que lo que estaba en juego era la hombría del pequeño, una buena madre estaría dispuesta a atenerse al guión.

El comunismo y la crisis del exceso de permisividad

El drama familiar de mitad de siglo, dirigido por el experto en educación infantil, fue una representación hecha exclusivamente en provecho del niño. Por él luchaba la madre para volver a una «expresividad» informe, se echaba atrás para que su amor no se convirtiera en unas arenas movedizas capaces de tragar a sus hijos. También por el niño se hacía disponible el padre como ejemplo casero de virilidad, siempre con la precaución de presentarlo, dentro del espíritu permisivo, como una nueve fuente de diversión. Y era por el niño por quien los progenitores trabajaban en sus respectivas tareas, se relajaban los fines de semana e incluso tenían relaciones sexuales cuando los niños estaban ya acostados. Sin embargo, el reinado del niño iba a tener corta vida. Ya a comienzos de los cincuenta, los expertos empezaron a observar al niño americano con frialdad y ojo crítico. Al acabar los sesenta, la alianza del experto y el niño iba a terminar en un clímax tan violento como el del verdadero drama de Edipo: los expertos volverían su furia patriarcal contra los mismos niños que habían cuidado y protegido.

Para entender lo que ocurrió, tenemos que remontarnos al mundo cerrado de la «habitación en ruinas» y sus envenenadas relaciones entre experto, madre e hijo. Mientras los norteamericanos habían pasado los años posteriores a la Segunda Guerra Mundial en una gran celebración de la vida privada, la geografía política del mundo estaba sufriendo una enorme reorganización. Polonia, Checoslovaquia, Hungría, Rumania y China «cayeron» en manos del comunismo en el plazo de unos años, a partir de 1945. Los niños norteamericanos que crecieron en los años cincuenta vivieron estos acontecimientos como una mancha roja que se extendía en los mapamundis del

Weekly Reader. Lo que tenía lugar detrás del «telón de acero» parecía demasiado horrible de ver (corrían historias sobre «purgas», «liquidaciones», «campos de trabajos forzados», etc.), pero, con la excepción de unos cuantos insólitos «espías» y «traidores» de propia cosecha, todo ocurría tranquilizadoramente lejos del corazón del mundo libre.

Sin embargo, a medida que avanzaban los años cincuenta, la amenaza comunista empezó a adquirir mayor dimensión en la mente del norteamericano medio. Por un lado, el comunismo que presentaba la prensa encarnaba todo aquello contra lo que estaban los norteamericanos: la religión había sido abolida; el «realismo socialista» bidimensional dominaba el arte; toda la vida se centraba en torno a la producción. Y, lo peor de todo, se había violado la santidad de la familia. Mujeres musculosas barrían las calles mientras sus hijos estaban a cargo del Estado.

En resumen, el *comunismo* se parecía, sobre todo, a la pesadilla racionalista que siempre había estado latente en el *capitalismo* industrial: un mundo sin amor, sin poesía, sin ilusión. Al describir la «mentalidad comunista» en su aterrador libro de 1958 *Masters of Deceit* [Maestros del engaño], J. Edgar Hoover usaba el mismo lenguaje que habría podido describir la mentalidad de un duro capitalista: «sistemático, resuelto y consciente...». La obra de Hoover definía el comunismo racionalista como una amenaza, más que contra el estado o la economía capitalista, contra «la felicidad de la comunidad, la seguridad de cada individuo y la permanencia de cada casa y cada hogar»[79].

El horror del comunismo como anti-utopía racionalista encontró su expresión en el desarrollo del género cinematográfico de la ciencia ficción. Durante la era de McCarthy, invadieron repetidamente la pantalla norteamericana hombres del espacio exterior que tenían una notable semejanza con la concepción popular sobre los pueblos del otro lado del telón de acero: humanoides fríos, determinados, sin emociones. En películas como *Invaders from Mars* [1953], *The Creeping Unknown* [1955], *Invasión of the Body Snatchers* [1956] y *The Invisible Invaders* [1959], extraterrestres empeñados en conquistar el mundo se infiltraban en coquetas comunidades y acogedores pueblos rurales. (El argumento secundario era el amor romántico que surgía entre la protagonista femenina y el joven y valiente científico. Con los extraterrestres vencidos, ambos eran libres de crear un hogar y comenzar una vida de familia típicamente norteamericana.)

Pero, al mismo tiempo, los expertos tuvieron que admitir que el comunismo ofrecía un modelo externo con el que se podía comparar a los niños y padres americanos y, en definitiva, los valores más sagrados de Norteamérica. Mientras la clase media de Estados Unidos se había relajado en la nueva economía de mercado, los soviéticos habían «alcanzado» a la industria americana, y eso que no se sabía lo que estaban haciendo los chinos. Cuando se despertaron por imperativos de la guerra fría, los norteamericanos empezaron a considerar la educación infantil como una «carrera» equiparable a la de armamentos o a la del espacio.

En sentido figurado, el niño norteamericano se encontró cara a cara con el comunismo por primera vez en Corea. Los expertos estuvieron de acuerdo, posteriormente, en que la confrontación coreana había supuesto una prueba crítica para todo el modo de vida americano; y éste fracasó estrepitosamente. Casi siete mil soldados norteamericanos fueron capturados por los ejércitos norcoreano y chino. Según todas las fuentes, reaccionaron con un alto nivel de desmoralización; nadie obedecía a los oficiales; los fuertes robaban a los débiles y enfermos; muchos de ellos, simplemente, se acurrucaron y murieron de lo que los psiquiatras denominaron después «abandonitis» [80]. Lo más alarmante de todo, para los analistas norteamericanos, fue que una proporción enorme, la séptima parte de los prisioneros, pareció sucumbir al «lavado de cerebro», es decir acabaron por coincidir con la absurda afirmación de sus captores (era antes de Vietnam) de que la guerra era producto del imperialismo y la agresividad de Estados Unidos. De este modo se despertaron las primeras sospechas de que se habían cometido errores en los ciudadanos infantiles. La juventud americana era demasiado blanda para soportar los rigores de la guerra y estaba demasiado confusa para distinguir entre comunismo y «libertad».

Para empeorar las cosas, dentro del país los jóvenes norteamericanos estaban convirtiéndose rápidamente en un acuciante problema social: a lo largo de los años cincuenta hubo repetidas explosiones de violencia por parte de las bandas juveniles. La delincuencia se centraba, sobre todo, entre los pobres de las ciudades, un grupo normalmente ignorado por los expertos en educación, pero parecía ser un «síntoma» que podía infectar con facilidad incluso «ambientes normales y saludables». El periodista y premio Pulitzer Harrison Salisbury sugirió una conexión entre la delincuencia juvenil dentro del país y el comunismo en el extranjero:

> El problema adolescente y el problema ruso; sospechaba que había una relación más estrecha entre las grandes cuestiones de nuestro tiempo de lo que muchos imaginaban. Incluso podrían considerarse como las dos caras de una misma moneda... [81].

La preocupación por los prisioneros de guerra en Corea y los delincuentes juveniles en casa hizo que los expertos en educación infantil se apresuraran a volver a los tableros de dibujo. Incluso el doctor Spock se preguntó: ¿Serán los jóvenes americanos unos malcriados e indisciplinados? Spock empezó a revisar la permisividad y decidió que las madres norteamericanas se habían dejado arrastrar por sus primeros consejos; eran culpables de «exceso de permisividad»:

> El exceso de permisividad parece ser *mucho* más común en Norteamérica que en cualquier otro país... He hablado con docenas de profesionales de otros países que visitan Estados Unidos por primera vez y a quienes les cuesta ocultar su sorpresa e irritación ante la conducta que han podido observar aquí en ciertos niños [82].

Como contraste, había educadores profesionales norteamericanos que estaban volviendo de sus primeras visitas a escuelas y guarderías soviéticas con informes entusiasmados sobre aquellos niños; el doctor Spock menciona el informe del doctor Milton Senn, profesor de pediatría y psiquiatría infantil en Yale, que, «pese a ser un científico poco dado a fáciles entusiasmos», se sintió obligado a relatar:

> Son alegres, dóciles, despreocupados y amigables... Juegan juntos en notable armonía, incluso cuando hay gran diferencia de edades. Nunca parecen quejarse; sólo lloran cuando se hacen daño, y aun entonces dura poco. Son cálidos, espontáneos, educados y generosos... [83].

La evidente supremacía de los comunistas en la carrera de la educación infantil inspiró al doctor Spock y otros conocidos educadores y psicólogos la organización de un proyecto especial de educación de padres para la Guerra Fría, Paternidad en una Nación Libre, cuyos fondos procedían, según sus escritos, «de la donación de una fundación que reconocía la importancia estratégica de los padres para el mantenimiento de un mundo libre» [84]. En sus cientos de grupos de estudio, los educadores del proyecto Paternidad en una Nación Libre subrayaron «la importancia de establecer límites adecuados para la fase de desarrollo infantil y para las realidades de la situación ambiental». Los «límites» se convirtieron en la nueva contraseña de la jerga de los expertos: el niño no podía hacer *todo lo que quisiera*; tenía que ceder algo de poder, algo de libertad, en interés del Mundo Libre. Igual que tenía que haber «contención» en el extranjero, habría «límites» en casa.

Pero los expertos se dieron cuenta de que ni siquiera los «límites» bastaban. Del mismo modo que los propagandistas de la Guerra Fría entendían que, junto a tanques y misiles, hacía falta «una cruzada contra el comunismo» [85], los expertos en pedagogía reconocían la necesidad de que ciertos «valores» positivos rigieran la educación del niño. Después de todo, los comunistas poseían valores firmes, como subrayaba exaltadamente J. Edgar Hoover en *Masters of Deceit*:

> No permanezcamos ciegos ante el hecho de que los comunistas poseen una «fe». Es cierto que está mal situada, pero sigue moviéndoles al sacrificio, la devoción y un idealismo prostituido.
>
> La difunta Madre Bloor, «heroína» del Partido [Comunista], alabó muchas veces «The Mystic Trumpeter» de Walt Whitman como su poema favorito.
> Parecía profetizar, según ella, la venida de un «mundo nuevo»:
>
> La guerra, la pena y el sufrimiento se han ido; la pestilente
> tierra, purgada; ¡no queda más que alegría!
> ¡El océano lleno de alegría! ¡La atmósfera,
> toda alegría!
> ¡Alegría! ¡Alegría! ¡En libertad, en el culto, en el amor!
> ¡Alegría en el éxtasis de la vida!
> ¡Basta con ser! ¡Basta con respirar!
> ¡Alegría! ¡Alegría! ¡Alegría por todas partes!

A Hoover le conmovía tanto este poema como a la Madre Bloor, aparentemente. Observaba con resentimiento:

> Intenta identificar el comunismo con el sueño de un mundo feliz. Se aprovecha de Walt Whitman. Pero sus sentimientos muestran el aliciente de la «fe» comunista. Si los comunistas pueden recibir tanta inspiración del error, la falsedad y el odio, imaginemos lo que podrían hacer con la verdad, la justicia y el amor. Me estremezco de pensar en las maravillas, aún mayores, que América podría crear a partir de su rica, gloriosa y profunda tradición. Todo lo que necesitamos es fe, *verdadera fe* [86].

Spock y otros expertos en educación tuvieron que reconocer que los rusos se inspiraban en sus valores y en que ello, sin duda, les daba su supremacía a la hora de educar a los hijos:

> ... la mayoría del pueblo ruso posee un fuerte sentimiento del fin común. Tiene la convicción de que está creando un sistema político y económico más noble de lo que nunca ha existido... Todos están orgullosos de cumplir cada uno, su función en tan importante esfuerzo [87].

¿Pero qué valores tenía América? En el enfoque libidinoso y absorto de la educación infantil no se había sugerido en ningún momento que los niños tuviesen que hacerse adultos ni, mucho menos, enfrentarse a un mundo habitado por hordas de «fanáticos» comunistas.

En realidad, existía una extendida sospecha de que los norteamericanos carecían por completo de valores. Los intelectuales padecían de un caso masivo de «alienación». Las amas de casa mostraban los primeros signos del aburrimiento que posteriormente se consideraría su típica enfermedad ocupacional. Los adolescentes empezaban a asumir su aspecto, ahora familiar, de anomia taciturna. Los héroes de la época, los héroes que había, se distinguieron precisamente por su ausencia de valores: James Dean en *Rebelde sin causa* y Marlon Brando en *Salvaje*, solitarios inarticulados y sin objetivo.

A lo largo de los años cincuenta, los expertos en educación infantil unieron sus fuerzas a las de educadores y funcionarios del gobierno en la búsqueda de unos cuantos valores verdaderamente americanos para que las madres pudiesen inculcarlos a sus hijos. Los resultados fueron desalentadores. En 1951, la National Education Association y la American Association of School Administrators terminaban un estudio con la conclusión de que «el valor moral y espiritual básico de la vida americana» era «la suprema importancia de la personalidad individual» [88]. Del mismo modo, una Comisión Presidencial de 1960 sobre los objetivos americanos anunció que «el objetivo fundamental de Estados Unidos... es mantener los derechos del individuo e incrementar sus oportunidades» [89].

Ahora bien, el «individualismo» puede ser una razón para luchar valientemente, pero también puede ser el motivo para pasarse al enemigo, traicionar a un amigo o aterrorizar a los ancianos en las calles. Además, no se puede decir que sea un valor que unifique. El doctor Spock observó con tristeza que la importancia del éxito individual en Norteamérica «no nos une, sino que nos hace competir unos contra otros». No era que los ideales americanos «no mereciesen la pena», escribió, «es que no sirven para unirnos e inspirarnos». En la era de los prisioneros de guerra renegados y los delincuentes juveniles, los expertos en educación infantil se enfrentaban incómodos al hecho de que América no poseía ningún «valor» trascendente, unificador: no podía poseerlos, porque la imposición de cualquier valor por encima del primero, el «individualismo», iría en su perjuicio y, por consiguiente, sería un paso hacia el totalitarismo.

El 4 de octubre de 1957 ocurrió algo que apartó las mentes de los expertos del dilema americano sobre los «valores» y les dio un desafío concreto en el que pensar. Los soviéticos lanzaron el Sputnik, el primer satélite orbital del mundo, y con él dieron un pelotazo en pleno ojo a los expertos norteamericanos en pedagogía, a los educadores y a los propagandistas de la guerra fría. Los psicólogos norteamericanos que habían visitado la Unión Soviética habían estado dispuestos a reconocer que los niños comunistas eran cooperativos y dóciles hasta un punto casi de fábula en comparación con el tipo «Daniel el travieso» que se consideraba normal en los niños norteamericanos. Pero se suponía que esa gentileza de los niños soviéticos se obtenía mediante un proceso de adoctrinamiento. Tenían que ser como robots, totalmente carentes de «individualidad». Al menos, así parecía hasta que el Sputnik planteó la posibilidad de que algunos de ellos fueran *más* creativos, audaces e imaginativos que sus colegas norteamericanos.

El Sputnik creó una «corriente nacional, casi instantánea, de pánico y alarma» [90]. La opinión pública conservadora —y en esa época, cualquier opinión que no fuera conservadora no era pública— se volvió en contra de los niños americanos con una malévola impaciencia. Un anuncio de interés público aparecido en *Newsweek* y *Reader's Digest* pocos meses después del lanzamiento del Sputnik advertía (con una imprudencia gramatical que parecía reforzar aún más el argumento):

> Johnny haría *mejor* en aprender a leer. No importa ya si quiere o le gusta o puede aprender a leer —y leer bien—, o que tal vez acabemos en un mundo en el que ya no se escriba en inglés... Nosotros, los americanos, no queremos mover el mundo. Pero tampoco queremos que lo haga otro. De modo que Johnny haría *mejor* en aprender a leer. Porque podéis estar seguros de que Ivan pasa mucho tiempo entre sus libros [91].

Tras el éxito de *Why Johnny Can't Read* [Por qué no sabe leer Johnny] en 1955, pronto siguió un amenazador *Why Ivan Can Read* [Por qué Ivan sabe leer]. «Ivan», que unos cuantos años antes no era más que un puntito insignificante en la parte roja del mapa, parecía haberse trasladado al aula, donde se sentaba con sus mejillas de manzana, atento, tan versado en logaritmos y vectores como «Johnny» lo estaba en promedios de bateo y programas de televisión. Con la aparición de Iván, los niños norteamericanos dejaron de ser considerados como el pasatiempo nacional y se convirtieron en un recurso militar de interés nacional, como quedó patente en la Ley de Educación para la *Defensa* Nacional de 1958.

Ante la amenaza militar soviética, los expertos descubrieron que el niño —al que se había mimado de todas las formas posibles durante las décadas de placer libidinoso— era, en realidad, un simulador. El doctor George Shuster, importante educador, lo planteó claramente:

> El hecho de que, a los 3 años, algunos niños puedieran considerar la lectura tan divertida como ensartar cuentas o dar saltos parecía insó-

lito a ojos de cierta escuela de pedagogía, hasta que la experiencia empezó a demostrar que era verdad. En otras palabras, hemos hecho perder a la nación un enorme tiempo [92].

Los expertos descubrieron, de la noche a la mañana, que no sólo los niños de dos años, sino los de diez meses, podían aprender a leer. El temor al Sputnik, unido a una mayor competencia para entrar en las facultades, creó una especie de histeria entre los padres en plena ascensión social. La permisividad que siguió existiendo en los aspectos físicos de la educación infantil contrastaba agudamente con el nuevo empuje intelectual de los años cincuenta y primeros sesenta: en 1960, el niño de tres años, ideal desde el punto de vista psicológico, podía seguir manchando sus pañales, bebiendo del biberón y aferrando un viejo juguete, pero debía ser capaz de recitar el alfabeto y mostrar los primeros indicios de aptitud para las nuevas matemáticas.

Las nuevas pautas de desarrollo juvenil dieron a la imagen de «mamá» el impulso que necesitaba. Los expertos empezaron a destacar que el C.I. del niño necesitaba un estímulo constante que fomentara su desarrollo; sin estímulo, los niños podían deslizarse hacia el aburrimiento, la apatía y, en definitiva, el retraso. Evidentemente, la madre norteamericana tenía que resurgir del fango de los instintos con el que la habían cubierto las anteriores generaciones de psicoanalistas. Con un afortunado fallo de la memoria, los expertos olvidaron las leyes de hierro que regían la socialización de los papeles sexuales y decretaron que la madre podía cumplir ahora una función instrumental en la educación infantil: su tarea consistía en mantener el aparato sensorial del niño en constante funcionamiento. Habían terminado los días en los que todo lo que la madre tenía que hacer era proporcionar un entorno tan acogedor como el útero, una especie de baño a temperatura constante que meciera al niño en un ambiente lleno de amor. Las madres que reaccionaron ante la alerta de la guerra fría tenían que mantener un entorno estimulante, ruidoso, colorido y en perpetua transformación. Había que colgar móviles sobre la cuna del recién nacido; hasta unas sábanas con dibujos servían para mantener viva la célula nerviosa del bebé. Para el niño de dos o tres años, el hogar tenía que estar lleno de juguetes; por ejemplo, los que se anunciaban como

> ... uno de los cientos de Juguetes Creativos que, según los psicólogos, pueden ayudar a añadir 20 puntos al C.I. de su niño antes de empezar la escuela. Es una verdadera bendición navideña para su hijo [93].

Para el niño de más edad, tendría que haber un conglomerado de enseñanzas y actividades extraescolares, suaves presiones a la hora de los deberes y un juego de química por Navidad.

Los expertos se encontraron, de pronto, alabando precisamente algunas de las características que habían denunciado en la mamá dominante: si se encauzaba debidamente hacia la fabricación de C.I., incluso la «envidia de pene» del ama de casa frustrada de clase media podía utilizarse en la carrera espacial. Mientras tanto, la madre negra, que tan «dotada» había parecido a Gesell en los días de la maternidad libidinosa, cayó en desgracia: ahora resultaba que esa madre negra no daba a sus hijos suficiente cantidad de «estímulos» correctos. De acuerdo con la lógica del proyecto Headstart (un programa de guarderías subvencionado con fondos federales), los niños pobres de raza negra necesitaban un año o más de estimulación correctora para compensar las «carencias culturales» que sufrían en casa.

Para entonces ya se estaba en los sesenta, la década en la que experto y niño se separarían definitivamente. La gran preocupación de los cincuenta y primeros sesenta había sido si los niños norteamericanos tendrían lo necesario para enfrentarse al enemigo. Corea demostró que la juventud americana era blanda; el Sputnik demostró que era estúpida. Al empezar la Nueva Frontera de Kennedy, el director del programa para el recién formado Cuerpo de Paz confesó que muchas figuras públicas, tanto en casa como en el extranjero, habían expresado sus dudas de que el joven norteamericano tuviera el empuje físico o la dedicación moral necesarios para llevar a cabo las misiones de ese Cuerpo [94]. El presidente Kennedy reveló que cinco de cada siete hombres llamados a filas tenían que ser rechazados por defectos físicos o mentales [95]. Claramente, la juventud americana no estaba preparada para enfrentarse al enemigo. En ese momento empezaron los movimientos de los sesenta y demostraron que la juventud *era* el enemigo.

Nadie que siguiese —como la mayoría de los expertos en educación infantil— «las movilizaciones» en televisión, desde la seguridad del despacho académico, vería los años de organización comunitaria, las discusiones sin fin, las campañas puerta por puerta, los miles de proyectos «alternativos» que dieron lugar a un movimiento radical de masas en el país. En su lugar, vieron lo que parecía una precipitada carrera hacia la insurrección violenta: el movimiento negro parecía saltar de los Derechos Civiles (algo que era bastante respetable en el Norte) a los disturbios de masas y las actividades disciplinadas y abiertamente procomunistas de los Panteras Negras. El movimiento antibelicista, que empezó a través de seminarios formales, alcanzó su clímax publicitario hacia el final de los sesenta, con bombas, quema de bancos y tomas de edificios. Después llegó el movimiento de soldados, que hizo que, en comparación, los renegados de Corea pareciesen casi patriotas. Los soldados estadounidenses se negaban a luchar, se enfrentaban a sus oficiales y ondeaban, orgullosos, la bandera enemiga en manifestaciones. Era como una «revolución estudiantil» y una «revolución sexual», todo junto. «Nosotros somos la gente contra la que nos previnieron nuestros padres», proclamaban los manifestantes. En la nerviosa imaginación burguesa y de mediana edad, el nacionalista negro, el activista antibélico, el *hippie*, el homosexual y la *fan* adolescente se mezclaban en una figura que amenazaba con el caos político y moral.

Si algo tenían en común todas las heterogéneas bandas del movimiento fue la *juventud*. Para quien no pudo o no quiso entender los problemas que provocaban ese movimiento, surgió la cómoda explicación del «abismo generacional». Y parecía lógico. El maduro dirigente negro Bayard Rustin no tenía en común con el Pantera Negra Huey Newton más de lo que, por ejemplo, el veterano liberal blanco Michael Harrington podía tener con el líder del SDS Mark Rudd. Más aún, la juventud estaba empezando a identificarse *como clase*, con sus propios intereses, su propia cultura y una capacidad única de cambiar el mundo.

La cuestión de la edad permitió a los expertos desechar con apuntes psicológicos lo que, en realidad, era una seria revuelta política.

Llamar al problema «abismo generacional» hacía que todo pareciera una discusión familiar, un inesperado estallido de Edipo. Los freudianos descubrieron que, cuando los jóvenes se manifestaban, estaban cometiendo un «parricidio (asesinato del padre) simbólico», y que no podía esperarse que se controlaran porque su «energía rectora procedía de orígenes inconscientes» [96]. Pero la explicación histórica concreta —por qué ocurrió el movimiento *cuando* ocurrió—, como era capaz de asegurar cualquier psicólogo de tres al cuarto, era que la educación infantil americana había sido demasiado permisiva en las dos décadas anteriores. (En realidad, «el movimiento» atrajo a tanta gente de orígenes autoritarios como de orígenes permisivos.) Durante la campaña de 1968, Spiro Agnew habló repetidamente contra la «permisividad» que encontraba en los hogares, las escuelas y la administración demócrata. Los activistas, a su juicio, eran «mocosos malcriados que nunca habían recibido un buen azote» [97]. En Spokane, cuando un joven interrumpió a Agnew con gritos de «belicista», Agnew adoptó un tono paternalista (mientras la policía golpeaba al impertinente hasta tumbarlo) para responder: «Es verdaderamente trágico pensar que, en alguna parte, alguien en la vida de ese joven le ha fallado» [98].

El dedo acusador se volvió inevitablemente hacia el venerable y anciano doctor Spock, el primero que había concedido el «permiso» de los pediatras a los niños del mundo. El *New York Times* resumió las críticas a Spock: «... convirtió a una generación de niños en desarrollo en pequeños tiranos exigentes. Y ahora el mundo está cosechando un torbellino, según dicen. Los pequeños monstruos han crecido hasta hacerse miembros marginales de la sociedad, descuidados, irresponsables, destructivos, anárquicos, adictos a las drogas y hedonistas» [99]. Los críticos llamaron a los jóvenes rebeldes la «generación de Spock», como si en la infancia hubieran padecido una enfermedad que los hubiera dejado desfigurados. Y, cuando los estudiantes de Columbia tomaron los principales edificios del campus para protestar contra la complicidad de la universidad en la guerra y su relación racista con la comunidad de Harlem, el vicerrector de la universidad, doctor David Truman, acusó de todo ello al anciano médico [100].

La propia conducta del doctor Spock en los sesenta no hizo sino confirmar las peores sospechas de los conservadores sobre la relación entre permisividad y subversión. Siempre había sido un humanista (aunque, como ya sabemos, no un feminista), y ya se vio la angustia que experimentó en los cincuenta por la falta de «valores» en Norteamérica. A comienzos de los sesenta había hecho campaña en favor del desarme. La guerra de Vietnam —con sus aldeas arrasadas, sus niños quemados por el napalm y sus mujeres encintas empaladas con bayonetas— fue demasiado para él. Con una agilidad inusual para nadie por encima de los treinta años, y mucho menos de los sesenta, saltó el abismo generacional y se unió a los rebeldes. Cuando el *New York Times* le preguntó si era cierto que su influencia había ayudado a crear la «rebelión juvenil», respondió con humildad: «Me sentiría orgulloso si el idealismo y el sentido militante de la juventud actual estuvieran causados por mi libro. Me encantaría. Pero creo que la influencia en ese sentido es muy escasa»[101]. Los jóvenes activistas acogieron al doctor Spock con agrado entre sus filas. Había sido su defensor en la infancia; ahora era uno de sus héroes. Su nombre, un reconfortante término de uso doméstico durante más de veinte años, aparecía ahora en los carteles de los manifestantes como SP☮CK.

Muy pocos expertos importantes en educación infantil siguieron los pasos del doctor Spock en su resistencia activa contra la guerra. Hubo una reacción inicial de pánico y confusión; los expertos empezaron a discutir en público sobre lo que habían hecho mal. Uno exoneraba a los padres y señalaba a los Guardias Rojos que se habían rebelado en China pese a que, al ser comunistas, no podían haber sido educados en la permisividad [102]. Otro sugería que el autoritarismo de los padres podía ser un problema tan serio como la permisividad [103]. Otro más eximía a los expertos al decir que las madres no habían leído atentamente los libros sobre consejos infantiles que se habían ido publicando a lo largo de los años; se habían limitado a adoptar lo que querían oír [104]. Los expertos rompieron filas. Se convirtió casi en una práctica literaria convencional prologar los libros sobre educación infantil con una desautorización de todas las teorías «expertas» anteriores.

Al final de los años sesenta, el talante de los expertos se endureció y pasó a ser una abierta hostilidad contra los chicos. Bruno Bettelheim, vieja cabeza rectora de la psiquiatría infantil establecida, dio la nueva nota de castigo. Su larga labor con niños perturbados, sus estudios sobre educación colectiva de niños en Israel, sus numerosas publicaciones académicas y profanas, le daban una categoría en la comunidad científica mucho mayor que la de divulgadores como Spock. En política siempre había sido un liberal, pero no simpatizaba con los nuevos activistas. Ante un subcomité sobre educación del Congreso aseguró que algunos de los estudiantes que protestaban «no habían madurado emocionalmente más allá de la etapa de las rabietas» [105]. Debido a que nunca habían experimentado un gobierno autoritario en sus propios hogares, ahora buscaban en Ho Chi Minh y Mao Tse Tung unos «padres fuertes». En su fanatismo, según declaró al Congreso, guardaban una siniestra semejanza con el joven Hitler. (No obstante, reconocía que el hecho de que los jóvenes nazis fueran racistas y los jóvenes norteamericanos estuvieran luchando contra el racismo podía ser «una diferencia importante».) Para encarrilar de nuevo a la juventud, los padres tenían que asumir la responsabilidad de implantar «controles internos» desde la primera infancia. Y con ello no se refería a un mero examen de lo que estaba bien o mal. La «quiebra» de la juventud moderna había desacreditado las opiniones liberales sobre la educación infantil. En abril de 1969, un año antes de los tiroteos de estudiantes en dos universidades, Kent State y Jackson State, Bettelheim declaraba que los niños tendrían que aprender a *tener miedo* [106].

La corriente en contra del niño de final de los sesenta se abrió paso rápidamente en la literatura pedagógica. Si antes había habido vagos intentos de hablar de «límites», ahora había claras peticiones de ley y orden. Títulos como *Power to the Parents!* [1972], *Raising a Responsible Child* [1971] y *Dare to Discipline* [1972] [Poder para los padres, La educación de un niño responsable, Atrévete a imponer disciplina] empezaron a sustituir a los últimos ejemplares de Spock y Ribble en los estantes de las bibliotecas. Normalmente, comenzaban con un pequeño resumen del fracaso de la permisividad, con referencias más o menos explícitas a los consiguientes drogadictos, homosexuales y revolucionarios que había producido. A continuación se aseguraba al lector que existía una técnica, presentada en ese libro, para dirigir a los niños sin recurrir a la fuerza bruta. Por ejemplo, la solapa de *You Can Raise Decent Children* [Usted puede criar hijos decentes] nos dice:

> Algunos dirigentes siguen alabando a «los niños» de la generación marcada por Spock, pero la mayor parte de los padres están hartos y preocupados. ¿Es posible criar a hijos que no acaben siendo *hippies*, drogadictos, radicales ni marginados? Dos eminentes médicos aseguran que sí, y nos muestran cómo. Explican, en palabras que cualquier padre puede entender, la importancia de la disciplina; cómo imponerla con firmeza y amor; por qué la permisividad genera violencia; los fundamentos de la virilidad y la feminidad; y cómo pueden reforzar ambas cosas los padres en estos días de liberación de la mujer y abierta homosexualidad...[107]

Es casi como si hubiéramos vuelto a los días de la «maternidad científica», cuando los expertos unían sus fuerzas a las de las madres para fabricar ciudadanos honrados a partir de niños sin domar. Pero las cosas nunca vuelven a ser lo que eran. Cinco décadas de giros históricos —en la atmósfera política, la economía y la ciencia— habían desvirtuado el viejo triángulo madre-niño-experto hasta hacerlo irreconocible. Para empezar, los expertos habían descendido de categoría. Habían discutido demasiado y habían cambiado de opinión demasiadas veces en el transcurso de la vida de las madres que podían recordarlo. Primero había estado el conductismo de tipo industrial, después la permisividad y, por último, la reacción contra ella en los años cincuenta y sesenta. La «ciencia» de la educación infantil empezaba a parecer un camaleón adaptable a cualquier moda nacional o necesidad empresarial.

La otra cosa que había cambiado era la situación del niño. Recordemos que este siglo había empezado como Siglo del Niño: el niño era la esperanza del futuro, el mecanismo del progreso evolutivo, el símbolo de América, el fin y objetivo de todas las vidas femeninas. Pero el «fracaso» de los chicos en la guerra de Corea, seguido de su «traición» en la de Vietnam, planteó la perturbadora posibilidad de que tal vez, tras tantas décadas de paidocentrismo oficial, no fuera posible depositar el futuro en manos de los niños. Desde luego, después del largo desfile de jóvenes renegados, radicales, homosexuales, delincuentes juveniles, etc., que había tenido lugar en los medios oficiales de comunicación, era cada vez más difícil asegurar que el destino más elevado de una mujer era educar a sus hijos.

La imagen cultural de los niños cambió ligeramente a partir de los años sesenta, del mismo modo que las encantadoras estrellas infantiles de los cuarenta y cincuenta —Margaret O'Brien, Ricky Nelson, Beaver Cleaver, los ratones Mosqueteros— dejaron paso a niños que estaban poseídos, empleados o engendrados por el demonio. *Rosemary's Baby* [La semilla del diablo] [1970] plasma un dilema femenino que habría sido impensable veinte años antes: querer un bebé, como cualquier joven esposa, y encontrarse encinta de un feto satánico. Una película posterior lleva aún más allá el horror por los niños: «Sólo hay un problema con el bebé de los Davis —declara la publicidad sobre este homicida precoz—: *¡Está vivo!*». Y se puede sospechar que esta crítica acabará siendo dirigida cualquier día contra millones de niños reales. El Siglo del Niño murió en 1970, treinta años antes de tiempo.

El ocaso de los expertos

Ocho

De la maternidad masoquista al mercado del sexo

Mientras los expertos se preocupaban por el hecho de que los niños hubieran tenido una ración excesiva de permisividad, nadie se dio cuenta de que un miembro de la familia —mamá— nunca había tenido ocasión ni de probarla. La permisividad era para los niños y, en segundo lugar, para papá. Los niños estaban libres de las normas y los horarios de los adultos y (al menos en la familia ideal de los medios de masas) papá era libre de relajarse, beberse unas cuantas cervezas, dar unos cuantos golpes a una pelota y quizá pensar en la necesidad de una nueva segadora. Pero el aroma de permisividad que flotaba en el cuarto de los niños y en el estudio de papá no entraba nunca en la cocina. *Alguien* tenía que recoger los juguetes cuando a los niños no les apetecía hacerlo y lavar los platos mientras papá veía la televisión. No estaba pensado para ella el imperativo cultural de relajarse, disfrutar, consentirse. Incluso cuando hacía de consumidora trabajaba en beneficio de otras personas, puesto que traducía las necesidades familiares, según fueran surgiendo, a comidas rápidas, accesorios domésticos o refrescos. Por una curiosa asimetría de la ideología permisiva, mientras todos los demás miembros de la familia vivían para sí mismos, ella vivía para *ellos*.

Los expertos se aferraron todo lo que pudieron al ideal romántico de la feminidad. Pero la tensión entre la cultura de la autogratificación, por un lado, y el ideal experto del sacrificio materno, por otro, se fue haciendo gradualmente insoportable. Para superar esta contradicción, la teoría psicomédica se hizo cada vez más tortuosa y extraña, hasta que, una vez más, fueron capaces de explicar la feminidad sólo como una especie de enfermedad, el «masoquismo». En los años sesenta las teorías de los expertos se alejarían sin remedio de las propias aspiraciones de las mujeres. Las mujeres estaban listas para darse una imagen completamente nueva e incluso los publicistas e investigadores de mercado, que tanto se habían aprovechado de la imagen anterior, ayudaron a crear la nueva. La «nueva mujer» de los sesenta y los setenta contradecía más de un siglo de romanticismo científico. Esta mujer nueva, cuando llegó, supuso una ruptura tan radical con el viejo ideal romántico que necesitó sus propios expertos, su propio «modo de vida»: incluso la idea de los «modos de vida», con sus promesas de libertad y gratificación, nació con ella.

El masoquismo de mitad de siglo

La teoría psicoanalítica de mitad de siglo insistió repetidamente en la necesidad de abnegación por parte de la mujer. El camino hacia una feminidad adulta y saludable, según los expertos, estaba hecho de sacrificios. En su famoso estudio sobre las mujeres en dos volúmenes, la psicoanalista Helene Deutsch describía todo lo que la mujer tenía que *abandonar* para ser femenina. Para empezar, tenía que dejar todas las ambiciones de adolescente y someterse a la necesidad de la maternidad, el «principio de realidad» femenino. La verdadera cualidad de madre, según Deutsch, «se consigue sólo cuando todos los deseos masculinos se han abandonado o se han sublimado en otros objetivos. Mientras "el viejo factor de la ausencia de pene no haya perdido aún su poder", todavía no se habrá alcanzado la maternidad completa» [1].

Una mujer podía renunciar a sus ambiciones «masculinas» transfiriéndoselas a su hijo (si éste era varón). Deutsch cita, con aprobación, estas palabras de Freud: «La madre puede transferir al hijo la ambición que se ha visto obligada a reprimir en sí misma. Espera que él satisfaga todo lo que en ella haya quedado de su propio complejo de virilidad» [2]. Pero, tan pronto como la madre se ha reconciliado con sus propias expectativas disminuidas, gracias a su proyección en el hijo, tiene que olvidar cualquier esperanza de que el niño cumpla verdaderamente sus ambiciones: «Una madre no debe intentar alcanzar, a través de su hijo, ningún otro objetivo que no sea el de su mera existencia», advierte Deutsch. Y, al final, la madre hace su renuncia definitiva: abandona graciosamente al mismo niño. «Las dos grandes tareas de la mujer consisten en formar una unidad armoniosa con su hijo y en deshacerla después de forma igualmente armoniosa.» Deutsch definía todo esto como «el trágico destino de la maternidad» y proponía este consuelo: «Probablemente, el camino trazado por la naturaleza es el más acertado: tener muchos hijos es la mejor protección contra la tragedia de la pérdida» * [3].

Era difícil conciliar la «esencia» abnegada de la naturaleza femenina con la atmósfera cultural creada por una economía centrada en el consumo. Había una sociedad que aseguraba valorar el individualismo, por encima de todo, y que exhortaba a todos a que se dedicaran a buscar la satisfacción personal. Sin embargo, la mitad de la población parecía estar condenada, debido a su anatomía, a una vida de renuncia y abnegación. Las explicaciones objetivas más evidentes —que la mayoría de las mujeres dependían económicamente de sus maridos, que los abortos y las guarderías eran prácticamente inaccesibles— no cabían en la visión del mundo que tenía el psicoanálisis. La única manera lógica de combinar el compromiso femenino hacia el sufrimiento con el compromiso de toda la cultura hacia el placer era asegurar que, para las mujeres, el sufrimiento *era* placer. La construcción psicoanalítica de la personalidad femenina encontró cada vez más aceptación cultural a partir de los años treinta, y durante los cuarenta y cincuenta —período culminante de la permisividad— la fe freudiana en el masoquismo femenino acabó por no encontrar prácticamente discusión.

---

* No obstante, Deutsch no tuvo, por su parte, más que un hijo. En una entrevista realizada en 1973, recuerda que su educación corrió fundamentalmente a cargo de una niñera llamada Paula. «Con las ocupaciones de su trabajo, la madre relata que "tenía que deslizar un billete de 5 dólares por debajo de la puerta para ver a mi hijo". La doctora Deutsch no aprueba este tipo de maternidad sustituta y se siente culpable de haberla practicado, pero asegura que la experiencia no parece haber perjudicado a su hijo» [4].

Para las mujeres, incluso el sexo tenía que ser un ejercicio de feliz abnegación. El placer sexual femenino había adquirido para entonces la suficiente respetabilidad como para que los terapeutas lo recetaran en casos de superprotección o de otras formas de desajuste materno. Pero el viaje de la mujer hacia su madurez sexual, como el camino hacia la «verdadera maternidad», era una triste peregrinación. En primer lugar —al abandonar la niñez—, la mujer tenía que renunciar a los placeres del clítoris e intentar transferir todas las sensaciones sexuales a la vagina. En la teoría freudiana, el clítoris era una versión en miniatura —y ridículamente insuficiente— del pene. Aferrarse al clítoris no servía más que para provocar humillaciones, en comparación con el grande y poderoso órgano viril *. Cuando la mujer abandonaba el clítoris dejaba de lado, simbólicamente, todos los deseos masculinos (envidia de pene) y aceptaba una vida de pasividad. Se suponía que la «rica recompensa» por todo ello era el placer del sexo vaginal heteroxesual, que una mujer envidiosa del pene e identificada con el clítoris no podría lograr nunca. (Lundberg y Farnham afirmaban, a propósito de la compañera sexual que sufría envidia de pene, que «el deseo inconsciente de la mujer de poseer el órgano del que tiene que depender impide que acepte plenamente la capacidad que dicho órgano posee de satisfacerla cuando se le ofrece con amor») [6]. Sin embargo, en la teoría psicoanalística, la sexualidad vaginal ofrecía una experiencia nueva de impotencia y desarraigo; Helene Deutsch la definió como la experiencia de «ser masoquistamente sojuzgada por el pene». La psicoanalista Marie Bonaparte llevó más allá la teoría, al comentar que el masoquismo de la mujer, «junto con su pasividad en el coito, la impulsa a acoger y valorar cierto grado de brutalidad por parte del hombre». Bonaparte parece reír de forma

* Por ejemplo, la psicoanalista Marie Bonaparte definió el clítoris como «un falo, atrofiado respecto al pene masculino...» Este órgano «rudimentario» «nunca está destinado a conseguir, ni siquiera en la imaginación de su poseedora, el grado de actividad del que puede presumir el pene, puesto que, en tal sentido, el órgano masculino está mucho mejor dotado por la naturaleza». Sin embargo, en el mismo párrafo revela Bonaparte que «el desajuste funcional de las mujeres de tipo clitoridiano» consiste en que el clítoris está «demasiado cargado de impulsos activos» [5].

tranquilizadora cuando añade que «en realidad, el coito vaginal normal no hace daño a la mujer, sino bien al contrario» [7].

No hay que decir que el sexo estaba íntimamente ligado a la maternidad masoquista.

> El deseo de maternidad... es un factor tan favorable a la vaginalización [la transferencia de sensaciones sexuales a la vagina] que... las mujeres muy hogareñas son muchas veces las más adaptadas a su función erótica... La no aceptación psíquica de la función maternal y la carencia de instinto maternal [están]... frecuentemente relacionadas con el fracaso de las mujeres para entablar la función erótica [8].

Llevando la teoría del masoquismo femenino a su extremo, Helene Deutsch argumentó que la relación entre orgasmo y parto era tan importante que las dos experiencias eran, en realidad, «un mismo proceso», y que se podía hablar de orgasmo como un «parto errado» [9]. La idea de que las mujeres eran masoquistas parecía solucionar todo. El destino de la mujer, desde un punto de vista machista, consistía en trabajos domésticos y humillaciones sexuales. Pero, en su calidad de masoquista, ésas eran precisamente las cosas que le gustaban y que necesitaba. (La explicación del «masoquismo» era tan cómoda y totalizadora que resulta extraño que los expertos psicomédicos no pensaran en ampliarla a otros grupos, como los pobres o las minorías étnicas.) Pero, al mismo tiemo, la idea del masoquismo femenino señaló la creciente ruina de la teoría del romanticismo sexual. Anteriormente se había empujado a las mujeres al terreno doméstico con promesas de desafíos intelectuales, actividad y poder sobre la casa y los hijos. Nadie había discutido, en el movimiento de madres o de ciencias domésticas de principios de siglo, que las mujeres tenían que *resignarse* a la maternidad, que tenían que abandonar todo lo demás. La energía, la inteligencia y la ambición eran precisamente los rasgos de carácter que necesitaba la madre científica para gobernar su casa y educar a sus hijos. Afirmar ahora, a mitad de siglo, que no era la energía, sino la pasividad, lo que ataba a la mujer a su hogar, que no era la ambición, sino la resignación, ni la satisfacción, sino el dolor; afirmar todo eso era reconocer que, desde un punto de vista machista, el papel femenino era inimaginable, y que aquellas capaces de adaptarse a él debían de estar, en cierto sentido, locas. La teoría del masoquismo femenino representó el reconocimiento, por parte de los expertos psicomédicos, de que el ideal femenino que habían ayudado a construir no sólo era difícil de alcanzar, sino probablemente imposible.

Si la labor de convertirse en mujer era tan difícil, las «verdaderas mujeres» —las mujeres maduras, vaginales— debían de ser las excepciones. Los expertos psicomédicos, atrapados ellos mismos en la crisis de la virilidad de mitad de siglo, se convencieron de que Norteamérica padecía una epidemia de masculinidad. Con un celo propio de cazadores medievales de brujas en busca de indicios de posesión demoniaca, los médicos y terapeutas se organizaron para librarse de los millones de mujeres que, al parecer, «rechazaban su feminidad» de una u otra forma.

Los psicoterapeutas empezaron a encontrar «rechazo de la feminidad» en cada paciente frustrada o desgraciada. En cualquier circunstancia, la mujer tenía que «recorrer un camino tortuoso para llegar a su "verdadera naturaleza"», como escribió el doctor Hendrik Ruitenbeek en la introducción a su antología, *Psychoanalysis and Female Sexuality*, pero en las condiciones de la sociedad moderna «el movimiento femenino hacia la pasividad se ha hecho más difícil». Había demasiadas mujeres, explicaba, que «desean hacer o conseguir algo por sí mismas, en lugar de limitarse a reflejar las conquistas de sus maridos». Estas «mujeres clitoridianas», aunque carecieran de formación profesional, se casaran pronto y tuvieran grandes familias, mostraban la resistencia a su destino en su incapacidad de tener orgasmos vaginales:

> En un mundo en el que la actividad el varón sienta las pautas de lo que vale la pena —y los analistas señalan que, tanto fisiológica como psicológicamente, la actuación sexùal masculina es un éxito—, la experiencia de la mujer en el sexo, como en otros aspectos de la vida, asume el carácter de una lucha especialmente ambigua contra la dominación masculina [10].

Era evidente, por tanto, que todas las mujeres que se quejaban de frigidez sexual padecían, en realidad, «un estado de rebelión contra la pasividad que la naturaleza y la sociedad les imponen». Pero hasta la mujer aparentemente más femenina podía estar usando su astucia para «compensar con creces» sus íntimos deseos masculinos. La analista Joan Riviere advirtió a su colegas terapeutas sobre «la mujer que utiliza la feminidad como máscara para ocultar su ansiedad y evitar el castigo que teme por parte de los hombres cuya prerrogativa desea usurpar» [11]. La conclusión de Ruitenbeek era que la posibilidad de que las mujeres modernas pudieran alcanzar alguna vez la sexualidad vaginal «normal» era tan remota que la mayoría tenía que conformarse con placeres más sencillos como «la conciencia de que es deseable, la posibilidad de excitar sexualmente a un hombre, la capacidad de tener hijos y los placeres sexuales sin objeto del afecto y la ternura» [12].

La ginecología como psicoterapia

En la década de los cincuenta, los ginecólogos se unieron a los psiquiatras en la busca del «rechazo de la feminidad» y, como es natural, empezaron a encontrarlo en todas sus pacientes. La reclamación de la psique femenina por parte de los ginecólogos como campo de intervención e investigación había recibido a principios de siglo la respuesta del mismo Freud. En los años veinte, el descubrimiento de las hormonas había ofrecido a los médicos nuevas posibilidades de ampliar su práctica a la psicología femenina. Para los ginecólogos, las hormonas eran el nexo material, largo tiempo esperado, entre el cerebro y el útero: las funciones reproductoras de la mujer están parcialmente reguladas por la glándula pituitaria, que a su vez está sujeta a la actividad del hipotálamo, en el cerebro (el centro aparente de muchos impulsos y emociones fundamentales). La relación entre el hipotálamo y el útero abrió el camino para un nuevo enfoque interdisciplinario del estudio de las mujeres. Evidentemente el psiquiatra, cuyo campo profesional incluía el hipotálamo, tenía mucho que decir sobre las regiones inferiores reclamadas por los ginecólogos. Y, al contrario, el ginecólogo, mediante su acceso al útero, estaba en situación de detectar disfunciones en el terreno tradicional del psiquiatra.

Los médicos aceptaron sus nuevas áreas de responsabilidad con entusiasmo y casi abandonaron los órganos reproductores femeninos, en su prisa por emitir juicios sobre la psique de la mujer. Un artículo en la publicación profesional *Obstetrics and Gynecology* aseguraba:

> A medida que se han acumulado pruebas que asocian la función pélvica y los factores psicológicos, el obstetra-ginecólogo ha tendido a asumir un papel más amplio en el tratamiento del paciente en su conjunto... También ha considerado apropiado relacionar los síntomas pélvicos visibles con tensiones emocionales subyacentes, más que con enfermedades orgánicas [13].

Así, millones de mujeres que nunca hubieran solicitado ayuda a un psicoterapeuta y que quizá eran inconscientes de tener tensiones emocionales, fueron analizadas, sin saberlo, por su ginecólogo. El propio examen pélvico podía ser un valioso instrumento para el diagnóstico de los problemas mentales de la paciente. En la imaginación del médico, el examen pélvico simulaba la relación heterosexual. De modo que ese examen podía usarse para evaluar la adaptación sexual de la mujer. Todo lo que el médico tenía que hacer era desviar su atención del cérvix, el útero, etc., de la paciente a sus *reacciones* ante el examen:

> Una paciente demasiado seductora puede tener síntomas de histeria subyacente, y el vaginismo y la ansiedad durante el examen de la pelvis pueden estar unidos a la frigidez y ocasionalmente a la imposibilidad de consumar el matrimonio [14].

Psicoanalistas como Therese Benedek (de quien hablamos en el capítulo anterior a propósito de la regresión maternal) animaron a los ginecólogos a unirse a la caza del «rechazo de la feminidad»:

> ... las mujeres que incorporan el sistema de valores de una sociedad moderna pueden desarrollar personalidades con rígidas defensas contra sus necesidades biológicas. Los conflictos derivados de ello se pueden observar clínicamente, no sólo en la consulta del psiquiatra, sino en la del ginecólogo e incluso en la del endocrinólogo [15].

Siguiendo a Benedek, los ginecólogos Sturgis y Menzer-Benaron escribieron en la introducción a su monografía de 1962, *The Gynecological Patient: A Psycho-Endocrine Study*:

> Creemos que esta disciplina [la ginecología] debería abarcar las perturbaciones funcionales o estructurales de cualquier parte del organismo femenino que influya o esté influida por el sistema reproductor. Nos impresiona en especial la máxima de que la mala salud mental y física de cada mujer no se puede entender, en gran parte, más que teniendo en cuenta su aceptación consciente o inconsciente de su papel femenino [16].

Una vez aceptada esta «máxima» (adviértase: no «hecho», ni «hipótesis» ni «teoría», sino *máxima*), parecía haber escasos trastornos ginecológicos, o ninguno, que no fuesen síntomas del rechazo a la feminidad. Entre los desórdenes que los ginecólogos de los cincuenta y sesenta empezaron a considerar como de origen psíquico o provocados, de una u otra forma, por la «feminización incompleta», estaban: dismenorrea, dolores excesivos en el parto, irregularidades menstruales, dolores pélvicos, esterilidad, tendencia a abortos o a partos prematuros y complicaciones en el parto [17]. Las mujeres parecían estar «combatiendo contra su feminidad» en todas partes, y el ginecólogo debía de sentirse, a veces, abrumado por la cantidad de víctimas que llegaban a su consulta. Un libro de consejos sobre educación infantil escrito en 1959 ofrecía, al principio de un capítulo sobre la diferenciación sexual, este esbozo del trabajo del ginecólogo:

> Al acabar una dura jornada de trabajo, la ginecóloga se sentó en su consulta fumando un cigarrillo y reflexionando sobre las numerosas pacientes que había visto durante el día. Algunas tenían misteriosos trastornos funcionales para los que no podía encontrar causa física. Otras habían ido sólo para una revisión pre o postparto y habían asegurado, de lo más sonrientes, que se encontraban estupendamente.
>
> Cuando la doctora recordó a los dos tipos de pacientes, una idea empezó a abrirse paso en su mente con el impacto de una gran novedad. Las mujeres con los trastornos funcionales «misteriosos» tenían algo en común: les desagradaba ser mujeres. Creían que el mundo era de los hombres. Era su descontento con su sexo lo que provocaba esos trastornos funcionales. Las otras mujeres, las felices, las sanas, estaban satisfechas de ser mujeres, con recién nacidos llenos de pañales, mari-

dos oliendo a tabaco, y todo eso. Desgraciadamente, apenas la mitad de las mujeres modernas pertenece a esta categoría verdaderamente femenina *[18].

El embarazo ofrecía a los médicos la posibilidad de vigilar durante largo tiempo a las mujeres, en un período crítico de su desarrollo femenino. Durante ese tiempo, observaban con gravedad los psicoanalistas, una mujer se ve enfrentada a la «prueba» innegable de que es una mujer. Su reacción podría ser, comprensiblemente, el asco y el horror. El doctor Stuart Asch nos explica, en su aportación a un manual de obstetricia de 1965, que el embarazo

> ... trastorna a la persona de mayor salud mental. Nos encontramos con que *siempre* hay *alguna* manifestación de ansiedad presente durante el embarazo que, en las reacciones más graves, puede adoptar la forma de cualquier tipo de cuadro psiquiátrico, incluyendo fobias, depresiones y psicosis.

Era lógico que las mujeres encintas lamentaran su condición, continúa el autor, ya que el embarazo «nos da [*sic*] dolor» y «nos afea»[19].

Por consiguiente, todas las mujeres debían considerarse temporalmente neuróticas y necesitadas de la psicoterapia encubierta del ginecólogo. De acuerdo con un capítulo escrito por Marcel Heiman en el mismo libro, eran particularmente «peligrosas»

> ... las pacientes que se consideran más «conscientes socialmente». No son necesariamente más maduras, pero intentan, mediante su interés activo por todo lo «vanguardista» en medicina y en la sociedad, con-

* Llama la atención que el autor elija a una ginecóloga mujer para esta anécdota ficticia. No más del 5 por 100 de los ginecólogos eran mujeres en la época, y no podían imaginar casi ninguna mujer menos «genuinamente femenina» que una médica. De hecho, el autor representa a esta médica fumando un cigarrillo mientras dice que sus pacientes femeninas han realizado una adaptación masoquista al tabaco de sus maridos. Al parecer, había sitio para unas cuantas mujeres científicas, masculinizadas, siempre que hubieran hecho carrera a base de exponer la falta de feminidad de otras, tal como hicieron Marynia Farnham, Helene Deutsch y Therese Benedek en la vida real.

vencerse a sí mismas y a los demás de que sí lo son... Esa es la paciente que se interesa por métodos como el «parto natural» y la hipnosis, o que utiliza el parto como «experiencia» [20].

En realidad, la paciente positiva y «con conciencia social» que se interesaba por participar en su propia experiencia de parto era probablemente más infantil y neurótica que la paciente habitual. Heiman reprochaba que «la sugestibilidad infantil de la mujer embarazada ha sido, deliberadamente o no, utilizada y explotada por algunos defensores de los métodos del "parto natural"» [21], lo que significaba que la paciente favorable al parto natural era una ingenua. El doctor Asch ofrecía, al referirse a «la mujer ocasional que resulta fanática en su celo en pro del "parto natural"», esta «advertencia»:

> La intensidad de sus exigencias y su actitud inflexible en la materia son señales de peligro, que con frecuencia indican una grave psicopatología... Una paciente de este tipo no es candidata para el parto natural y requiere estrecha y constante ayuda psiquiátrica [22].

Para todas las mujeres, los cuidados prenatales debían verse como una oportunidad para la asistencia psiquiátrica, en la que se podía empujar gradualmente a la paciente a que aceptase su feminidad. El historial de un caso narrado en 1969 en la publicación profesional de enfermeras *Nursing Forum* mostraba los éxitos que se podían lograr con una mezcla de consejos sutiles y los aspectos físicos de la atención prenatal. «Judy», una paciente embarazada de veinte años, objeto de intensa asistencia por parte de la enfermera que escribía el artículo, era uno de los desgraciados fracasos de la socialización de los papeles familiares. No podía echarse la culpa a su padre, verdaderamente. Había sido tan consciente de su función instrumental en la enseñanza de los papeles sexuales que, cuando Judy ganó un premio de atletismo en sexto curso, se mostró «horrorizado» y le regaló un par de bragas de volantes, junto con una nota en la que le pedía que se esforzara más por ser una chica. A pesar de ello, advertía la enfermera terapeuta de Judy, «ella parecía incapaz de asumir el papel aceptado culturalmente, pasivo pero creativo, de esposa y ama de casa» [23]. Llevaba «vaqueros con jerseys de su marido» y dominaba a este último, que, según la enfermera, «hablaba con voz aguda» (¿otro fracaso de la socialización de papeles sexuales?). Pero, gracias a la ayuda prolongada de la enfermera terapeuta, que evidentemente se consideraba un modelo de feminidad lograda, Judy llegaba a aceptar su destino de madre y desarrollaba una actitud más adecuada y sumisa hacia su esposo.

Una vez que los ginecólogos aceptaron ser responsables de la salud mental de sus pacientes, hacía falta poco para que asumieran la responsabilidad del bienestar social de toda la nación. Dado que los problemas ginecológicos eran, en realidad, problemas psicológicos, y que éstos se manifestaban inevitablemente como problemas sociales, el ginecólogo no trataba, en realidad, vaginitis ni molestias menstruales ni nada de eso, sino «la vida familiar de nuestro país». En la conclusión de su monografía *The Gynecological Patient*, Sturgis y Menzer-Benaron citaban, como «índice de una salud ginecológica de las mujeres de nuestro país, el volumen de infelicidad sexual, hogares rotos, hijos ilegítimos, abortos sépticos y esterilidad», añadiendo más tarde las desviaciones sexuales y la delincuencia. Tras hacer un rápido y alarmante cálculo del número de divorcios, abortos, nacimientos ilegítimos, etc., además de los «10 millones de parejas casadas en nuestro país que luchan contra las frustraciones de la esterilidad», los autores culpaban de todo ello al «mal estado de salud de las funciones reproductoras en las mujeres de nuestra nación» [24].

Recordaban que, en otro tiempo, el médico general había sido «el amigo, guardián y maestro» de su clientela.

> Con el sacerdote y el pastor, representaba el bastión contra los hijos ilegítimos, los abortos y el divorcio... En la profesión médica actual, los tocólogos y ginecólogos son quizá los más preparados para ocupar esa posición...

Los ginecólogos debían constituirse en consejeros de sus pacientes lo más pronto posible, por ejemplo en la visita prematrimonial, cuando «una joven... se somete al examen pélvico sin resquemores» [25]. Después, en la difícil tarea de alcanzar la madurez como mujer, la joven necesitaría la supervisión constante de su médico, que la ayudaría a aceptar su matrimonio y su destino como madre. Sin su guía, todo el tejido social de la nación podía deshacerse. Sturgis y

Menzer-Benaron lamentaban que «es poco probable que haya alguna vez el suficiente número de profesionales preparados» para orientar a cada mujer y, por tanto, a cada familia hacia una verdadera adaptación.

La revuelta de la mamá masoquista

La afirmación médica de que las mujeres norteamericanas rechazaban masivamente su feminidad ayudó a suavizar la inseguridad masculina y, por supuesto, sugirió infinitas posibilidades de autobombo profesional. Pero también contenía un duro fragmento de verdad. Sencillamente, las mujeres no se forzaban en vivir con arreglo al ideal masoquista: *rechazaban* su «feminidad». A principios de los sesenta, las mujeres iban a buscar un nuevo ideal femenino, tan desdeñosamente distinto de todas las ideas psicomédicas previas —inválidas, amas de casa científicas, madres libidinosas, etc.— que las viejas autoridades académicas no iban a recuperarse totalmente del impacto.

Ni siquiera la ideología del masoquismo femenino había sido capaz de amortiguar los indicios de descontento real entre las amas de casa norteamericanas. En septiembre de 1960, *Redbook* publicó un artículo titulado «Why Young Mothers Feel Trapped» [Por qué se sienten atrapadas las jóvenes madres] (que, dado su tono precavido, podía haberse llamado «Por qué las jóvenes madres se sienten a veces en conflicto»). Se invitó a los lectores a enviar respuestas escritas al artículo, sacadas de su propia experiencia. El director esperaba recibir, como mucho, unos cuantos centenares de manuscritos. Pero, al cabo de un mes, habían llegado 1.000; al cabo de cuatro años, eran 50.000. La mayor parte de las historias hablaban de «hacer frente»: cómo hice frente a la depresión, a la falta de dinero, a los gemelos, etcétera, relatos estimulantes pero con un vago tono de desilusión [26].

El creciente descontento doméstico produjo un nuevo género de literatura femenina. En el siglo XIX, las mujeres habían aliviado su desesperación con novelas y diarios; a mediados del siglo XX, se dedicaron al «humor». Aparecieron *I Hate to Cook Book* [Odio cocinar libros], de Peg Bracken, y *Please Don't Eat the Daisies* [Por favor, no os comáis las margaritas], de Jean Kerr. (*The Grass Is Always Greener Over the Septic Tank* [La hierba siempre es más verde al otro lado de la cubeta séptica], de Erma Bombeck, es un ejemplo posterior.) Era un tipo de humor auto-despreciativo, como correspondía al papel esencialmente masoquista del ama de casa, en el que la autora representaba a un hombre honrado en medio de niños demoniacos, técnicos de reparaciones negligentes y vecinos desatentos. El género del humor doméstico permitió una salida encubierta para la hostilidad contra los niños, maridos y expertos, todo al mismo tiempo. Kerr se acordaba de haber sido «más joven y llena de doctor Spock» y empezaba su libro con la afirmación de que sus hijos

> nunca tendrán que pagar a un psiquiatra 25 dólares a la hora para averiguar por qué los hemos rechazado. Nosotros les diremos por qué los hemos rechazado. Porque son imposibles, eso es todo [27].

Pero este cinismo refrescante nunca evolucionó hacia una verdadera crítica de la situación del ama de casa. Al final de cada agotadora crónica de bufonadas domésticas siempre había un fragmento de galantería infantil —un beso pegajoso o una ofrenda de amor esculpida en la mejor crema hidrante de mamá— que hacía que todo mereciese la pena. Además, implicaban los libros de humor doméstico, la mujer que era lo bastante cálida y lista como para sacar unas cuantas risas de sus pruebas cotidianas, no necesitaba muchas más compensaciones. «Nuestra vida puede no tener continuas recompensas —concluía una autora—, pero puede ser muy divertida» [28].

No todo el mundo era capaz de reírse como ella, día tras día, de cólicos infantiles, neveras que no funcionaban, catarros y zumos de uva derramados. Médicos y revistas empezaron a identificar una nueva enfermedad femenina: «el síndrome del ama de casa». Podía darse en forma de conducta neurótica: una mujer se despertaba una mañana y decidía quedarse en la cama de modo permanente. Otra padecía un llanto incontrolable. O bien el síndrome podía manifestarse a través de síntomas físicos: agotamiento, insomnio, palpitaciones, dolores de cabeza, manos temblorosas, drásticas subidas o bajadas de peso, desmayos. Gabrielle Burton, escritora y madre de cinco hijos, y antigua ama de casa, relata haber tenido ataques de rabia inexplicable y períodos de agotamiento:

> Atribuía estos desequilibrios a varias cosas. Eran probablemente depresiones post-parto, pre-parto o intra-parto. La píldora tuvo la culpa durante un tiempo. No me gustaba pensar mucho en ello porque tenía miedo de que dentro de mí hubiera algo que no funcionaba, alguna carencia fundamental que me impedía realizarme por completo...
>
> Dormía de forma desordenada. Me hacía sentirme muy culpable, pero también era una forma de pasar el día y eso era más importante... En una ocasión le pedí a un médico píldoras energéticas que me mantuvieran despierta lo suficiente como para poder cambiar mi costumbre de la siesta... Se rió (amablemente) y contestó (en tono paternal); «No se preocupe. Es usted normal.» Yo *sabía* que era normal. Todo mi edificio roncaba. Lo que yo quería era estar en posición vertical [29].

Muchas mujeres fueron con sus síntomas al médico, que prescribía estimulantes como Dexedrine o calmantes como Miltown junto con instrucciones de que se animaran y «se compraran un sombrero nuevo» o fueran a casa y «se relajaran». (El 67 por 100 de las drogas psicotrópicas recetadas en el país, es decir, tranquilizantes y «elevadores del ánimo», está destinado a mujeres. La tercera parte de las mujeres por encima de los 30 años recibe una receta para un medicamento psicotrópico al año) [30]. Otras mujeres salían adelante a su modo, con una copa de media tarde, antes de que volvieran los niños a casa, martinis antes de la cena y unos cuantos tragos con los barbitúricos antes de ir a la cama. La socióloga Jessie Bernard dedujo, a principios de los sesenta, que «el síndrome del ama de casa podría considerarse un problema fundamental de salud pública» [31].

En 1960, según Betty Friedan, «el problema sin nombre explotó como una olla por debajo de la imagen de la feliz ama de casa americana» [32]. Hubo un programa especial de televisión, de la CBS, sobre «El ama de casa atrapada». Los analistas de las publicaciones especulaban sobre si el problema era el exceso de educación, el exceso de trabajo o la incompetencia de los que reparaban los electrodomésticos. Incluso el *Ladies' Home Journal*, propagandista de la felicidad doméstica durante tres generaciones de mujeres, tuvo que reconocer que se estaban gestando problemas. Entre las secciones habituales como «Consejos de Pat Boone para adolescentes», «Cómo hacer que funcione su matrimonio» y la columna del doctor Spock, empezaron a aparecer algunos titulares preocupantes: «¿Quién soy *yo*? ¿Una *alcohólica*?» y «Cómo reconocer una depresión suicida». Mientras tanto, en el mundo literario, surgía un éxito detrás de otro, en la «atmósfera de cultivo de ansiedades y frustraciones sexuales» que, hacia 1960, había producido ya la diversión burguesa del «cambio de esposa» y los juegos de sociedad que incluían el intercambio de parejas. Quien hubiera podido pensar que la cuestión femenina estaba definitivamente enterrada en una típica casa residencial tenía que reconocer que existía, en palabras del editor John Keats, «una grieta en el cristal del cuadro» [33].

No se trataba sólo de que la vida del ama de casa con plena dedicación se estuviera haciendo psicológicamente insostenible. Es que además estaba resultando ser *económicamente* insostenible. Había una pega fundamental en el ideal doméstico de mitad de siglo. El cuadro de la «buena vida» incluía una casa (de estilo Cape Cod, rancho o pseudo-colonial), tres o cuatro hijos y, por supuesto, el ama de casa de plena dedicación que mantuviera todo en orden. El problema consistía en que las dos primeras cosas (la casa y los hijos) eran tan caras que la tercera (madre de plena dedicación), muchas veces, tenía que desaparecer.

La vida había sido más barata cuando la mayoría de la gente vivía en pequeños vecindarios urbanos. En ellos, una mujer podía lavar su ropa en la lavandería de la esquina (y juntarse con amigas mientras tanto), dejar a los niños con la abuela una noche, pedir prestado el aspirador a un vecino. Era más que probable que sus primeros muebles procedieran de la familia. Pero una vez que se trasladaba a una urbanización, tenía que poseer su propia lavadora e incluso secadora (si no se quería tener la casa llena de ropa húmeda en los días de lluvia). Los muebles se compraban nuevos, seguramente baratos al principio, para sustituirlos en cuanto la familia prosperaba. Era necesario un coche y, enseguida, dos. Se prestaba y se compartía mucho menos que en los viejos vecindarios: había que tener aspiradora, pagar a la niñera por horas, comprar ropa *nueva* a los chicos cada primavera y cada otoño.

Además existían cada vez más presiones psicológicas en cuanto al consumo. Entre 1950 y 1960, la televisión invadió prácticamente todos los hogares norteamericanos, con su imagen homogeneizada de cómo *debían* vivir los americanos y cómo uno *podía* estar también viviendo ahora. Los cursos superiores de economía doméstica ofrecían publicidad casi estatal para General Electrics, Singer, General Foods, etc. Todas las revistas femeninas, de *Seventeen* a *Bride*, pasando por *Woman's Day*, impulsaron un estilo femenino de vida consistente en un consumo incesante. En 1961, una encuesta Gallup realizada para el *Ladies' Home Journal* mostró que las jóvenes tenían claro lo que querían de la vida ya entre los 16 y los 21 años, y pudo definirlo con un catálogo surrealista de futuras adquisiciones:

> ... Quiero una casa de ladrillo en dos niveles, con cuatro dormitorios y muebles de cerezo de estilo provenzal francés.
>
> ... Me gustaría un horno y una cocina empotrados, mostradores de sólo 85 centímetros de altura que estén cubiertos de Formica.
>
> ... Me gustaría tener mucho acabado en madera, que da calidez y belleza.
>
> ... Mi salón sería largo, con un techo alto de vigas vistas. Tendría una gran chimenea en un lado, con mucho cobre y latón alrededor y en la parte delantera, tendría alfombras marroquíes, con algunas zonas en tonos canela. Mi cocina sería muy parecida a las viejas cocinas de Virginia, con chimenea y horno [34].

Fantasías como éstas —más los inevitables gastos de la vida residencial— garantizaban una sensación de privaciones para toda la vida. La popular sección del *Ladies' Home Journal* «Cómo vive América» proporcionó una serie de casos para estudiar la lucha económica de las parejas atrapadas entre ingresos de 7.000 u 8.000 dólares y sueños de 20.000 dólares anuales (si se multiplica por dos, se obtienen las cifras actuales equivalentes). Había un sinfín de pequeños ahorros: cenas de macarrones hasta que se había terminado de pagar el coche, regalos de Navidad hechos a mano, un aplazamiento de las «salidas». Y, por último, la angustiosa decisión: ¿valía la pena que la mujer saliera a buscar empleo por dos o tres mil dólares anuales?

La respuesta era, cada vez con más frecuencia, afirmativa, de modo que, sin que se dieran cuenta las revistas femeninas, los expertos en educación infantil ni los psicoanalistas, las mujeres empezaron a salir en busca de trabajo inmediatamente después de la crisis de empleo de postguerra, a finales de los años cuarenta. En 1950, sólo un tercio de las mujeres norteamericanas desempeñaban empleos remunerados; a mitad de los sesenta, el 40 por 100; hoy la cifra es de aproximadamente el 50 por 100, y sigue subiendo. Agunas mujeres habían trabajado siempre, desde luego, pese a todos los esfuerzos por disuadirlas, desde las teorías de los expertos sobre el rechazo materno hasta las ofertas de trabajo que empezaban «oportunidad para joven varón ambicioso...». Por ejemplo, en 1950 la mitad de las mujeres negras del país tenían un puesto de trabajo, y esa situación no ha cambiado sustancialmente desde entonces. Las mujeres pobres, las viudas, las divorciadas y unas cuantas profesionales inflexibles siempre habían contado con trabajar. Pero las que empezaron a incorporarse a la mano de obra en los años sesenta habían crecido, en gran medida, con la esperanza de alcanzar la jubilación permanente en algún momento entre la luna de miel y la fiesta por el nacimiento del primer hijo. Ahora salían a trabajar porque necesitaban dinero y, en muchos casos, porque se estaban «volviendo locas».

La publicidad de los sesenta siguió representando al ama de casa de plena dedicación que tenía tiempo de medir la ingesta de colesterol de su marido, cambiar el color del dormitorio y preocuparse por los olores de la cocina. Pero los expertos comerciales estaban empezando a prendarse de un tipo diferente de mujer: una mujer que poseía, al menos, un título de enseñanza secundaria y normalmente más, con movilidad, en posesión del carné de conducir y, lo mejor de todo, que ganaba dinero. Nadie pretendía (todavía) que ella llevase el tocino a casa, pero sí los aperitivos. Los ingresos discrecionales aportados por las esposas que trabajaban fomentaron unos gastos familiares sin precedente, y las revistas de negocios se regocijaban en artículos como «Las señoras... benditos sean sus pequeños ingresos» [35].

En los años sesenta, con casi 30 millones de mujeres empleadas y una cuarta parte de ellas ni siquiera casadas, la discrepancia entre el ideal romántico y la realidad económica empezó a ser incontrolable. Era una contradicción aún más aguda para las «amas de casa» que trabajaban, desgarradas entre el ideal romántico que exigía la servidumbre masoquista y la realidad de una doble vida que casi no dejaba tiempo para un lavado ocasional y menos aún para guisos memorables. Las mujeres solas y autosuficientes, cada vez más numerosas, se identificaban todavía menos con el ideal del sacrificio femenino. Los tiempos exigían una nueva imagen, que reflejase el nuevo sentido de independencia y propia estima que poseía la mujer trabajadora. Todo ocurrió con tal rapidez que las autoridades psicomédicas se vieron sorprendidas, sin tiempo para revisar sus teorías ni reelaborar sus consejos.

El ascenso de la joven soltera

En 1955, e incluso en 1960, quien buscase una nueva heroína cultural no se habría parado a pensar en la mujer soltera. Para empezar, era difícil de encontrar, y sólo aparecía en los medios femeninos como una corta fase prematrimonial o, con más años (más de 25), como un problema incómodo para las anfitrionas. Era una mujer sobrante en una cultura basada en la pareja, un objeto de conmiseración para sus hermanas casadas, una especie de fenómeno para la profesión médica. Podía ser brillante, famosa, estar visiblemente satisfecha de sí misma, tener éxito en todo; pero la opinión general sobre ella era que «había fracasado como mujer». La que permanecía soltera durante el tiempo suficiente para que la enfermedad pareciera crónica, quedaba proscrita como tullida sexual, como una anomalía biológica.

La «chica soltera» que irrumpió en los medios de comunicación a principios de los sesenta correspondía a una nueva realidad social: la mujer sola, divorciada o soltera, que vivía por su cuenta y era independiente. En esa época había empezado a surgir una minoría influyente de mujeres solas que pobló los «*ghettos* de solteros» de Nueva York, San Francisco, Washington D. C. y Seattle. Eran secretarias, azafatas, asistentes sociales, «chicas para todo» y «ayudantes» de diversos tipos en editoriales, bancos, grandes almacenes, etc. Deseaban contraer matrimonio alguna vez, pero no ser «sólo amas de casa». Iban a bares (el primer «bar de solteros» abrió en 1964 en el Upper East Side de Nueva York) a conocer hombres. Ahorraban para ir a esquiar los fines de semana. Reducían las comidas para poder comprarse (y ponerse) la ropa de moda. Tenían «relaciones».

Para muchas «chicas solas» de la vida real, la nueva libertad sexual que acompañaba a la vida en la gran ciudad no era exactamente un jugueteo libidinoso. En los años sesenta, casi todos los trabajos de trato con el público exigían que las mujeres fuesen atractivas, como si su entrada en el mercado debiera enmascararse bajo una fachada aún más clara de «feminidad». Y hacía falta algo de desesperación para que las mujeres se aventuraran en la vida social nocturna: los bares de solteros de más éxito empezaron a conocerse cínicamente como «mercados de carne». Pero, desde cierta distancia, todo parecía encantador: la chica soltera de la gran ciudad llevaba la última moda sacada de las páginas de *Cosmo* o *Glamour*, tomaba la píldora y vivía en un apartamento con cama de matrimonio; gastaba el dinero en sí misma y recibía atenciones masculinas. Encarnaba el viejo ideal feminista de la mujer independiente, con un matiz nuevo: era *sexy*.

Fue Helen Gurley Brown, más que ninguna otra persona, la responsable de la transformación de la «solterona» de los años cuarenta y cincuenta en la «más moderna y atractiva joven de nuestra época». Su libro *Sex and the Single Girl* [El sexo y la chica soltera] anunció la mujer nueva en 1962; su revista, *Cosmopolitan*, ha fomentado la imagen de la chica soltera desde que Brown asumió la dirección en 1965. Ella misma había permanecido soltera durante mucho tiempo y se había labrado su carrera desde los trabajos administrativos hasta la cumbre de la industria editora; sabía por propia experiencia lo que costaba crear y mantener una imagen atractiva. «Cuando me casé —confiesa en *Sex and the Single Girl*—, me encontré con pesas de tres kilos, un tablero inclinado, un aparato electrónico para borrar las arrugas... y suficientes vitaminas para dar vida a una estatua.» «De algo estoy segura —exhortaba a sus lectoras—: No sois demasiado gordas, demasiado delgadas, demasiado altas, demasiado bajas, demasiado torpes ni demasiado miopes para que las mujeres casadas os miren con melancolía» [36].

El mensaje de Brown era más que un pequeño empujón a las solteras inseguras. Había captado una cuestión asombrosa «de la que las revistas no se ocupan nunca, algo que las solteras no se imaginan en medio de su lavado de cerebro, un hecho que las casadas saben pero no reconocen...», es decir, que a los hombres *no les gustaban* las amas de casa del ideal romántico, típicas de las zonas residenciales. La ideología de los expertos había unido tan estrechamente el sexo a la reproducción que parecía haber una imagen permanente de regresión femenina que unía las relaciones sexuales, los partos y el primer juego de Jimmy en la Liga infantil. Brown comprendió que ese nexo era, en realidad, muy débil: ¿quién deseaba abrazar a una mujer que tenía babas en el hombro y huellas de chocolate por toda la blusa? El sexo se podía apartar de la casa y la familia con la misma facilidad con la que las complacientes estrellitas se quitaban los jerseys ajustados en las películas de James Bond. En el momento en que la chica soltera saliera ondeando su sexualidad femenina, el ama de casa no podría sino mirarla con melancolía.

Brown, quizá más que la feminista Betty Friedan, cuya *Feminine Mystique* se publicó en 1963, después de *Sex and the Single Girl*, captó la profunda misoginia que se iba extendiendo por las «casas soñadas» de los barrios residenciales, como las filtraciones de una cubeta séptica que tuviera fugas. Los hombres rechazaban su domesticación y odiaban la compañía de las «mamás» asexuadas. Brown aconsejaba a sus solteras que evitaran la práctica formica de las urbanizaciones y transformaran sus apartamentos en guaridas fascinantes y eróticas. Pero la nueva soltera no usaba su atractivo sólo para arrastrar al hombre a un mundo de «trivialidades» femeninas. Su mundo, como el de él, era el mundo del mercado:

> ... una mujer soltera, aunque no trabaje más que en el archivo, se mueve en el mundo de los hombres. Conoce su idioma, el lenguaje de las ventas, la publicidad, el cine, las exportaciones, la construcción de navíos. Su mundo es mucho más colorista que el de la P.T.A., el doctor Spock y la secadora estropeada [37].

La soltera tenía las ventajas derivadas de enfrentarse con el mundo en los mismos términos que un hombre (aunque por sólo una parte de su salario):

> es atractiva porque vive de sus recursos. Se mantiene a sí misma... No depende de nadie, no es una parásita, ni una gorrona, ni una sablista,

ni una vaga. No toma, sino que da, no es una perdedora, sino una ganadora [38].

Ello implicaba que el ama de casa *era* dependiente, parásita, «vaga». Mientras que la soltera desafiaba los rigores del mundo de los negocios, el ama de casa llevaba una vida fácil y protegida. Brown no daba cuartel a la esposa; lo peor que podía sucederle era que ella también cogiera gusto a la vida solitaria. «Me temo que tengo una actitud bastante arrogante en relación con las esposas», escribió. Los maridos eran presas lógicas para la chica soltera, que, después de todo, no deseaba ocupar el lugar de la esposa tras una aspiradora en Levittown. La nueva soltera no era un mero objeto sexual; necesitaba atenciones masculinas e iba en busca de ellas, por encima de esposas, hijos, hipotecas y el *Ladies' Home Journal*.

El triunfo de la joven soltera se completó a finales de los sesenta y comienzos de los setenta. *Cosmopolitan*, que alcanzó una circulación de alrededor de dos millones y medio fue seguida de *Viva* y *Playgirl*, mientras que las inamovibles propagandistas de la domesticidad —*Woman's Day* y *Family Circle*— sobrevivían sólo en los supermercados (donde siguen siendo las más vendidas). Debbie Reynolds, Doris Day y Lucille Ball desaparecieron en los cañones de Beverly Hills para dejar paso a duras heroínas como Faye Dunaway y Angie Dickinson y, al final, a la joven soltera trabajadora que irrumpió en la televisión familiar mediante el atractivo personaje de Mary Tyler Moore.

Mientras tanto, en los medios populares de comunicación, el ama de casa de plena dedicación había descendido aproximadamente al nivel de prestigio que antes ocupaban las solteras. Cada vez más, se la retrataba como objeto de conmiseración, una neurótica infantil que atravesaba el día gracias a «los pequeños ayudantes de la madre» (tranquilizantes) y tres horas diarias de folletines televisivos. *Diary of a Mad Housewife* [Diario de una ama de casa loca] la mostraba dando vueltas en su confinamiento familiar; en *A Woman Under the Influence* [Una mujer bajo los efectos], consigue salir, pero camino de un sanatorio mental. El ama de casa televisiva favorita a mitad de los setenta fue Mary Hartman, que tiene una relación neurótica con su hija, una aventura con un policía y una dramática depresión mental, todo ello mientras permanece atenta a los detalles de la casa, como «el tono amarillo de cera» en el suelo de la cocina. Al final, la reputación del ama de casa empeoró de tal forma que hasta el *Ladies' Home Journal* la abandonó para cambiar su nombre por «LHJ», como bien informó a sus anunciantes:

> *LHJ* significa *Ladies' Home Journal.*
>
> Y *Ladies' Home Journal* representa a la mujer que nunca permanece quieta...
>
> Ahora, se va a la montaña a esquiar. El momento siguiente se ha ido a las islas a jugar al tenis. Y, mientras tanto, tiene una familia que crece [*sic*], una profesión apasionante y un estilo creativo de vida que sólo a ella pertenece [39].

El capitalismo norteamericano cruzó la distancia cultural de *LHJ* a *Cosmo*, del mercado a la discoteca, casi sin molestias. Desde luego, las proclamaciones presidenciales sobre la importancia de la familia para el modo de vida americano se han convertido en una tradición de ambos partidos, y sigue habiendo, por parte de la extrema derecha, intentos de revivir el ideal romántico de feminidad. Pero los expertos comerciales, en general, se mostraron encantados con el nuevo estilo de soltería. En primer lugar, desde un punto de vista físico, la vida de soltero significaba más demanda de productos de primera necesidad, como electrodomésticos o muebles. En un hogar residencial, un televisor servía para cuatro o más personas; en un apartamento de soltero, cada persona usaba uno. Si se podía convencer a todos de que vivieran solos (incluidos los niños, por discutir), la demanda de televisores se cuadruplicaría, como poco, sin que aumentase la población. El director de estudios de mercado de una importante empresa multinacional con sede en Estados Unidos (que pidió que no le identificáramos a él ni a la empresa) nos explicó este principio durante una entrevista, en 1974. Al preguntarle qué pensaba de la tendencia femenina a posponer el matrimonio y vivir solas, contestó:

> No hay nada en ello que contraríe a la empresa. La gente que vive sola necesita las mismas cosas que la que vive en familia. La diferencia es que no las comparte. De modo que, en realidad, esta tendencia es buena, porque significa que vendemos más productos. La única ten-

dencia actual en formas de vida que no parece favorable es este asunto de las comunas, ya que en ellas hay una serie de personas que utilizan los mismos productos *.

Además de ampliar el mercado de productos familiares como televisores, batidoras y aspiradoras, la vida de solteros representaba un nuevo *tipo* de mercado, centrado en los viajes, los licores, los equipos de sonido o de deportes, la ropa y los cosméticos. La cuestión era la gratificación instantánea. Las familias norteamericanas pasaban sus mejores años *ahorrando*, para la educación de los hijos, o para tener algún día una casa más grande, o destinaban el dinero a mejoras en el hogar y a bienes no perecederos. Pero nada impedía a la soltera (o al soltero) disfrutar ya de su dinero. Por ejemplo, un anuncio en la revista *Psychology Today*, dirigido a posibles anunciantes, muestra lo que, a su juicio, era el lector típico: una mujer joven, sentada en el suelo de su cuarto de estar, con máscara y aletas de submarinismo, unos bastones de esquiar y una raqueta de tenis bajo el brazo. El titular decía, en negritas: «**Me amo**». El anuncio continúa:

No soy presumida.

No soy más que buena amiga de mí misma.

Y me gusta hacer lo que me apetece.

Yo, conmigo misma, solía sentarme y dejar las cosas para mañana.

Mañana compraremos los esquíes nuevos y miraremos los nuevos coches utilitarios. Y cogeremos esa cámara nueva.

El único problema es que mañana siempre acababa siendo pasado mañana.

Y nunca disfrutaba «hoy»...

[Pero ahora] **vivo mis sueños hoy, no mañana** [40].

Tenía que ocurrir. Desde que los cálidos aires de «permisividad»

---

* A continuación explicó que el método que usaba «la empresa» para librarse de la amenaza de las comunas era mantenerlas apartadas de los medios de comunicación. Consecuentemente, no hay comedias de situación sobre la vida en una comuna, ni anuncios, etc. Por el contrario, se habla continuamente del encanto de la soltería.

empezaron a barrer Norteamérica en los años veinte, se avecinaba algo de este tipo. En los años treinta, cuarenta y cincuenta se decía a las mujeres que «se expresaran», que siguieran sus «instintos», como fuera, para divertirse. Después, los expertos y los publicistas les aseguraron que la «diversión» consistía en una casa y unos hijos, cuando en realidad significaban esfuerzo y sacrificio. Antes o después, alguien tenía que descubrir que se obtenía muy poco placer con la nueva chapa de aluminio o con el salón lleno de muebles de 1.500 dólares tapados con plásticos hasta que llegasen las visitas. Los medios de comunicación que reflejaban —y fomentaban— la nueva vida de solteros murmuraban subversivamente a una generación de mujeres jóvenes: «¿Por qué esperar? ¿Por qué hacer sacrificios? No necesitas excusas para permitirte caprichos. Está muy bien divertirse ahora, por tu cuenta.» Nadie se oponía a que la mujer se realizara, aunque la «realización» significase sufrimientos masoquistas. Pero, si lo que quería decir era sexo ocasional y cámaras nuevas, en lugar de niños pecosos y un césped sin malas hierbas, ¿qué tenía de malo?

Un capitalista sensato no podía sino alegrarse de la nueva tendencia auto-indulgente en las mujeres. El romanticismo sexual había mantenido un mercado para viviendas unifamiliares, grandes coches, grandes electrodomésticos y cereales con sabor a frutas para el desayuno. Pero ahora era evidente que un soltero sibarita podía consumir más que una familia de cuatro miembros. El gasto no tenía que justificarse ya por la casa, los niños, el futuro. Por ejemplo, un anuncio de espacio publicitario en *Mademoiselle* muestra a una mujer joven, relajada y elegante, sobre el titular «Podría ser feliz con menos, pero prefiero ser feliz con más», y el texto:

> Las lectoras de *Mademoiselle* no viven por encima de sus posibilidades. Pero tampoco ven motivos para vivir por debajo.
>
> Son mujeres jóvenes que han adquirido el gusto por las mejores cosas de la vida y que han obtenido los medios de conseguirlas.
>
> *Mademoiselle* tiene el mayor índice de lectoras, entre todas las revistas femeninas, que poseen su propio equipo de sonido...
>
> Y, como puede usted suponer, el índice más elevado de mujeres con éxito profesional [41].

Para ir con los tiempos, una empresa inteligente no tenía más que reelaborar sus textos publicitarios, reducir sus productos a las dimensiones de los solteros (por ejemplo, la lata de sopa Campbell's de una ración, la sartén de tamaño de una hamburguesa, el coche utilitario en lugar del familiar, etc.) y, si podía, adquirir una filial en el triunfante «sector del ocio».

LA DIFUSIÓN DE LA CULTURA DE LA SOLTERÍA

No hubo forma de contener el nuevo estilo de vida en los *ghettos* para solteros de unas cuantas ciudades cosmopolitas. Con su intrínseco *sex-appeal* y el total apoyo empresarial de finales de los sesenta, el modo de vida de los solteros se extendió con una rapidez increíble a los matrimonios. Los jóvenes recién casados, sobre todo, empezaron a sustituir las viejas imágenes de vallas de madera y columpios para el jardín, típicas de *Saturday Evening Post*, por sueños extraídos de las páginas de *Cosmo* o *Playboy*. La mayor parte de las lectoras de *Cosmo* no eran, en realidad, «chicas Cosmo», ni elegían sus amantes según su humor o las previsiones astrológicas, sino que eran mujeres casadas. Y los hombres que leían *Playboy, Penthouse* y la enorme cantidad de imitadoras que siguieron, no eran, en general, *playboys*, sino esforzados maridos. En 1969, el nuevo estilo de vida se había extendido de tal manera que la expansión que el mercado de viviendas privadas había conocido desde la Segunda Guerra Mundial se debilitó bruscamente *. La mitad de las nuevas construcciones de ese año fueron edificios de apartamentos, no sólo para solteros, sino para los casados, cada vez más numerosos, que ahora tenían formas mejores de gastar su dinero que en máquinas de segar el césped y paños de madera para el estudio. Una «investigación motivacional» de 1967, mencionada en *Fortune*, apuntó la tendencia del gasto a alejarse de las casas y dirigirse hacia «la diversión»:

> ... un coche nuevo o un crucero por el Caribe pueden otorgar juventud y vibración a un hombre. En 1966, el público norteamericano gastó

* En realidad, resultó ser un descenso temporal. Hoy en día, numerosas parejas sin hijos e incluso muchos solteros invierten en casas residenciales.

20.000 millones de dólares en tiempo libre y viajes familiares; sólo 4.000 millones más se dedicaron a la vivienda. Como bien de consumo, la casa tuvo poca demanda [42].

En realidad, cada vez había menos diferencias entre las circunstancias del matrimonio y la soltería. En algún momento, hacia el final de los sesenta, «vivir juntos» antes o en lugar de casarse dejó de ser una excentricidad bohemia para convertirse en una alternativa, más o menos imaginable, al alcance de millones de secretarias, maestras y universitarias normales. (El *Ladies' Home Journal*, que a principios de la década había abordado los problemas de etiqueta que planteaba la mujer soltera invitada a una cena, hablaba a principios de los setenta del espinoso problema de las combinaciones que debía hacer la madre cuando se quedaba a dormir el/la «compañero/a de cuarto» del hijo o la hija.) Al mismo tiempo, la tasa de divorcios empezó a alcanzar niveles extraordinarios, pasando de 9,2 por 1.000 mujeres casadas en 1960 a 16,9 por 1.000 en 1970 [43], hasta llegar a un punto en el que alrededor del 40 por 100 de los matrimonios terminan en divorcio. El matrimonio y la soltería no eran ya situaciones contrapuestas para las mujeres, ni requerían modos de vida completamente distintos, sino que eran «fases» divididas (en el lenguaje de la amplia literatura dedicada a los problemas psicológicos) por períodos de «transición».

Los fabricantes de artículos para el hogar se ajustaron rápidamente a la nueva inestabilidad conyugal. Durante años se habían apoyado en la indisoluble familia americana, con sus ahorros constantes y su gradual incremento de bienes perecederos. Pero el nuevo «ciclo matrimonial» —matrimonio, divorcio, segundo matrimonio, etcétera— ofrecía una vertiginosa multiplicación de las ocasiones de venta. «Antes solíamos pensar en un gran hito, cuando "vendíamos" a una pareja —nos explicó el investigador de mercados al que entrevistamos—. Cuando se casaban, empezaban a comprar cosas para su hogar. Después iban, poco a poco, mejorando y aumentando lo que habían comprado en un principio. Pero ahora pensamos, más bien, en dos grandes hitos. Uno, cuando se casan, y otro, diez o quince años más tarde, cuando se divorcian y tienen que duplicar muchas de las cosas que poseían en común, muebles, electrodomésticos, discos o plantas.» En este sentido, el *New York Times* informaba en 1977 que la industria de la vivienda basaba sus esperanzas de recuperación en el millón anual de divorcios en el país: «Al final, el 80 por 100 de los divorciados vuelven a casarse, pero mientras tanto necesitan un lugar donde vivir» [44].

El índice más espectacular del éxito que tuvo el estilo de vida de los «solteros» fue el gran «descenso de nacimientos» en los sesenta y setenta. En los años de la postguerra, en plena construcción de nidos por toda la nación, la tasa de nacimientos había aumentado como la curva de un vientre grávido. El sondeo del *Ladies' Home Journal* en 1961 entre mujeres de 16 a 21 años averiguó que «la mayoría» quería cuatro hijos, y «muchas» querían cinco. Pero ya entonces la tendencia empezaba a invertirse. El índice de natalidad empezó a descender a partir de 1957, cayó en picado con la «rebelión juvenil» de los sesenta y alcanzó un «índice cero de crecimiento demográfico» a mediados de los setenta. Los resultados son conocidos: los tocólogos compensaron sus pérdidas de ingresos practicando mas histerectomías y (cuando llegaba una mujer embarazada) cesáreas. En las zonas residenciales hubo que cerrar. Los fabricantes de productos infantiles —como Nestlé— trasladaron sus campañas de promoción a los países con gran número de recién nacidos, en el Tercer Mundo *.

La excusa moral de la falta de hijos era la «explosión demográfica» descubierta por especialistas y futurólogos a mitad de los sesenta, pero la razón real, para la mayoría de las parejas jóvenes, era que los hijos no encajaban en el modo de vida al que se habían acostumbrado como solteros. Hubo idealistas como la alumna de Mills College que, en su alocución de fin de curso en 1969, declaró: «Nuestros días como raza en este planeta están contados... ME SIENTO ENTRISTECIDA PORQUE LO MAS HUMANO QUE PUEDO

* Con trágicos resultados: la sustitución de la lactancia materna por las leches de fórmula, tan a menudo fomentada por vendedores disfrazados de médicos, ha aumentado la mortandad infantil debida a infecciones intestinales y desnutrición, porque las mujeres pobres, muchas veces, diluyen en exceso la fórmula para hacer que dure más, y porque carecen de sistemas de refrigeración. Véase Leah Margulies, «Exporting Infant Malnutrition», en *Health Right*, primavera de 1977.

HACER ES NO TENER NINGÚN HIJO» [45], pero, por cada una como ella, había docenas de mujeres que no sentían necesidad de justificar su falta de hijos como no fuera por razones personales. Gael Greene, de la revista *New York*, planteaba los argumentos egoístas contra la paternidad ya en 1963:

> Nosotros [ella y su esposo] valoramos la libertad de desaparecer durante un fin de semana o un mes, o incluso un año, dormir a horas absurdas, desayunar a las tres de la mañana o a las tres de la tarde, colgar el cartelito de NO MOLESTEN, dar un portazo y quedarnos solos, juntos o por separado, permitirnos locas extravagancias, levantarnos a las siete de la mañana y montar a caballo por el parque antes de ir a trabajar... beber champaña en la cena sin ninguna razón especial, provocarnos y amarnos en cualquier sitio y a cualquier hora, sin sentirnos culpables porque estamos abandonando al niño [46].

Desde luego, la mayor parte de las mujeres sopesaban, no la posibilidad de tener un hijo frente a la de montar a caballo o cenar con champaña, sino la de tener un segundo o tercer hijo frente a poder tener unas vacaciones familiares, volver a la universidad o acabar con un montón de facturas sin pagar. La píldora facilitó la decisión, igual que la falta de guarderías y el número, cada vez menor, de abuelas dispuestas a cuidar niños por segunda vez en su vida. La cuestión, tanto si se vivía en los lujosos bordes de Central Park como en el borde de la solvencia, era que los hijos no eran ya más que una opinión, y no precisamente la más atractiva. «No parecía muy lógico tener hijos —explicaba una joven pareja en el *New York Times Magazine*—. La explosión demográfica, las tarifas de los dentistas. ¿Y quién quiere quedarse en casa llenando el humidificador y preparando biberones? ¿Y para qué fabricar un niño si luego se va a dejar en alguna dependencia parroquial todas las mañanas?» Esta pareja concreta, no obstante, tomó la infrecuente decisión de tener un hijo, aunque observaban pesarosos: «... tenemos la impresión de que los recién nacidos ocupan, en el nuevo esquema de cosas, más o menos la misma posición que ocupaban hace unos años ocelotes y coatimundis: unas mascotas un poco extrañas» [47].

En los años setenta, las afirmaciones de abierta hostilidad contra los niños, que habrían sonado a traición en los años de la guerra fría y las cunas, empezaban a parecer de sentido común. «Los bebés son un estorbo —explicaba un profesor de ciencia política en la revista *New York*—. Una lata. Y la idea de que la gente vaya a dejar de considerarlos así es ridícula» [48]. En 1973 apareció en escena NON, la Organización Nacional para la No-paternidad, con dos mil miembros entre los que estaban la actriz Shirley MacLaine y el filántropo Stewart Mott, para combatir lo que denominaban el «penetrante pronatalismo» de la sociedad norteamericana. «La gente no es digna de honores y respetos por el mero hecho de tener un hijo», aseguraba un psiquiatra que habló en la convención de NON en 1975. «Los niños no son tan perfectos, ni siquiera tan agradables» [49].

Las actitudes cambiaron rápidamente: el recién nacido de Gerber, gordito y mofletudo, empezó a parecer, desde el punto de vista personal, como una inversión bastante insegura; desde el punto de vista social, era claramente poco más que *contaminante*. La madre de tres o cuatro hijos, que en los años cincuenta se había visto «realizada», empezaba a parecer una criminal.

Tras haber desechado al niño, la siguiente cosa que tenía que desaparecer era el baño de masoquismo sexual. Las mujeres empezaron a intervenir en favor de su experiencia sexual subjetiva como *realidad*, no como neurosis. En la nueva atmósfera de liberación sexual, los vínculos teóricos que habían ligado los orgasmos vaginales al instinto maternal y a la fidelidad conyugal empezaron a deshilacharse como los cordones gastados de un delantal. El clítoris, tanto tiempo suprimido, no podía seguir oculto. Masters y Johnson, que se convirtieron en los principales expertos mundiales en el nuevo campo de la terapia sexual, realizaron el acto ritual *, llevaron el clítoris al labo-

* En realidad, nunca habían faltado pruebas científicas y sociales del papel fundamental del clítoris en la sexualidad femenina. Havelock Ellis, a principios de siglo, y Alfred Kinsey, a mediados, habían mostrado su desacuerdo, a partir de sus investigaciones, con la distinción freudiana entre orgasmo vaginal y clitoridiano, y habían declarado que el clítoris era el órgano principal de placer sexual en la mujer. Kinsey, por ejemplo, señaló que las prácticas masturbatorias y lesbianas demostraban la relativa falta de importancia de la penetración para el orgasmo femenino. Además, las evidencias fisiológicas disponibles, al menos, a partir del final de la década de los cuarenta, contradecían al psicoanálisis, ya que las terminales nerviosas para la percepción del

ratorio y lo observaron en acción. Salieron convencidos de sus poderes absolutos (que hacían que el pene quedara debilitado, en comparación) y dieron su bendición científica a una nueva era de sexualidad femenina, en la que el placer podría separarse de sus últimos lazos con el matrimonio, los niños e incluso los propios hombres.

Con la difusión del «modo de vida de los solteros» en los años sesenta y setenta, los medios de comunicación se apresuraron a celebrar la «liberación» de la mujer norteamericana. La cocina y el cuarto de los niños dejaron de constituir el único campo de creatividad femenina. Los niños dejaron de ser el clímax evidente de la vida adulta. El trabajo abandonó los extremos de las vidas femeninas para introducirse en lo que antes habían sido los años de mayor capacidad reproductora. Y el sexo, que otrora había sido considerado el aglutinante del matrimonio perpetuo, se despegó de cualquier atadura, se convirtió en algo que la mujer hacía para *sí misma.* Los hombres modernos y los publicistas «sensibles» felicitaron a la mujer atractiva e independiente: «Has recorrido un largo camino, pequeña.»

Pero, para las mujeres, fue una liberación ambigua. Después de la antigua dependencia llegaba la nueva inseguridad del cambio de relaciones, un mundo laboral competitivo, matrimonios tambaleantes, una inestabilidad de la que ninguna mujer podía considerarse «a salvo» ni tranquila. Había una sensación de ir a la deriva y de que no había nadie a quién dirigirse. La vieja ideología romántica, respaldada por ciento cincuenta años de teoría psicomédica, era claramente inútil, y los antiguos expertos estaban cada vez más desprestigiados. La era postromántica exigía un nuevo espíritu, una nueva ideología, unas nuevas reglas del «buen vivir».

---

orgasmo eran inexistentes en la vagina y muy abundantes en el clítoris. Pero, a pesar de las pruebas clínicas, fisiológicas, anatómicas y sociológicas, por no hablar de las posibilidades de la observación personal, los médicos y psiquiatras de mitad de siglo lucharon virilmente contra la persistente aparición del clítoris en la actividad sexual femenina. Hasta que las propias mujeres empezaron a derribar el conglomerado del masoquismo sexual, las pruebas fueron sencillamente ignoradas.

La psicología popular y la chica soltera

Cuando el cadáver de la psicomedicina romántica no estaba aún frío, una escuela de expertos completamente nueva hizo su gran entrada en escena. Los defensores de la nueva psicología popular, o «psicología pop», rompieron con Freud, con la ciencia médica e, incluso, con la ciencia en general. Recurrían escasamente a «datos», estudios de laboratorio o experiencia clínica. La nueva psicología iba a convertirse, abiertamente y sin pretensiones intelectuales, en la ideología de masas de la sociedad de consumo, el saber del publicista y el investigador de mercados, condensado en unas sencillas orientaciones para la vida diaria.

La nueva «psicología de mercado» estaba dirigida, por supuesto, a hombres y mujeres, cualquiera que pudiera pagar entre 15 y 30 dólares por una serie de sesiones de terapia de grupo o 2,95 dólares por un libro de bolsillo. Pero su mensaje más revolucionario fue el destinado a las mujeres. Los psicólogos pop avanzaron en lo que habían retrocedido los neofreudianos: aceptaron la permisividad como programa de liberación universal, no sólo para niños, adolescentes y padres abrumados de trabajo, sino también para las mujeres. La nueva psicología era clara y ruidosamente *antimasoquista*. De pronto, la epidemia de «rechazo de la feminidad» siguió el camino de la histeria y otras enfermedades trasnochadas. Los nuevos expertos se mostraban preocupados por un síndrome nuevo e igualmente extendido: la propia «feminidad». A las mujeres les habían «lavado el cerebro» (sus madres, según los expertos) para que fueran pasivas y sumisas. Tomando la palabra a Helen Gurley Brown, los expertos descubrieron que a los hombres no les interesaban los viejos «estereotipos», como ahora los llamaban. «Los hombres no quieren relaciones con frágiles muñecas», anuncia la primera página de un manual de educación para la afirmación positiva, «quieren la excitación de una mujer plenamente adulta» [50]. Y prestigiosos autores de divulgación como la doctora Joyce Brothers hicieron que el mensaje volviera de las fronteras de experimentación urbana a los bosques del matrimonio medio norteamericano: había llegado el momento de que las esposas «se pusieran por delante» [51].

La nueva psicología pop fue un soplo vigorizante, incluso salvador, para los millones de mujeres a quienes llegó a través de terapias de grupo, programas de televisión conducidos por expertos, libros de *self-help* y artículos en revistas. De modo que, después de todo, no estaban locas cuando habían explotado ante el cuenco de cereal volcado en el suelo y los calcetines sucios encima de la mesa. De modo que una mujer tenía razón al querer algo para sí misma, tanto si era una mejor relación sexual como un salario más alto o un poco de reconocimiento. La psicología pop fue un amplificador para la joven voz del nuevo feminismo: está bien enfadarse; está bien ser mujer; está bien ser *tú*. Resumiendo su propia transformación gracias a la nueva psicología, una mujer escribió:

> *Tengo derecho*. Esto es lo que he aprendido... Tengo derecho a una vida propia. No tengo por qué hacer todo lo que *ellos* quieran. No soy malvada por desear hacer lo que no aprueban ni mi madre, ni mi marido, ni mis hijos [52].

No obstante, la nueva psicología resultó ser, en definitiva, tan misógina como cualquier otra cosa que hubiera podido surgir debajo del tronco caído del romanticismo sexual. La ideología romántica, al no encontrar sitio para los valores del amor y la ternura en el mercado, los había asociado con la mujer. Con más exactitud, se los había clavado en la carne. Las mujeres amarían en un mundo que no veneraba el amor, de modo que, como afirmaba el desastre final de los neofreudianos, las mujeres tendrían que amar el *dolor*. Sin embargo, la nueva ideología estaba dispuesta a aceptar los valores mercantiles como principios *universales*, en el mundo de los psicólogos de mercado *no* había lugar para los viejos valores «humanos» del amor y el cariño, ni siquiera sobre las espaldas de las mujeres. Rápidamente se aseguró que todas las características femeninas, que habían sido glorificadas como naturales e instintivas, eran las trampas de un «papel sexual socializado» que —casi de la noche a la mañana—se había quedado obsoleto.

La psicología de mercado que sentaría las bases de la nueva mujer de los sesenta y setenta nació en la atmósfera expansiva, casi rebelde, del Movimiento de las posibilidades humanas (Human Potential Movement, HPM). El HPM procedía del amplio espectro de métodos y estilos psicológicos que florecieron en el ambiente iconoclasta de los sesenta. Su impulso nacía del trabajo de los psicólogos de la «Tercera fuerza» (humanista), ni freudianos ni conductistas, dedicados con optimismos a la «auto-actualización» de una psique que teóricamente poseía una capacidad infinita de expansión. A mitad de los sesenta, psicoterapeutas procedentes de todos los sectores empezaron a entusiasmarse con el atractivo de masas del movimiento, sus técnicas espectaculares (tales como el trabajo en grupo, el contacto físico y la expresión directa de los sentimientos) y su visión utópica de la transformación psicológica de masas.

Dado que se preocupaba por la «expansión de las posibilidades humanas», la nueva psicología estaba destinada a todos. «Si algo se puede decir de toda persona viviente, sin faltar a la verdad, debe ser esto: que no ha desarrollado todas sus posibilidades» [53]. Los métodos del HPM no servían para «hacer que los enfermos se sintieran bien», sino para «hacer que los que se sentían bien estuvieran mejor». Verdaderamente, las nuevas técnicas eran más eficaces en personas «saludables» y «abiertas» (los monitores de los grupos de encuentro aprendieron que había que *desechar* a psicópatas y neuróticos, para que las nuevas técnicas de «expansión» no les perjudicaran aportándoles «material inmanejable»).

Lo importante de desarrollar por completo las propias posibilidades, de acuerdo con los ideólogos del HPM, no era ser capaces de trabajar más, o de hacer una mayor contribución a la sociedad, o cualquier otro objetivo «interno» y anticuado, sino, sencillamente, disfrutar más. En *Joy*, uno de los primeros manifiestos del HPM, el doctor Schutz nos asegura que lo peor de las posibilidades sin desarrollar es que «nos roban placer y alegría de vivir». Con las técnicas que recomienda (desarrolladas en experimentos realizados en las Fuerzas Aéreas y varias empresas y en Etsalen, meca institucional del HPM), promete el regreso a las bendiciones de la infancia: «Quizá logremos volver a capturar algo de alegría, recobrar parte de los placeres corporales, volver a compartir con otra gente la alegría que en otro tiempo fue posible» [54]. Schutz consideraba a su hijo recién nacido como una criatura que corría peligro de perder su alegría infantil cuando creciera, a no ser que se practicaran por todas partes las técnicas de *Joy*: «Más vale que nos apresuremos —advertía—. La cultura está ya alcanzando a Ethan, y parece que empieza a sentirse asustado y culpable» * [55].

Un tema importante en el HPM y las diversas escuelas de psicología pop que siguieron después fue que no *había* que crecer; al menos, no en el sentido anticuado y represivo de Freud. ¿Por qué verse obligados a abandonar los placeres de una infancia permisiva, a ninguna edad? Significativamente, la psicología pop buscó la liberación de la psique a través de la satisfacción sensual, la estrecha relación de grupo, la experiencia sexual y otros descubrimientos característicos de la adolescencia, transportados al mundo de los adultos. El lugar de honor lo ocupaba «el niño dentro de nosotros» como habitante permanente, como si el niño de Gesell «con toda su sabiduría innata» permaneciera dentro de cada uno en un estado de perfecta conservación, adorable y hedonista. Mientras la tasa de natalidad descendía a lo largo de los sesenta y los setenta, cada vez fue más normal que los norteamericanos adultos buscaran en su interior al «niño» que deseaban mimar.

Pero el hecho de que no hubiera que crecer no significaba que no hubiera que *cambiar*. La teoría del HPM implicaba que expandirse era, no sólo un placer, sino casi una obligación: ¿Quién podía asegurar que su personalidad no necesitaba mejorar? Cualquier rechazo, cualquier relación sin salida, cualquier imposibilidad de progresar en el trabajo podía indicar la necesidad de ayuda psicológica.

En el contexto de la cultura de los solteros, con sus «relaciones» de rápidos vuelcos, su sexualidad compulsiva y la presión nerviosa por «disfrutar», este mensaje adquiría una urgencia especial. La gente se convenció fácilmente de que había que «trabajarse» la personalidad y cientos de miles de buscadores procedentes de todos los ambientes convergieron en los lugares donde se practicaba la nueva psi-

---

* Schutz, que escribió en los años sesenta, tenía la ambición política de que las técnicas del HPM pudieran emplearse con éxito en la contención del radicalismo juvenil. Esperaba que sus enseñanzas paliaran «el actual "vacío de credibilidad"... que está erosionando una administración política», y que contestaran a la exigencia de los jóvenes de que «lo contemos tal y como es». Incluso llegaba a sugerir que las nuevas técnicas podrían superar los placeres de la cultura de las drogas.

cología. Talleres de HPM florecieron en lugares tan distintos como centros comunitarios de zonas residenciales, facultades y escuelas superiores, salas de juntas de empresas, en cualquier tipo imaginable de programa de formación profesional y semiprofesional, en organizaciones políticas e incluso en iglesias. El psiquiatra Joel Kovel escribía, refiriéndose sólo a los grupos de encuentro:

> ... tales grupos constituyen un importante fenómeno social, aunque parece que, como en el caso del *acid rock*, tuvieron su culminación a finales de los sesenta. No había más remedio. Dada la velocidad a la que crecían entonces, si no se hubieran detenido habrían devorado todas las demás formas de organización social. Recuerdo que, durante una visita que hice en 1969 a Palo Alto, California, me dijeron que esa ciudad, de modestas dimensiones, poseía unos 360 grupos en funcionamiento [56].

Cuando los grupos de encuentro comenzaron el declive, habían surgido ya otras terapias para rellenar el hueco, como el psicodrama, la *Gestalt*, el análisis transaccional, la terapia primordial, algunas más heterodoxas (como el «est») e incluso métodos «tradicionales» —como los enfoques de Jung, Reich o Sullivan—, además de cien variaciones «eclécticas» de todas ellas. Al mismo tiempo había grupos «temáticos»: para casados, para divorciados, para fumadores, para bulímicos, para insomnes. «La alegría se multiplica», exclamaba Schutz proféticamente en 1967, asegurando que, si las cosas seguían el camino adecuado, todas las instituciones e incluso «el poder» dependerían pronto de la capacidad de disfrutar [57].

Con esta demanda masiva de consejo psicológico, la psicoterapia se convirtió en una industria en crecimiento, y pronto el título de psicología se convirtió en una de las mejores oportunidades de obtener categoría y dinero para un universitario. Sin embargo, la «psicología pop» era una mina de oro demasiado importante para poder encerrarse en una disciplina académica. Sólo un psicoanalista podía psicoanalizarte, pero muchas personas podían ser «consejeros matrimoniales» o «dirigir grupos», y prácticamente cualquiera con una máquina de escribir podía redactar un libro que aconsejara a millones de personas cómo vivir. Apareció una hornada de nuevos expertos psicológicos, vagamente imbuidos de unas cuantas inhalaciones de doctrina del HPM y dispuestos a satisfacer la demanda de orientaciones en la nueva y confusa cultura de la soltería. Los vencedores en la carrera del oro de la psicología fueron los veteranos de las industrias de la manipulación (mercadotecnia y publicidad) que, tras darse cuenta de que era su terreno natural, empezaron en los años setenta la producción masiva de manuales de «hágalo usted mismo». Jean Owen, procedente de encuestas sobre opinión y audiencia televisiva, es la entrevistadora-coordinadora del éxito *How to Be Your Own Best Friend* [Cómo ser su propio mejor amigo]. Jess Lair escribió *I Ain't Much, Baby-But I'm All I've Got* [No soy gran cosa, chica, pero soy todo lo que tengo], un libro muy conocido, al que siguió *I Ain't Well-but I Sure Am Better* [No estoy bien, pero seguro que estoy mejor]. Lair había prosperado como asesor de mercadotecnia y gestión antes de obtener el título de psicología.

Success Through Transactional Analysis [El éxito a través del análisis transaccional], de Jut Meiniger, aplicaba dicha técnica a los negocios. *How to Say No Without Feeling Guilty* [Cómo decir no sin sertirse culpable] fue escrito en colaboración por el doctor Herbert Fensterheim y su esposa, Jean Baer, antigua directora de relaciones públicas de la revista *Seventeen.* Tras el éxito de *How to Say No*, Jean Baer hizo su propia incursión en el mercado de la psicología con *How to Be an Assertive* (*Not Agressive*) *Woman* [Cómo ser una mujer positiva (no agresiva)].

Pronto, incluso los bastiones de la psicomedicina académica se encontraron sólo con el viejo saco de fórmulas románticas sobre el masoquismo y tuvieron que rebajarse a aprender de los libros de bolsillo. Jean Baer codirigió un estudio piloto sobre formación para la afirmación positiva en la clínica Payne Whitney del New York Hospital. Eric Berne, que no fue admitido en la Asociación Americana de Psicoanálisis debido a sus teorías sobre el análisis transaccional, habría tenido la satisfacción, si hubiera vivido, de ver cómo se impartía TA en los programas de las facultades de medicina y de letras. Freud quedó relegado a los estantes de atrás mientras los programas más progresistas de medicina y de letras se apresuraban a ocupar el primer plano con sus *gestalt*, TA, «modos de conducta» y otras variaciones más abiertamente comerciales.

Con la explosión en las ventas de libros de *self-help* en los setenta, la psicología moderna de mercado, compuesta por una parte de filosofía HPM (eclécticamente extraída de las nuevas tendencias de psicología pop en desarrollo) y por dos partes de ingenio comercial agudo y realista, consiguió despegar verdaderamente como fenómeno de masas. La psicología de mercado adoptó la alegre expansividad del HPM y la transformó en una filosofía de implacable egocentrismo. En el mundo postromántico, en el que las viejas ataduras no ligan ya nada, todo lo que importa eres *tú*: puedes ser lo que *desees*; puedes *escoger* tu vida, tu entorno, incluso tu aspecto y tus emociones. No te «ocurre» nada. No hay «no puedo», sólo «no quiero». No tienes que ser la víctima, ni siquiera, de tus propias emociones: decides sentir lo que *quieres* sentir. «Eres libre cuando aceptas la responsabilidad de tus propias decisiones», escriben Newman y Berkowitz en *How to Be Your Own Best Friend*, para añadir que los únicos obstáculos que conocen consisten en que «la gente se aferra a sus cadenas». Del mismo modo, el análisis transaccional es «realista», según el divulgador Thomas Harris, M. D., «... porque enfrenta al paciente con el hecho de que es responsable de lo que ocurra en el futuro, al margen de lo que haya ocurrido en el pasado» [58]. En la lógica de la psicología pop, la conclusión era que lo único que mantenía retraídas a las mujeres era un «proceso mental negativo»: «... las mujeres no se consideran iguales a los hombres, así que no actúan de la misma forma; por consiguiente, los hombres, los empresarios, los parientes, la sociedad, no las trata como a iguales» [59].

El corolario de la proposición de que cada uno es totalmente responsable de sus sentimientos es que *no* es responsable de nada más: «No hay que satisfacer las expectativas de nadie.» El egoísmo no es una «palabra sucia», no es más que «la expresión del instinto de conservación» [60]. Un manual de modificación de conducta advierte que, cuando uno se embarque en su programa, la gente le acusará de ser egoísta, egocéntrico. No hay que preocuparse. La persona que lo haga «es también un egocéntrico y sólo está diciendo indirectamente: No te estás centrando en MÍ» [61]. Un libro detrás de otro, todos parten de que la única forma de impedir que te «pisoteen» es «ponerte tú por delante». Prometen ayudarnos a buscar el primer puesto, o ayudar a la persona que más queremos: nosotros mismos. «El egoísmo (egoísmo) no es más que el reconocimiento y la aceptación de la realidad de que cada persona es la persona más importante del mundo para sí mismo» [62]. La otra cara de «No seas una víctima» es «No auxilies» a ninguna otra víctima. La «Oración de la *gestalt*», que se extendió por miles de carteles, postales y tazas de café, lo expresa claramente:

> Yo hago lo mío y tú haces lo tuyo.
> No estoy en el mundo para responder a tus expectativas.
> Y tú no estás en este mundo para responder a las mías.
> Tú eres tú y Yo soy yo, y si, por azar,
> nos encontramos, será muy bello.
> Si no, no puede hacerse nada por remediarlo [63].

Si uno no es responsable de nadie más que de sí mismo, se supone que las relaciones con otra gente no están sino para ser aprovechadas cuando sea (emocionalmente) rentable, y para terminarlas cuando dejen de serlo. La hipótesis fundamental es que cada persona que participa en una relación tiene una serie de «necesidades» emotivas, sexuales o de otro tipo, que pretende satisfacer. Si un amigo o un compañero sexual ya no las satisface, el lazo puede romperse con tanta lógica como un comprador dejaría de adquirir en una tienda si encuentra otro precio mejor. Las *necesidades* tienen una legitimidad inherente, mientras que las *personas* son reemplazables.

Por tanto, una mala relación es aquella en que uno «pone» más de lo que «obtiene». Las relaciones —especialmente los matrimonios— son, en realidad, «contratos» financieros y emotivos en los que conviene acordar con precisión los derechos y las responsabilidades e incluso plasmarlos por escrito, hasta la más íntima expectativa. De ese modo, se quita el último velo de sentimentalismo a lo que Charlotte Perkins Gilman había denominado la «relación sexo-económica». Queda patente que el matrimonio es un trato como cualquier otro, que empieza cuando dos personas «se venden» el uno al otro. Robert Ringer (antiguo vendedor inmobiliario y autor de *Winning Through Intimidation* y *Looking Out for Number One* [La victoria a través de la intimidación y En busca del primer puesto] plantea estos cuatro pasos para «vender» bien la propia persona:

1) Conseguir un producto para vender (por ejemplo, el «producto» de una mujer podría muy bien ser *ella misma* como esposa),

2) Situar un mercado para ese producto (en el ejemplo anterior, se trataría de los hombres disponibles que respondan a lo que ella quiere),
3) Aplicar una técnica comercial (poner en práctica un procedimiento para venderse), y
4) Ser capaz de cerrar la venta (convencer al obstinado de que firme en la línea de puntos y entregue el anillo) [64].

Una vez dentro de la relación, su éxito dependerá, de acuerdo con otro libro de consejos, de circunstancias tales como «el deseo y la capacidad de ambas partes de fortalecer las expectativas de cada uno en una negociación lo bastante equilibrada como para mantener una consonancia». Por ejemplo, un manual de formación en conducta positiva recomienda que las parejas realicen, con arreglo a ciertas normas, «contratos de intercambio de conductas», en los que cada miembro de la pareja altere su comportamiento en función del otro. Entre esas normas están:

a. Cada miembro consigue algo que quiere del otro. Por ejemplo, decides «llevar un vestido bonito por la mañana, en lugar de ése viejo». El acepta «llegar a casa a tiempo para la cena, en lugar de quedarse bebiendo con los amigos». Se empieza con cosas simples y se avanza hacia otra más complejas («Ella debería iniciar más relaciones sexuales...» «El debería besarme más»)...

d. Siempre que sea posible, seguid la trayectoria hacia la conducta perseguida mediante gráficos, cuadros, puntos o fichas.

e. Evitad los desacuerdos sobre el contrario, escribiendo todo. Mantenedlo en un lugar donde ambos podáis verlo con facilidad. Muchas parejas lo colocan en la puerta de la nevera, o del dormitorio. Cuando consigáis cumplir un contrato de intercambio de conductas, para mutua satisfacción, pasad al siguiente [65].

Si las negociaciones se rompen, según otro libro, puede haber un «afortunado divorcio» —que no debe considerarse, en absoluto, como un fracaso— «previamente pensado como un movimiento de promoción personal, en el que no se da tanta importancia a lo que se ha dejado atrás y, por tanto, se ha perdido, como a lo que nos espera por delante y puede incorporarse a una imagen nueva y mejor» [66]. Tras el divorcio, nos cuenta este libro sobre modificación de conductas, las «pequeñas aventuras» pueden ser útiles por muchos motivos, incluyendo «la oportunidad de sustituir a amantes que hayan aportado disonancia sexual por otros más capaces de aportar consonancia». La persona con una «propia imagen positiva» no necesita preocuparse por la promiscuidad. *Todas* estas aventuras serán «significativas» porque todas contribuirán a la «propia reserva de experiencias».

Si las relaciones son transacciones comerciales, el Yo es ahora un propietario, un inversor y un consumidor. Casi se puede oír el roce del lápiz sobre el papel cuando se cuentan los «avances» y se totalizan las tabulaciones de amor dado y amor recibido. En el lenguaje del comercio psicológico, sabemos capitalizar nuestros activos y recortar nuestras pérdidas, sacar el máximo rendimiento a las rentas de nuestras inversiones (emocionales) y, en general, situar todas nuestras relaciones —con amantes, colegas o miembros de la familia— en el equivalente psíquico de un sistema de autoservicio.

De la metáfora comercial para las relaciones, es fácil saltar a la metáfora del «juego», tan usada en el verdadero mundo de los negocios. La psicología de mercado divide el mundo en dos categorías de personas, los «ganadores» y los «perdedores». *The Winner's Notebook, Born to Win, Winners and Losers* y *Winning Through Intimidation* [Cuaderno del vencedor, Nacido para vencer, Ganadores y perdedores y La victoria a través de la intimidación] son sólo unos cuantos títulos entre los libros de orientaciones. (En la economía decimonónica, todos sabían que la mayoría de las personas eran «perdedores». Pero en la economía moderna, centrada en el consumo, en la que «ganar» no significa necesariamente ganar riqueza y poder, sino disfrutar, todos pueden ser, de repente, «ganadores»: no hace falta más que la estructura mental adecuada.) «Lo que se requiere es concentración en lo que nos espera y el deseo de disminuir la importancia de las rachas perdedoras y de aumentar la de las ganadoras», afirma *Winners and Losers*. «En el póquer se hace todos los días: recorta tus pérdidas; desecha las manos malas o «dudosas» y apuesta fuerte por las buenas» [67]. Y no te deprimas mucho por ninguna cosa; no es más que un juego.

Como sistema abstracto, la psicología de mercado postula una «economía» de emociones en la que «jugadores» homogéneos interactúen, como unos verdaderos hombres de negocios, con arreglo a reglas precisas de posesión e intercambio. Homogeneizar a los jugadores es lo más difícil, puesto que son humanos, después de todo. El primer paso es dejar de lado en lo posible el pasado personal. Casi todos los psicólogos de mercado presumen de que evitan las historias que suponen pérdida de tiempo y confusiones: un libro de *gestalt* desecha el pasado con las palabras «... la realidad existe sólo en el presente. La memoria que una persona tiene del pasado (pese a sus sinceras negaciones de este hecho) es una colección de distorsiones y malas percepciones obsoletas». Una vez erradicadas sus biografías personales, las personas se asemejan más y se pueden analizar según sus necesidades y su conducta en el aquí y ahora: «Lo que hacemos y cómo funcionamos *es* nuestro yo» [68]. Se simplifica y, cuando es posible, se mecaniza la concepción del yo. «Las funciones cerebrales son como una grabadora de alta fidelidad —afirma Harris—. El adulto [yo] es una computadora que procesa datos.» Cuando no son grabadoras ni computadoras, las personas suelen aparecer como robots cuya «programación» les impide admitir «insumos positivos» o evitar que otros robots, en busca de «rendimientos negativos», pulsen los «botones de su ira». «La libertad» consiste, por supuesto, en «estar al mando de tus propios controles».

Las reglas de posesión son claras: en primer lugar, concentrarse en «poseerse» y «poseer los propios sentimientos», porque todos los demás se dedican a hacer lo mismo. Nunca más se va a cantar al amor con las notas de un vínculo romántico, «nos pertenecemos uno a otro», «le di mi corazón», «voy a hacerla mía», etc. No, en el juego nuevo uno nunca se da completamente:

> ... un adulto, cuando ama, no arriesga toda su identidad. Ya la posee y la va a poseer, al margen de cómo responda el otro. Si pierde a su amante, seguirá teniéndose a sí mismo. Pero si se necesita a alguien más para establecer la propia identidad, perder a esa persona puede hacerle sentir realmente destruido [69].

Para este adulto en posesión de sí mismo, en un universo de «yoes» homogéneos, ni siquiera la muerte es un gran impacto. Uno de los psiquiatras autores de *How to Be Your Own Best Friend* recuerda:

> Una vez estuve tratando a un hombre profundamente apenado. La persona que le había sido más cercana había muerto y se sentía amargamente desolado. Me senté con él y puede sentir la profundidad de su pena. Entonces le dije: «Parece que hubiera perdido usted a su mejor amigo.» Respondió: «Lo he perdido.» Y yo le repliqué: «¿No sabe usted quién es su mejor amigo?» Me miró sorprendido, pensó un momento y las lágrimas afloraron a sus ojos. Luego reconoció: «Supongo que es cierto. Tú eres tu mejor amigo» [70].

En el mundo de los «jugadores» homogéneos e intercambiables, todas las relaciones se rigen por el principio comercial del intercambio equivalente. Si los dos miembros de una pareja pueden establecer un intercambio equitativo, magnífico. Si no, no se puede hacer nada por remediarlo; hay que acudir a otro jugador. Las viejas jerarquías de protección y dependencia no existen ya, sólo hay contratos libres, firmados libremente. El mercado, que ya mucho antes se había ampliado para incluir las relaciones de producción, incluye ahora también *todas* las relaciones.

La nueva psicología reconoció inmediatamente que las mujeres entraban en el mercado emocional y económico con una desventaja especial: se habían preparado desde la niñez para una vida de *entrega* sin reservas, dentro de unas relaciones estables y protectoras. Esa desventaja requería una clase particular de terapia masiva, algo que pudiera suministrar a las mujeres las «técnicas de supervivencia» que necesitarían en un mundo dominado por la cultura de los solteros. La formación para la afirmación positiva, como se llamaba la nueva terapia, necesitaba un completo vuelco psicológico. De acuerdo con la introducción a uno de los manuales, las mujeres admitían que «había una especie de incapacidad en nuestra feminidad» [71] y que, para no quedar por debajo en la feroz carrera personal y laboral, tenían que cambiar rápidamente.

Sin dudarlo demasiado, los manuales de formación para la afirmación positiva se atuvieron al comportamiento masculino como modelo. Observaban que la mayoría de los varones no tienen problemas de afirmación; su socialización les ha proporcionado el grado necesario de egocentrismo. Pero «la sociedad no ha inculcado a las mujeres, como ha hecho con los hombres, la absoluta necesidad de ponerse por delante» [72]. Los manuales de afirmación alaban con envidia la educación emocional de los chicos, en contraste con las experiencias de las chicas:

> Si hubieras nacido varón, probablemente habrías tenido una cálida acogida, en la esperanza de que siguieras los pasos del Padre (si son grandes logros) o de que los sobrepasaras. Por el contrario, como chica, tu recibimiento puede ser más apagado, especialmente si tienes ya una hermana mayor. «Vaya, habrá que probar otra vez —podría decir papá—. *Es* una cosita bonita»... Si de verdad te pones por delante, después aprendes a sentirte culpable, al contrario que los chicos, que pueden afirmarse, decir lo que quieren e incluso luchar para conseguirlo [73].

Los hombres son afortunados y no tienen problemas en el mercado ni en la psicología de mercado, pero las mujeres tienen que olvidar su socialización e imitar el estilo masculino. Un libro de consejos para las mujeres en puestos directivos recomienda: «Sobre todo, no muestres tus emociones y *nunca* llores ante un colega masculino. Los hombres se han pasado la vida aprendiendo a reprimir las lágrimas; las mujeres tienen mucho que aprender para ponerse a su altura» [74].

La educación para la afirmación positiva, como la psicología popular en general, está pensada para aplicarse a todas las situaciones, el trabajo, las relaciones sexuales, la amistad. Uno de esos libros empieza con la siguiente muestra de cómo ser «positiva» con una amiga: en el relato, estás sola en casa, con todas las tareas terminadas. Tienes un rato libre, dos horas «sólo para ti». Entonces suena el teléfono. Es una amiga que te pregunta si, como favor muy especial, puedes vigilar a su hija Alison, de dos años, durante la mañana, mientras ella va a una reunión. Tienes «una familiar sensación de ahogo en tu estómago». *Querías* esas dos horas para ti:

> Si eres negativa, puedes sencillamente rechazar tus propios deseos y prestarte a cuidar de Alison: «Iba a hacer otra cosa, pero no importa, en realidad. De acuerdo, tráemela.»
>
> O puedes decir, de forma *positiva*, «Sé que es una lata llevarte a Alison, pero me había reservado dos horas para mí esta mañana, así que no puedo quedarme con ella» [75].

El libro promete ayudarte a saber lo que quieres hacer. Se evita claramente decir qué está *bien*. No hay sitio para que compares la necesidad de la madre de Alison de ir a la reunión con tu necesidad de pasar dos horas sola; ni para que valores las dificultades de la madre de Alison en relación con las tuyas. El único motivo posible para que cuides de Alison es que *quieras* hacerlo (y en realidad, según los autores, no quieres). El reconocimiento de que «sé que es una lata llevarte a Alison» no es más que una «técnica» psicológica destinada a hacer que la amiga *crea* que simpatizas con ella, aunque te niegues a ayudarla. Uno se pregunta qué pasa con la madre de Alison cuando llegue a su reunión con la niña de la mano, sólo para que le digan —de forma positiva— que no quieren que vuelva a haber niños en las reuniones.

Pero en la dura lucha del mercado sexual ninguna mujer puede permitirse un anticuado sentido de la responsabilidad hacia otras mujeres. Un manual de educación para la afirmación positiva enumera una serie de derechos de la mujer soltera, que incluyen el derecho a «salir con un hombre casado»:

> ¿Deseas este derecho? Es una decisión que sólo tú puedes tomar. Ahora, en estos días de renovación urbana, la calle de atrás ha dejado casi de existir. La otra Mujer está viva, sana y habitando en todas partes, en una habitación bien aprovechada o en una casa lujosa... La Otra actual puede sentir cierta culpa, pero... no se considera inmoral; se ve como una mujer moral y digna de respeto, que está en la situación de la otra mujer [76].

Como un boomerang, esta negación de la existencia de todo valor moral se vuelve contra todas las mujeres. El modelo del mercado pretende ser igualitario o incluso feminista. Pero, en realidad, plantea una falsa igualdad, y niega que las mujeres tengan necesidades especiales ni experimenten ninguna discriminación concreta como tales. Incluso el objeto ideal de la psicología de mercado, la chica soltera sin responsabilidades familiares, tiene «desventajas» que no pueden superarse con ninguna psicoterapia ni orientación en libro de bolsillo. La formación positiva no elimina los peligros de la anticoncepción, los riesgos del embarazo, el precio de un aborto.

Pero la cuestión de los hijos es el punto en el que la psicología de mercado se desintegra completamente como filosofía útil para las mujeres. Las relaciones que aparecen en los libros de psicología pop no son nunca relaciones con los hijos, y cuando aparece uno, como la pequeña Alison, se supone que *nadie* la quiere. Después de todo, ¿cómo se puede mantener con un hijo una relación basada en el principio de intercambio equivalente? ¿Ignoras al niño que no te ofrece suficientes «avances»? ¿Te niegas a hacerle el desayuno al niño de dos años que se ha hecho pis en la cama? ¿Abandonas a un niño que no satisface tus necesidades (recitando amablemente la oración de la *gestalt* mientras te vas)? Ante el problema de los hijos —siempre planteado como un «problema», un obstáculo para la movilidad de las mujeres— los psicólogos de mercado se hacían repentinamente rígidos, sentenciosos e incluso regañones:

> No estoy en contra de las guarderías o de que las mujeres trabajen. Pero tener hijos es —o debería ser— una opción. Si las mujeres desean tener hijos, deben hacerlo. Si no desean criar niños, no deben tenerlos... Pueden presionar para que haya guarderías si quieren, pero no deben sentirse víctimas [77].

Y en *Winners and Losers*, los autores se preguntan: «¿No es cierto que los hombres divorciados viven mejor, porque normalmente viven sin niños, se dedican a su trabajo y son más libres de encontrar compañía social y sexual?», y contestan:

> Si los hombres salen mejor parados en cualquier aspecto del divorcio, es porque deciden salir mejor; si las mujeres lo pasan peor, es porque han decidido estar peor... Respecto a cómo liberarse de los hijos, la mejor forma de estar libre de hijos es no concebirlos... [78].

La ideología psicológica había girado 180 grados desde las teorías neofreudianas de la maternidad libidinosa y el masoquismo femenino. De ser la única fuente de satisfacción en la vida de la mujer, los hijos habían pasado a ser un obstáculo para su libertad. De ser un simbólico acto de sumisión, el sexo se había convertido en un artículo placentero que tanto mujeres como hombres tenían derecho a exigir. La vieja promesa racionalista de que las fuerzas del mercado romperían los viejos vínculos de la familia parecía hacerse realidad y la ideología del romanticismo sexual empezaba, por fin, a derrumbarse. Pero si las normas impuestas por el romanticismo sexual habían negado a la mujer cualquier futuro que no fuera el servicio a la familia, la nueva psicología parecía negar las relaciones humanas en su conjunto, tanto a los hombres como a las mujeres. La psicología pop, que había empezado por una efusiva evocación de la alegría universal, acababa con el amargo «realismo» del bote salvavidas; no todos podían subir a bordo, de modo que la supervivencia dependía de cómo supieras luchar para «obtenerla». A pesar de su ruptura radical con el romanticismo sexual, los expertos de la psicología de mercado acabaron fomentando un ideal de naturaleza femenina tan distorsionado y restrictivo como el que en otro tiempo había propuesto la ginecología del siglo XIX.

Epílogo: El final del idilio

Igual que el período con el que comenzamos, cuando Charlotte Perkins Gilman, Jane Addams y tantas otras de su generación se enfrentaban a la cuestión femenina, éste es un momento clave en las vidas de las mujeres. El romanticismo sexual, como ideología sistemática, alimentada por la ciencia y propagada por un ejército de profesionales, ha llegado a su fin. Las normas que han regido las vidas femeninas durante generaciones se han roto. Pero no está claro lo que nos espera.

Hay un carácter de improvisación en la vida de las mujeres, debido a que cada una intenta componer un modelo que sea estable sin ser restrictivo, variado sin ser caótico. Una mujer triunfa como trabajadora soltera, sólo para verse atrapada en el pánico, al llegar a la treintena, por no haber tenido hijos. Otra se dedica a sus hijos, como hizo su madre antes que ella, para caer en una profunda depresión, en la cuarentena, por lo que ahora le parece una vida «desperdiciada». Un ama de casa deja un hogar confortable y una familia para unirse a una comuna de lesbianas... una mujer soltera y trabajadora emplea su posición para criar a un hijo sin casarse... Hay demasiadas alternativas... o no hay suficientes. Las posibilidades son estimulantes... y aterradoras.

Nos encontramos ante las consecuencias de una transformación económica y social, no tan cataclísmica como la que planteó al principio la cuestión femenina, pero sí lo bastante radical como para haber trastornado las más firmes hipótesis sobre la naturaleza femenina y el lugar de la mujer. Es el final del período del romanticismo sexual, el fin de la ideología que había «resuelto» la cuestión femenina y la había sellado durante más de un siglo y medio.

La solución romántica duró tanto tiempo porque poseía fuerza *moral*. Afirmaba, aunque lo hici
::%s:SATURNy sentimental, el supremo valor del amor contra los intereses egoístas, de las personas contra los objetos inanimados. Reforzaba las necesidades humanas que no podían satisfacerse en el mercado, la demanda de amor e intimidad, de afecto y ternura. Sostenía a los débiles, los niños, los ancianos, en un mundo económico que sólo recompensa a los fuertes y victoriosos.

Pero la «solución» romántica consistía en colocar toda la responsabilidad del amor y la ternura, directamente, sobre los hombros de las mujeres: sobre cada mujer aislada, resistiendo ante la anarquía del mercado. Y en ello estuvo el nefasto compromiso moral del romanticismo sexual: no decidió rehacer el mundo, sino exigir que las mujeres *lo compensaran*. Y, desde el principio (incluso cuando más seguro parecía el pedestal), ésta era una tarea que no podía conducir sino a la humillación. Las mujeres trabajaron para conservar el hogar como un santuario de valores humanos, pero no era un trabajo que recibiera honores. Los esfuerzos domésticos femeninos habían estado tan marginados que se fueron haciendo casi invisibles (y obteniendo una recompensa económica menor que la del trabajo menos importante). Intentaron ser «femeninas», y se encontraron obligadas a ser la negación de todo lo útil y dinámico. Al pedir que las mujeres «humanizasen» la sociedad, el romanticismo sexual acabó deshumanizando a las mujeres.

La realidad romántica quedó ya gravemente tocada a mitad de los sesenta. Pero hizo falta un esfuerzo consciente y organizado para derribar el romanticismo sexual de su posición como ideología dominante, y ello fue tarea del movimiento feminista de finales de esa década y la siguiente. El movimiento fue, en cierto sentido, una toma de conciencia de los cambios que ya estaban transformando las vidas femeninas: el ocaso del doble modelo sexual, la masiva entrada de las mujeres en el mundo del trabajo, las nuevas oportunidades y los peligros de la independencia. Pero el feminismo enseguida trascendió e incluso contradijo la «cultura de los solteros» articulada por los ideólogos del mundo empresarial. Representaba una nueva fuerza *moral*, capaz de exponer (como nunca podrían hacer *Cosmo* y sus imitadores) la corrupción moral del romanticismo sexual.

Las fundadoras del primer movimiento feminista fueron activistas formadas en los movimientos antibélicos y de derechos civiles. Como los hombres de su generación, habían visto más allá de la bucólica paz de las afueras para ver la zona bélica que los rodeaba, las rebeliones en los *ghettos* urbanos, las luchas de guerrillas en el Tercer Mundo. Habían llegado a conprender que el poder que mantenía el *statu quo* no era el consenso, sino la fuerza. Inevitablemente, plantearon la analogía entre las mujeres y los negros, entre las mujeres y todos los demás «oprimidos». Donde los sociólogos veían «papeles» e «instituciones», los psiquiatras, «ajuste femenino» y las autoridades médicas, «destino biológico», las feministas vieron *opresión*. El romanticismo sexual, con toda su caballerosidad y su sentimentalismo, no existía más que para ocultar la injusticia más antigua: el gobierno, por la fuerza, de los hombres sobre las mujeres.

Armadas de análisis morales sobre el aspecto coactivo del romanticismo sexual, las feministas procedieron a desafiar su base «científica». Los términos del debate fueron los que los propios expertos habían escogido hacía mucho tiempo: las reglas y la lógica de la ciencia. Una y otra vez, las críticas feministas confrontaron la «ciencia» masculina con una razón superior. En folletos, libros, publicaciones contraculturales y artículos académicos, las mujeres llegaron hasta el núcleo teórico del romanticismo. En los grupos de concienciación, en grupos de estudio femeninos y en aulas universitarias, las mujeres sostuvieron las teorías científicas de acuerdo con su propia experiencia, y los viejos «hechos» se esfumaron como los mitos. El inmutable instinto maternal... la santidad de los orgasmos vaginales.... la necesidad infantil de una maternidad exclusiva... la teoría del masoquismo femenino, todas las contraseñas de la teoría psicomédica de mitad de siglo se marchitaron ante las críticas feministas.

Al mismo tiempo, la «atención» benévola que enmascaraba la ideología impartida por los ginecólogos se dispuso a recibir una valoración mordaz. Las exposiciones de los riesgos de la píldora, los dispositivos intrauterinos y los tratamientos hormonales para las menopáusicas hicieron surgir serias dudas sobre la integridad del médico, si no sobre su competencia esencial. Se vio que los doctores entraban en el cuerpo femenino con un abandono semejante al que había caracterizado a la ginecología decimonónica. (Se calcula que la mitad de las histerectomías practicadas cada año en Estados Unidos son médicamente innecesarias.) Quizá lo más sorprendente fue la disección feminista de la atención profesional en tocología: el uso rutinario de la anestesia, el recurso extendido a los fórceps, la inducción química del parto y las cesáreas resultaron ser peligrosas para la madre y el hijo, aunque cómodas y probablemente gratificantes para el médico. El parto «científico», por el que se había proscrito a las comadronas, quedó expuesto, en manos de las feministas, como un drama de misoginia y avaricia *.

El ataque feminista a los expertos tuvo pronta repercusión en las cocinas y las salas de espera de las clínicas. En los setenta, la etiqueta de «freudiano» era suficiente para perjudicar seriamente el ejercicio de un futuro terapeuta o desacreditar a un famoso experto en educación infantil. Las mujeres empezaron a poner en duda las opiniones de su médico sobre el cérvix, la sexualidad, el matrimonio o la feminidad.

El gran idilio entre mujeres y expertos había terminado, y todo porque los expertos habían traicionado la confianza que las mujeres

* Entre los desenmascaramientos importantes de las prácticas médicas realizados por feministas están: Ellen Frankfort, *Vaginal Politics,* Nueva York, Quadrangle Press, 1972; Colectivo de salud de mujeres de Boston, *Our Bodies, Ourselves,* Nueva York, Simon & Schuster, 1976. Barbara Seaman, *Free and Female,* Greenwich, Fawcett Crest, 1972; Adrienne Rich, *Of Woman Born,* Nueva York, W. W. Norton & Co., 1976 (versión española: Barcelona, Noguer, 1978); Doris Haire, *The Cultural Warping of Childbirth,* Seattle, International Childbirth Education Association; Naomi Weisstein, «Psychology Constructs the Female», en V. Gornick y B. K. Moran, eds. *Women in Sexist Society,* Nueva York, Signet/New American Library, 1971. Hay dos antologías que incluyen importantes escritos feministas sobre medicina: Claudia Dreifus, *Seizing Our Bodies: The Politics of Women's Health Care,* Nueva York, Vintage, 1978, y John Ehrenreich, *The Cultural Crisis of Modern Medicine,* Nueva York, Monthly Review Press, 1978.

Se pueden encontrar bibliografías de escritos recientes sobre mujeres y medicina en Jane B. Sprague, «Women and Health Bookshelf», *American Journal of Public Health,* 65, 741-746, julio de 1975, y en *Women and Health Care: A Bibliography with Selected Annotation,* Programa sobre las mujeres, Northwestern University, Evanston, Illinois, 1975.

habían depositado en ellos. Mientras proclamaban la pureza de la ciencia, habían persistido en el mercantilismo inherente a un sistema comercial de curaciones. Mientras proclamaban la objetividad de la ciencia, habían propuesto las doctrinas del romanticismo sexual. Al final, no eran científicos —pese a toda su palabrería sobre datos, hallazgos de laboratorio, pruebas clínicas—, sino defensores del *statu quo*. Ante algo que se parecía a la esencia del verdadero pensamiento científico —el espíritu crítico y racionalista del nuevo feminismo— no podían más que bramar a la defensiva o murmurar avergonzados.

La caída de las autoridades que habían sostenido el romanticismo sexual fue repentina y catastrófica. En menos de una década, todo el edificio de la teoría romántica —con sus cimientos de metáforas biológicas, sus pilares de dogma freudiano, sus adornos de sabiduría ginecológica— se vino abajo como una recargada mansión victoriana ante un huracán. No tenía bases, morales ni científicas, que le sirvieran para resistir el asalto feminista.

Cuando las viejas autoridades cayeron en desgracia y cuando el peso de la ideología del romanticismo sexual comenzó a aligerarse, fue posible que las mujeres volvieran a plantearse las antiguas preguntas: ¿Cuál es nuestra naturaleza como mujeres? ¿Cuáles son nuestras necesidades? ¿Cómo vamos a vivir? Además de las cuestiones más profundas que antes había «resuelto» el romanticismo sexual: ¿Hay un sitio para el amor y la ternura en una sociedad machista? ¿Cuál es la responsabilidad de la mujer en ello? ¿O la de cualquiera? La cuestión femenina, prematuramente «solucionada» hace ciento cincuenta años y acallada con todo el peso de la ciencia, ha vuelto a abrirse.

Por un lado, ha habido un enorme alivio, un alegre desbordamiento, cuando la energía femenina, antes canalizada hacia lo doméstico, se ha empezado a vertir en todas direcciones. Las amas de casa de zonas residenciales organizan centros de mujeres, periódicos, conferencias, teléfonos rojos. Las *girl scouts* hablan de sexualidad y las niñas entran en la Liga infantil. Las mujeres que trabajan ya no son serviles ni sumisas: las oficinistas entran a formar parte de sindicatos, las enfermeras hacen huelgas, por todas partes hay una secretaria que se niega a seguir sirviendo cafés. Las madres se organizan para luchar por guarderías económicas y de calidad para sus hijos.

Mujeres que habían temido hablar se convierten en dirigentes. Mujeres que habían sido «feas» se vuelven radiantes. Florece una cultura femenina: cursos de estudios sobre la mujer, poesía y música de mujeres, nuevos enfoques del lenguaje, el arte, las relaciones. Y, proféticamente, hay una vuelta de la sanadora, encarnada hoy en las comadronas sin título, las monitoras de *self-help*, las fundadoras de clínicas para mujeres, las consejeras en materia de abortos: todas dedicadas a recuperar las técnicas femeninas para la comunidad de mujeres.

Una liberación ambigua

Sin embargo, por otra parte, hay crisis y confusión, incluso una sensación de pérdida. La expectativa de que las mujeres tienen que mantenerse a sí mismas (y seguramente a otros) ha cambiado algunos de los rasgos más opresivos de la educación femenina, pero no ha variado la naturaleza de los empleos disponibles. La necesidad de trabajar —para completar los ingresos del marido o mantener a los hijos cuando no hay padre— no empuja a las mujeres, en la mayoría de las ocasiones, a una fulgurante carrera como presentadoras de televisión o estrellas del tenis. Mujeres de todas las razas se encuentran junto a los negros y los jóvenes en un penoso ejército de gente que gana sueldos de subsistencia, dos o tres dólares a la hora por escribir a máquina, limpiar, hacer recados, soldar o coser. Desde un puesto fijo en la cadena de ensamblaje o en la sala de mecanógrafas no parece tan terriblemente degradante hacer galletas para niños malcriados ni fingir orgasmos para maridos poco inspiradores. En casa una puede ser «ella misma», una persona con importancia intrínseca para otras. En el mercado se es abstractamente intercambiable con cualquier otro *quantum* de energía humana que pueda obtenerse por el mismo precio.

No obstante, mientras tanto, el viejo ideal de la domesticidad dichosa y segura está empezando a ser más difícil de alcanzar que un rancho por 25.000 dólares. La diáspora suburbana de los cincuenta atomizó a la Norteamérica de clase media y trabajadora en familias nucleares; la «cultura de los solteros» de los sesenta pareció dividir estos átomos en partículas individuales que seguían sus propias trayectorias. Ya hemos mencionado el incremento en la tasa de divorcios, el aumento de los solitarios crónicos: hoy en día, sólo una pequeña proporción de los hogares norteamericanos (siete de cada cien) son las típicas familias nucleares de hace veinte años, con un padre que trabaja, hijos y una esposa que no trabaja. En vez del matrimonio como unión eterna, como garantía de seguridad económica a largo plazo para la mujer, hemos acelerado el «ciclo conyugal», cuyas inexorables vueltas envuelven a la mujer más domesticada, igual que a las jóvenes e independientes. Ni siquiera la vulnerabilidad biológica de la mujer, su vínculo con los hijos, parece ya garantizar la protección masculina. La mayoría de los padres divorciados desparecen al cabo de un año para no pagar el mantenimiento de los niños a su antigua esposa. Y en cuanto a la joven lo bastante anticuada como para pensar que un embarazo no planeado puede provocar una propuesta de matrimonio, tendrá suerte si el novio es lo suficientemente caballeroso como para compartir los gastos del aborto.

Hasta el sexo, supuestamente una de las grandes compensaciones de la «liberación» femenina en los sesenta y setenta, conduce probablemente con más frecuencia a la ansiedad que al alivio. Afortunadamente separado de la reproducción, el sexo se está apartando a toda velocidad del compromiso humano e incluso del simple afecto. La cultura de mitad de siglo cubrió el sexo con un velo romántico y lo sublimó con la adquisición de coches, cigarrillos e incluso muebles «sexy», pero cuando la «permisividad» adulta de los años sesenta permitió el sexo de consumo directo (en lugar del empleo indirecto o sublimado), el velo cayó. El sexo se convirtió en una mercancía más, con sus propios «mercados»: bares, lugares de vacaciones, oficinas y jardines de urbanizaciones. El ama de casa de mediana edad aprende, con terror, que en cierto modo vive en el mismo mercado sexual libre que las jóvenes y refinadas mujeres de las portadas de *Viva* o las mujeres detectives sin sostén de las series de televisión.

Así pues, el mundo que hoy se abre ante las mujeres no es exactamente el panorama alciónico de las «carreras», las opciones, las relaciones retratadas por nuestras dirigentes feministas con más optimismo. Por cada soltera satisfecha sexualmente debe de haber cien amas de casa fracasadas, gordas, «poco atractivas». Por cada mujer profesional, hay docenas de empleadas con salarios de miseria. Por cada divorcio que libera a una mujer, hay otros que la arrojan a la pobreza o la soledad. La alternativa de ahogo de lo doméstico resulta ser la vieja pesadilla de los racionalistas: un mundo dominado por el mercado, atomizado en lo social, privado de valores «humanos». El romanticismo sexual había pretendido apartar a las mujeres en un oasis de amor y ternura. La mayor parte del tiempo, el «oasis» resultó ser un espejismo que tapaba una zona de arenas movedizas. Pero ahora, hasta eso parece inalcanzable, o demasiado desacreditado para interesarse por ello: no hay más que el desierto.

De la verdadera confusión que existe en las vidas de las mujeres —la ambivalencia, la impaciencia, la desilusión— está surgiendo una versión aterradora de la dialéctica entre románticos y racionalistas, en la que ninguna de las dos partes tiene la fuerza moral de una «solución» y ambas coinciden, en definitiva, sólo en su cinismo. Por un lado está la ideología neorromántica, representada por el movimiento antiabortista, el movimiento contra la igualdad de derechos y los cursos de perfeccionamiento personal como la Mujer Total y la Feminidad Fascinante. El público del neorromanticismo está formado por la gran cantidad de mujeres que se consideran «perdedoras» en potencia dentro del mercado sexual libre: amas de casa que no tienen otros medios de vida que los ingresos de su esposo ni, según temen, otra alternativa a sus esposos actuales.

Para estas mujeres, cada avance en la situación legal de las mujeres parece representar otra erosión más de la responsabilidad masculina. La «igualdad de derechos» parece amenazar la única seguridad que posee una mujer cuando el interés sexual de su marido desaparece: la pensión alimenticia y el sustento de los hijos. El aborto es otra amenaza sólo porque convierte el embarazo en una «decisión de la mujer», y no en algo que provocan los hombres y por lo que deben ser responsables (y, al mismo tiempo, el aborto facilita que otras mujeres «jueguen»). Y en una sociedad que permite los emparejamientos y las separaciones temporales, pero que no tiene nada que ofrecer a una esposa abandonada más que su bienestar económico, estos temores son bastante reales.

Sin embargo, el romanticismo actual es, como mucho, un descendiente degenerado del romanticismo sexual del siglo XIX. No pretende tener rigor intelectual. Cuando se necesita una justificación superior, retrocede por encima del cadáver de la ciencia romántica y acude a los espectros de la religión patriarcal: *Dios* ha ordenado que haya distintos derechos, embarazos involuntarios, monogamia, dominio masculino, y, si llega lo peor, pensiones alimenticias. Pero, excepto cuando se trata de homosexualidad o de mezcla de razas, el Dios de la ideología neorromántica es una versión extrañamente edulcorada y permisiva del viejo Dios de Abraham o Calvino. Es un Dios que ha firmado su paz con la sociedad de consumo, nos asegura Mirabel Morgan (quien da consejos, en *Total Woman*, para intercambiar sexo por «regalos»), un Dios que sonríe benévolamente ante la esposa que sirve la cena semidesnuda para obtener una alfombra nueva para el salón y aprueba que haga una felación para conseguir un fin de semana en Miami.

Pero hay un nivel más profundo de corrupción en el neorromanticismo actual. La ideología romántica del siglo XIX defendía el hogar como negación del mercado, un pequeño refugio para los valores cristianos dentro del desierto moral creado por el capitalismo. Sin embargo, el hogar contemporáneo de clase media y media-alta que defiende el neorromanticismo no es, precisamente, un antagonista moral del mercado; ha sido demasiado colonizado y durante demasiado tiempo. Sus modelos no proceden de la Biblia ni de algún principio autónomo de virtudes feministas, sino de Madison Avenue, CBS, General Electric, Procter & Gamble. Proponer el hogar diseñado por Frigidaire, Bendix, RCA y General Foods como ideal social no es desafiar, ni siquiera de forma indirecta, lo inhumano del mercado, sino defender el bienestar material de una clase y raza particular. Pese a su énfasis en el «derecho a la vida», la ideología neorromántica no tiene ni un gesto caritativo hacia los niños pobres de raza negra, las madres de beneficencia o esa mayoría de gente en el mundo que no posee fontanería en su casa ni, mucho menos, baños de burbujas y sistemas de riego por aspersión en el jardín. Todos ellos deben permanecer al margen, junto con «las de la liberación de la mujer», que desatarían una anarquía sexual si alguien fuera tan loco como para darles igualdad de derechos y libre acceso al aborto.

La alternativa al neorromanticismo que compite por la devoción femenina de forma más pública y enérgica no es, por desgracia, el feminismo racionalista, sino la psicología de mercado diseminada en la literatura de manuales, revistas de divulgación, programas de psicoterapia y, ocasionalmente, la propia literatura feminista. Como ideología para las mujeres, la psicología de mercado mantiene una semejanza superficial con el viejo feminismo racionalista. Hace hincapié en la autonomía y la oportunidad; reconoce implícitamente la necesidad de una igualdad formal entre los sexos. Ofrece técnicas, algunas parecidas a las de concienciación feminista, para construir confianza y seguridad en las mujeres. Pero ahí acaba el parecido. El feminismo racionalista había tenido siempre un programa de cambio *social*, no sólo mejoras individuales. Las mujeres no se liberarían una por una, sino a través de esfuerzos políticos para socializar las funciones afectivas que realizaba en el hogar. En la visión de Charlotte Perkins Gilman (que sigue siendo una de las feministas racionalistas más radicales de este siglo), las mujeres no se limitarían a abandonar el hogar, sino que organizarían comedores colectivos, guarderías, lavanderías, etcétera, únicas formas de liberar a todas las mujeres del trabajo doméstico.

Por el contrario, la psicología de mercado, al menos en sus formas más cínicas, no veía en tales esfuerzos organizativos más que los lloriqueos de personas dotadas de una «mentalidad de víctimas». No existe justificación para la ayuda mutua ni el cambio social en una ideología que mantiene que cada persona es responsable de su propia situación, desde la madre de beneficiencia hasta la estrella de televisión que gana un millón de dólares al año. Cada uno «ha elegido» ser lo que es, y *podría* haber decidido ser otra cosa. El programa «neorracionalista» para las mujeres, por consiguiente, es irrumpir en el mercado, pero sin tomar las disposiciones sociales para atender a los hijos que quedan atrás ni a todas las mujeres que no tienen la formación, la fortuna o la belleza suficientes para salir adelante. Si el neorromanticismo pretende concentrar el principio del cariño y la ternura en la fortaleza del hogar, el pensamiento neorracionalista de hoy en día parece satisfecho de abandonarlo por compleo. ¡Que los «perdedores» miren por sí mismos!

Estos son, por tanto, los polos ideológicos que dominan la política sexual a finales del siglo XX: el «romanticismo» de las afueras residenciales o el «racionalismo» de los manuales de bolsillo. La claustrofobia o la agorafobia. El ahogo o la caída libre. Ninguno de ellos proyecta una imagen de redención moral o transformaciones sociales. Ninguno defiende valores superiores al interés material en un mundo de escasez. Los neorrománticos se apiñan en su fortaleza y los neorracionalistas luchan en el bote salvavidas: ambas son estrategias defensivas y desesperadas. Como puntos de encuentro para idealistas son vergonzosos, como opciones de vida para las mujeres son una ruina.

Son, de forma extrema y distorsionada, las mismas opciones que siempre ha ofrecido la cultura machista a las mujeres. Sólo que hoy los expertos se niegan a ejercer de árbitros. La garra monolítica de los viejos expertos románticos se ha roto, y la horda de psicólogos pop, terapeutas sexuales, consejeros, ginecólogos liberales, etc., que han ocupado su lugar no ofrece respuesta, o al menos no todas las respuestas. Su único interés claro y coherente por la cuestión femenina es que siga estando, en la medida de lo posible, privatizada y encerrada en la psique de cada mujer, ya que ése es el único terreno en el que pueden actuar. No presumen, como hizo la ciencia psicomédica antes que ellos, de poder juzgar lo que está bien y lo que está mal. Los más refinados elevan su agnosticismo a la categoría de principio terapéutico: «No puedo decirte nada; sólo tú puedes ayudarte a ti misma», una confesión que, desgraciadamente, no evita la obligación de pagar.

¿Y dónde está, en medio de todo esto, el feminismo, la fuerza que reabrió la cuestión femenina por primera vez? ¿Está preparado para proyectar un nuevo ideal, una nueva imagen moral, un modo de vida para mujeres y hombres? Después de todo, fue el feminismo el que comprendió la violencia implícita en el romanticismo sexual. Vio, a través de la defensa de lo doméstico por parte de la psicomedicina, la segregación sistemática de las trabajadoras, los mensajes empresariales destinados a las mujeres, la imposición de la sexualidad fálica. Pero ahora retrocede, como si hubiera agotado su energía moral en el ataque al romanticismo sexual. El feminismo titubea, incapaz de intervenir en la polarización fundamental entre neorromanticismo y neorradicalismo.

En su incertidumbre, el feminismo defiende ahora una filosofía de opciones individuales: que haya derechos; que haya alternativas;

que no haya bueno ni malo para las mujeres. Así se reconcilia con el neorracionalismo (que siempre ha sido el campeón de las opciones individuales). Y el neorromanticismo es condenado sólo por su absolutismo, por su hostilidad hacia la libre elección. A medida que la ideología neorromántica gana terreno, alimentada por la crisis subjetiva en la vida de las mujeres, el feminismo parece tener cada vez más clara su indecisión, defender de forma cada vez más nerviosa la «opción» por la opción, inclinarse cada vez menos a emitir juicios sobre las alternativas o a preguntar, siquiera, cómo se ha llegado a esas alternativas.

La razón de nuestro retraímiento es que no quedan más respuestas que las radicales. No podemos asimilarnos a una sociedad machista sin violentar nuestra propia naturaleza, que es, por supuesto, la naturaleza *humana*. Pero tampoco podemos retroceder al aislamiento doméstico y aferrarnos a un ideal femenino arcaico. Ni podemos negar que el dilema es una cuestión social y abandonarnos cada una a nuestras propias «decisiones libres», puesto que tales decisiones no son verdaderamente nuestras y nosotras no somos verdaderamente «libres».

Al final, la cuestión femenina no es la cuestión de las mujeres. El problema no somos nosotras, nuestras necesidades no son el misterio. Desde nuestro punto de vista subjetivo (negado por siglos de «ciencia» y análisis machista), la cuestión femenina es el problema de cómo vamos a organizar nuestra vida en común todos, mujeres, niños y hombres. Se trata de una cuestión que no tiene respuesta en el mercado o entre la multitud de expertos que en él venden sus saberes. Y ésa es la *única* cuestión.

Para responder a la pregunta hay algunas pistas en el pasado lejano, en una era ginocéntrica que relacionaba la educación de la mujer con una tradición de sabiduría, atención y oficio. Hay unas líneas maestras para una solución en los umbrales de la era industrial, con su promesa de un poder y un conocimiento colectivo que superase todos los esfuerzos pasados para satisfacer las necesidades humanas. Y hay impulsos de verdad en cada una de nosotras. En nuestra misma confusión, en nuestro legado de energía reprimida y sabiduría medio olvidada, se encuentra la comprensión de que no somos *nosotras* quienes tenemos que cambiar, sino el orden social que ha marginado a las mujeres y, con ellas, todos los «valores humanos».

La alternativa entre romántico y racionalista ha dejado de ser aceptable: nos negamos a permanecer al margen de la sociedad y nos negamos a entrar en la sociedad con arreglo a sus normas. Si rechazamos estas alternativas, el reto consiste en configurar una imagen moral que procede de las necesidades y experiencias de las mujeres pero que no puede ser trivializada, sentimentalizada ni domesticada. La síntesis que supere los polos racionalista y romántico debe desafiar necesariamente el propio orden social machista. Debe insistir en que los valores humanos que la mujer debía conservar se extienden más allá de los límites de la vida privada y se convierten en los principios rectores de la sociedad. Esa es la visión implícita del feminismo: una sociedad que se organice en torno a las necesidades humanas, una sociedad en que educar al hijo no se limite a ser un problema para cada mujer, sino que el cuidado y el bienestar de todos los niños sea una prioridad pública superior... una sociedad en la que sanar no sea una mercancía distribuida de acuerdo con las leyes del máximo beneficio, sino que esté integrado en la red de la vida comunitaria... en la que los conocimientos sobre la vida cotidiana no sean atesorados por «expertos» o repartidos como una mercancía, sino extraídos de la experiencia de todas las personas y libremente compartidos por ellas.

Esta es la visión más radical pero no hay alternativas humanas. El mercado, con sus abstracciones financieras, su ciencia deformada y su obsesión por las cosas inanimadas, debe ser arrinconado. Y los valores «femeninos» de comunicación y atención deben ocupar el centro como únicos principios *humanos*.

NOTAS BIBLIOGRAFICAS

CAPÍTULO 1

[1] Gilman, Charlotte P., *The Living of Charlotte Perkins Gilman*, Nueva York, Harper Colophon Books, 1975, pág. 91.

[2] Marx, Karl, y Engels, Friedrich, «The Communist Manifesto», en *A Handbook on Marxism*, Nueva York, International Publishers, 1935, pág. 26. (Versión española, en *Obras escogidas*, vol. I, Madrid, Fundamentos, 1975.)

[3] Braudel, Fernand, *Capitalism and Material Life 1400-1800*, Nueva York, Harper Colophon Books, 1975, pág. ix.

[4] Citado en Ogburn, William F., y Nimkoff, M. F., *Technology and the Changing Family*, Boston y Nueva York, Houghton Mifflin Co., 1955, página. 167.

[5] Morgan, Edmund S., *The Puritan Family*, Nueva York, Harper Torchbooks, 1966, págs. 44-45.

[6] Ryan, Mary P., *Womanhood in America: From Colonial Times to the Present*, Nueva York, New Viewpoints, 1975, pág. 31.

[7] Véase, por ejemplo: Calhoun, Arthur W., *Social History of the American Family, Volumen III: Since the Civil War*, Cleveland, The Arthur H. Clark Co., 1919; Dell, Floyd, *Love in the Machine Age*, Nueva York, Octagon Books, 1973; Ogburn & Nimkoff, op. cit.

[8] Kollontai, Alexandra, «The New Woman», en *The Autobiography of a Sexually Emancipated Communist Woman*, Nueva York, Schocken Books, 1975, pág. 55.

[9] Freud, Sigmund, «Femininity», en Strachey, James (ed.), *The Complete Introductory Lectures on Psychoanalisis*, Nueva York, W. W. Norton, 1966, pág. 577. (Versión española, «La feminidad», en *Nuevas lecciones introductorias al psicoanálisis*, Madrid, Ed. Biblioteca Nueva, 1974.)

[10] Citado en Hobsbawm, E. J., *The Age of Revolution 1789-1848*, Nueva York, Mentor, 1962, pág. 327.

[11] Citado en Figes, Eva, *Patriarchal Attitudes*, Nueva York, Stein and Day, 1970, pág. 114.

[12] Schreiner, Olive, *Woman and Labor*, Nueva York, Frederick A. Stokes, 1911, pág. 65.

[13] Tawney, R. H., *Religion and the Rise of Capitalism*, Gloucester, Massachusetts, Peter Smith, 1962, pág. 228.

[14] Citado en Millett, Kate, *Sexual Politics*, Nueva York, Avon, 1969, págs. 139-140.

[15] Stanley Hall, G., «The Relations between Higher and Lower Races», reimpresión de la Sociedad Histórica de Massachusetts, enero de 1903 (sin paginar).

[16] Citado en Figes, *op. cit.*, pág. 107.

[17] Schreiner, Olive, *The Story of an African Farm*, Nueva York, Fawcett Premier, 1968, pág. 167.

Dos

[1] Véase Michelet, Jules, *Satanism and Witchcraft*, Secaucus, Nueva Jersey, Citadel Press, 1939; Murray, Margaret Alice, *The Witch-Cult in Western Europe*, Nueva York, Oxford University Press, 1921; Hole, Christina, *A Mirror of Witchcraft*, Londres, Chatto and Windus, 1957; Kors, Alan C., y Peters, Edward, *Witchcraft in Europe: 1100-1700*, Filadelfia, University of Pennsylvania Press, 1972; Hughes, Pennetorne, *Witchcraft*, Londres, Penguin Books, 1952.

[2] Citado en Szasz, Thomas S., *The Manufacture of Madness*, Nueva York, Dell Publishing Co., 1970, pág. 89.

[3] Kramer, Heinrich, y Sprenger, Jacob, *Malleus Maleficarum: The Hammer of Witches*, editado por Pennetorne Hughes y traducido por Montague Summers, Londres, The Folio Society, 1968, pág. 218.

[4] *Ibídem*, pág. 30.

[5] *Ibídem*, pág. 150.

[6] *Ibídem*, pág. 128.

[7] Blum, Susan B., «Women, Witches and Herbals», *The Morris Arboretum Bulletin*, 25, septiembre de 1974, pág. 43.

[8] Citado en Szasz, *op. cit.*, pág. 85.

[9] Hughes, Muriel Joy, *Women Healers in Medieval Life and Literature*, Nueva York, King's Crown Press, 1943, pág. 90.

[10] Kett, Joseph, *The Formation of the American Medical Profession: The Role of Institutions, 1780-1860*, New Haven, Yale University Press, 1968, página. 108.

[11] Kolss, Jethro, *Black to Eden*, Santa Barbara, California, Woodbridge Publishing Co., 1972 (1.ª ed., 1934), pág. 226.

[12] Jewett, Sarah Orne, «The Counting of Sister Wisby», en Parker, Gail

(ed.), *The Oven Birds: American Women on Womanhood 1820-1920*, Garden City, Nueva York, Doubleday/Anchor, 1972, pág. 221.

[13] Haber, Samuel, «The Professions and Higher Education in America: A Historical View», en Gordon, Margaret S. (ed.), *Higher Education and the Labor Market*, Nueva York, McGraw-Hill, 1974, pág. 241.

[14] Bell, Jr., Whittfield J., «A Portrait of the Colonial Physician», en *The Colonial Physician and Other Essays*, Nueva York, Science History Publications, 1975, pág. 22.

[15] Véase Binger, Carl A., *Revolutionary Doctor*, Benjamin Rush, Nueva York, W. W. Norton, 1966.

[16] Haber, *loc. cit.*

[17] Rothstein, William G., *American Physicians in the Nineteenth Century*, Baltimore, The Johns Hopkins University Press, 1972, pág. 27.

[18] Citado en Binger, *op. cit.*, pág. 88.

[19] Burns, Dolores (ed.), *The Greatest Health Discovery: Natural Hygiene, and Its Evolution Past, Present and Future*, Chicago, Natural Hygiene Press, 1972, pág. 30.

[20] Shryock, Richard Harrison, *Medicine and Society in America: 1660-1860*, Ithaca, Nueva York, Great Seal Books, 1960, pág. 17.

[21] Rothstein, *op. cit.*, pág. 43.

[22] Binger, *op. cit.*, pág. 217.

[23] Citado en Rothstein, *op. cit.*, pág. 47.

[24] *Ibídem*, pág. 51.

[25] Shryock, *op. cit.*, pág. 70.

[26] Rothstein, *op. cit.*, págs. 333-339.

[27] Shryock, *op. cit.*, pág. 131.

[28] Citado en Foner, Philip S., *History of the Labor Movement in the United States, vol. I: Colonial Times to the Founding of the American Federation of Labor*, Nueva York, International Publishers, 1962, pág. 132.

[29] Ryan, Mary P., *Womanhood in America: From Colonial Times to the Present*, Nueva York, New Viewpoints, 1975, pág. 128.

[30] Cady Stanton, Elizabeth, «Motherhood», en Rossi, Alice S. (ed.), *The Feminist Papers: From Adams to De Beauvoir*, Nueva York y Londres, Columbia University Press, 1973, pág. 399.

[31] *Ibídem*, pág. 401.

[32] Shryock, Richard Harrison, *Medicine in America: Historical Essays*, Baltimore, The Johns Hopkins University Press, 1966, pág. 117.

[33] Schlesinger, Jr., Arthur M., *The Age of Jackson*, Boston, Little Brown, 1953, pág. 181.

[34] Citado en Schlesinger, *op. cit.*, pág. 183.

[35] Schlesinger, *loc. cit.*

[36] Altman, Marcia, Kubrin, David, Kwasnik, John y Logan, Tina, «The People's Healers: Health Care and Class Strugle in the United States in the 19th Century», 1974, reproducción en multicopista, pág. 18.

[37] Citado en Rothstein, *op. cit.*, pág. 129.

[38] *Ibídem*, pág. 131.

[39] Altman y otros, *op. cit.*, 23.
[40] Rothstein, *op. cit.*, pág. 141.
[41] Kett, *op. cit.*, pág. 119.
[42] Altman y otros, *op. cit.*, pág. 27.
[43] Citado en Kett, *op. cit.*, pág. 110.
[44] Burns, *op. cit.*, pág. 137.
[45] Rothstein, *op. cit.*, pág. 333.
[46] Citado en Altman y otros, *op. cit.*, pág. 39.
[47] *Ibídem*, pág. 40.
[48] Citado en Burns, *op. cit.*, 122.
[49] Shryock, Richard H., citado en Burns, *op. cit.*, pág.126.
[50] Burns, *op. cit.*, pág. 124.
[51] Rothstein, *op. cit.*, pág. 156.
[52] *Ibídem*, pág. 108.
[53] *Ibídem*, pág. 108.
[54] Markowitz, Gerald E., y Rosner, David Karl, «Doctors in Crisis: A Study of the Use of Medical Education Reform to Establish Modern Professional Elitism in Medicine», *American Quarterly 25*, marzo de 1973, pág. 88.
[55] Citado en Woody, Thomas, *A History of Women's Education in the United States*, vol. II, Nueva York, Octagon Books, 1974, pág. 348.
[56] Altman y otros, *op. cit.*, pág. 25.
[57] Citado en Woody, *op. cit.*, pág. 343.
[58] Beecher, Catherine, «On Female Health in America», en Cott, Nancy (ed.), *Root of Biterness: Documents of the Social History of American Women*, Nueva York, E. P. Dutton, 1972, pág. 269.
[59] Citado en Woody, *op. cit.*, págs. 344-345.
[60] Citado en Woody, *op. cit.*, pág. 349.
[61] *Journal of the American Medical Association* 37, 1901, pág. 1403.
[62] Citado en Woody, *op. cit.*, pág. 322.
[63] *Ibídem*, pág. 360.
[64] Woody, *op. cit.*, pág. 349.
[65] Rover, Constance, *The Punch Book of Women's Rights*, South Brunswick, Nueva Jersey, A. S. Barnes, 1967, pág. 81.
[66] Citado en Barker-Benfield, G. J., *The Horrors of the Half-Known Life: Male Attitudes Toward Women and Sexuality in Nineteenth Century America*, Nueva York, Harper & Row, 1976, pág- 87.
[67] Citado en Shryock, *Medicine in America: Historical Essays*, pág. 185.
[68] Citado en Woody, *op. cit.*, pág. 346.
[69] *Ibídem*, pág. 361.
[70] Citado en Shryock, *Medicine in America: Historical Essays*, pág. 184.
[71] Citado en Burns, *op. cit.*, pág. 118.
[72] *Ibídem*, pág. 116.
[73] Markowitz y Rosner, *op. cit.*, pág. 95.
[74] Citado en Haber, *op. cit.*, pág. 264.

TRES

[1] Osler, Sir William, *Aequinimitas: With Other Addresses to Medical Students, Nurses and Practitioners of Medicine*, Filadelfia, P. Blakiston's Sons, 1932, pág. 219.

[2] Véase Wiebe, Robert H., *The Search for Order*, Nueva York, Hill and Wang, 1967, y Ehrenreich, Barbara y John, «The Professional Managerial Class», *Radical America*, marzo-abril y mayo-junio de 1977.

[3] Citado en Haber, Samuel, *Efficiency and Uplift: Scientific Management in the Progressive Era 1890-1920*, Chicago, University of Chicago Press, 1964, página. 99.

[4] Citado en Hofstadter, Richard, *Anti-Intellectualism in American Life*, Nueva York, Alfred A. Knopf, 1963, pág. 200.

[5] Ross, Edward A., *The Social Trend*, Nueva York, Century, 1922, página. 171.

[6] Citado en Layton, Edwin T., *The Revolt of the Engineers: Social Responsibility and the American Engineering Profession*, Cleveland, Case Western Reserve University Press, 1971, pág. 67.

[7] Citado en Boller, Jr., Paul F., *American Thought in Transition: The Impact of Evolutionary Naturalism 1865-1900*, Chicago, Rand-McNally, 1969, página. 120.

[8] Lewis, Sinclair, *Arrowsmith*, Nueva York, Signet, 1961, págs. 84-85.

[9] *Ibídem*, pág. 13.

[10] *Ibídem*, pág. 25.

[11] Boller, *op. cit.*, pág. 23.

[12] Gilman, Charlotte P., *Women and Economics*, edición de Carl N. Degler, Nueva York, Harper & Row, 1966, págs. 330-331.

[13] Chesser, Elizabeth, *Perfect Health for Women and Children*, Londres, Methuen, 1912, pág. 49.

[14] Citado en Clifford, Geraldine J., «E. L. Thorndike: The Psychologist as Professional Man of Science», en Henle, Mary, Jaynes, Julian, y Sullivan, John J. (eds.), *Historical Conception of Psychology*, Nueva York, Springer Publishing, 1973, pág. 234.

[15] Citado en Robeson Burr, Anna, *Weir Mitchell: His Life and Letters*, Nueva York, Duffield & Co., 1929, págs. 82-83.

[16] Lewis, *op. cit.*, pág. 265.

[17] *Ibídem*, págs. 268-269.

[18] Rothstein, William G., *American Physicians in the Nineteenth Century*, Baltimore, The Johns Hopkins University Press, 1972, pág. 262.

[19] Bernard Shaw, George, *The Doctor's Dilemma*, Baltimore, Penguin, 1954, págs. 107-108.

[20] Knowles, John H., M. D., «The Responsibility of the Individual», en *Doing Better and Feeling Worse: Health in the United States*, Nueva York, W. W. Norton & Co., 1977, pág. 63.

[21] Haber, Samuel, «The Professions and Higher Education in America:

A Historical View», en Gordon, Margaret S. (ed.), *Higher Education and the Labor Market*, Nueva York, McGraw-Hill, 1974, pág. 264.

[22] Nevins, Allan, *John D. Rockefeller*, Nueva York, Scribner, 1959, páginas. 279-280.

[23] Wall, Joseph F., *Andrew Carnegie*, Nueva York, Oxford University Press, 1970, pág. 833.

[24] *Ibídem*, pág. 67.

[25] Brown, E. Richar, *Rockefeller Medicine Men: Medicine and Capitalism in the Progressive Era*, Berkeley, University of California Press, pág. 99.

[26] Brown, *loc. cit.*

[27] Lewis, *op. cit.*, págs. 271-272.

[28] Flexner, Abraham, *Medical Education in the U. S. and Canada*, Nueva York, Carnegie Foundation, 1910, existente en microfilm en Ann Arbor University, Michigan.

[29] Stevens, Rosemary, *American Medicine and the Public Interest*, New Haven, Yale University Press, 1971, pág. 56.

[30] Brown, *op. cit.*, pág. 138.

[31] Markowitz, Gerald y Rosner, David K., «Doctors in Crisis: A Study of the Use of Medical Education Reform to Establish Modern Professional Elitism in Medicine», *American Quarterly 25*, 1973, pág. 83.

[32] Rothstein, *op. cit.*, pág. 265.

[33] *Ibídem*, pág. 266.

[34] Haber, «The Professions and Higher Education in America», pág. 265.

[35] Stubbs, J. E., «What Shall Be Our Attitude Toward Professional Mistakes?», *Journal of the American Medical Association 32*, 1899, pág. 1176.

[36] Haber, «The Professions and Higher Education in America», pág. 266.

[37] Citado en Cushing, Harvey W., *The Life of Sir William Osler, vol. I*, Nueva York, Oxford University Press, 1940, pág. 222.

[38] *Ibídem*, pág. 223.

[39] Citado en Bean, Robert B. M D., Sir William Osler: *Aphorisms*, edición de William B., M. D., Nueva York, Henry Schuman, 1950, pág. 114.

[40] Cushing, *op. cit.*, pág. 354.

[41] Osler, *Aequanimitas*, pág. 286.

[42] *Ibídem*, pág. 260.

[43] Kobrin, Frances E., «The American Midwife Controversy: A Crisis of Professionalization», *Bulletin of the History of Medicine*, julio-agosto de 1966, página. 350.

[44] Dougherty, Molly C., «Southern Lay Midwives as Ritual Specialists», ponencia presentada en la reunión anual de la Asociación Americana de Antropología, México D. F., 1974.

[45] Flint, Austin, M. D., «The Use and Abuse of Medical Charities in Medical Education», *Proceedings of the National Conference on Charities and Corrections*, 1898, pág. 331.

[46] Citado en Sablosky, Ann H., «The Power of the Forceps: Study of the Development of Midwifery in the United States», Tesis doctoral, Escuela de

graduados en trabajo e investigaciones sociales, Bryn Mawr College, mayo de 1975, pág. 15.

[47] Citado en Gilbert, Ursula, «Midwifery as a Deviant Occupation in America», documento inédito, 1975.

[48] Barker-Benfield, G. J., *The Horrors of the Half-Known Life*, Nueva York, Harper & Row, 1976, pág. 63.

[49] Sablosky, *op. cit.*, pág. 16.

[50] Barker-Benfield, *op. cit.*, pág. 69.

[51] Sablosky, *op. cit.*, pág. 17.

[52] Barker-Benfield, *op. cit.*, pág. 69.

[53] Véase Haire, Doris, «The Cultural Warping of Childbirth», *International Childbirth Education Association News*, primavera de 1972; *Arms*, Suzanne, *Immaculate Deception*, San Francisco, San Francisco Book Co., 1976.

[54] Kobrin, *op. cit.*

CUATRO

[1] Robeson Burr, Anna, *Weir Mitchell: His Life and Letters*, Nueva York, Duffield & Co., 1929, pág. 289.

[2] Gilman, Charlotte P., *The Living of Charlotte Perkins Gilman: An Autobiography*, Nueva York, Harper Colophon Books, 1975, pág. 96.

[3] Gilman, *loc. cit.*

[4] Gilman, Charlotte P., *The Yellow Wallpaper*, Old Westsbury, Nueva York, The Feminist Press, 1973.

[5] Gilman, *Autobiography*, pág. 121.

[6] Beecher, Catherine, «Statistics of Female Health», en Parker, Gail (ed.), *The Oven Birds: American Women on Womanhood 1820-1920*, Garden City, Nueva York, Doubleday/Anchor, 1972, pág. 165.

[7] Veith, Ilza, *Hysteria: The History of a Disease*, Chicago Press, 1965, pág. 216.

[8] Citado en Matthiessen, F. O., *The James Family*, Nueva York, Alfred A. Knopf, 1961, pág. 272.

[9] Citado en Bartlett, Irving H., *Wendell Phillips: Brahmin Radical*, Boston, Beacon Press, 1961, pág. 78.

[10] Citado en Edel, Leon (ed.), *The Diary of Alice James*, Nueva York, Dodd, Mead, 1964, pág. 14.

[11] Agradecemos al historiador de la medicina Rick Brown habernos relatado esta historia.

[12] Veblen, Thorstein, *Theory of the Leisure Class*, Nueva York, Modern Library, 1934.

[13] Burr, *op. cit.*, pág. 176.

[14] Schreiner, Olive, *Woman and Labor*, Nueva York, Frederick A. Stokes, 1911, pág. 98.

[15] Gunn, John C., M. D., *Gunn's New Family Physician*, Nueva York, Saalfield Publishing, 1924, pág. 120.

[16] New York Public Library Picture Collection, no cita fuentes.

[17] Putnam Jacobi, Dra. Mary, «On Female Invalidism», en Cott, Nancy F. (ed.), *Root of Bitterness: Documents of the Social History of American Women*, Nueva York, E. P. Dutton, 1972, pág. 307.

[18] Haller, Jr., John S., y Haller, Robin M., *The Physician and Sexuality in Victorian America*, Urbana, Illinois, University of Illinois Press, 1974, páginas. 143-144.

[19] *Ibídem*, pág. 168.

[20] *Ibídem*, pág. 31.

[21] *Ibídem*, pág. 28.

[22] Gilman, *The Yellow Wallpaper*, págs. 9-10.

[23] Citado en Stanley Hall, G., *Adolescence*, vol. II, Nueva York, D. Appleton, 1905, pág. 588.

[24] Gunn, *op. cit.*, pág. 421.

[25] Taylor, W. C., M. D., *A Physician's Counsels to Woman in Health and Disease*, Springfield, W. J. Holland & Co., 1871, págs. 284-285.

[26] Hall, Winfield S., Ph. D., M. D., *Sexual Knowledge*, Filadelfia, John C. Winston, 1916, págs. 202-203.

[27] Oficina del censo de Estados Unidos, *Historical Statistics of the United States, Colonial Times to 1957*, Washington, D. C., 1960, pág. 25.

[28] Gillett Fruchter, Rachel, «Women's Weakness: Consumption and Women in the 19th Century», Columbia University School of Public Health, documento inédito, 1973.

[29] Haller y Haller, *op. cit.*, pág. 59.

[30] Goldman, Emma, *Living My Life*, vol. I, Nueva York, Dover Publications Inc., 1970 (1.ª ed., 1931), págs. 185-186

[31] Wright, Carroll D., *The Working Girls of Boston*, Boston, Wright and Potter Printing, State Printers, 1889, pág. 71.

[32] *Ibídem*, págs. 117-118.

[33] Warner, Lucien C., M. D., *A Popular Treatise on the Functions and Diseases of Woman*, Nueva York, Manhattan Publishing, 1874, pág. 109.

[34] Citado en Moque, Dra. Alice, «The Mistakes of Mothers», *Proceedings of the National Congress of Mothers Second Annual Convention*, Washington D. C., mayo de 1898, pág. 43.

[35] Goldman, *op. cit.*, pág. 187.

[36] Citado en Barker-Benfield, G. J., *The Horrors of the Half-Known Life: Male Attitudes Toward Women and Sexuality in Nineteenth-Century America*, Nueva York, Harper & Row, 1976, pág. 128.

[37] Citado en Showalter, Elaine & English, «Victorian Women and Menstruation», en Vicinus, Martha (ed.), *Suffer and Be Still: Women in the Victorian Age*, Bloomington, Indiana University Press, 1972, pág. 43.

[38] «Mary Livermore's Recommendatory Letter», en Cott, *op. cit.*, pág. 392.

[39] Jacobi, Mary Putnam, M. D., en Cott, *op. cit.*, pág. 307.

[40] Citado en Haller y Haller, *op. cit.*, pág. 73.

[41] *Ibídem*, pág. 47.
[42] Citado en Haller y Haller, *op. cit.*, pág. 51.
[43] Hall, *op. cit.*, pág. 578.
[44] Citado en Haller y Haller, *op. cit.*, pág. 56.
[45] Hall, *op. cit.*, pág. 56.
[46] *Ibídem*, pág. 562.
[47] *Loc. cit.*
[48] Hollick, Frederick, M. D., *The Diseases of Women, Their Cause and Cure Familiarly Explained*, Nueva York, T. W. Strong, 1849.
[49] Citado en Douglas Wood, Ann, «The "Fashionable Diseases": Women's Complaints and Their Treatment in Nineteenth-Century America», *Journal of Interdisciplinary History 4*, verano de 1973, pág. 29.
[50] Citado en Arditti, Rita, «Women As Objects: Science and Sexual Politics», *Science for the People*, septiembre de 1974, pág. 8.
[51] Bliss, W. W., *Woman and Her Thirty-Years' Pilgrimage*, Boston, B. B. Russell, 1870, pág. 96.
[52] Citado en Haller y Haller, *op. cit.*, pág. 101.
[53] Citado en Veith, *op. cit.*, pág. 205.
[54] Dirix, M. E., M. D., *Woman's Complete Guide to Health*, Nueva York, W. A. Townsend and Adams, 1869, págs. 23-24.
[55] Citado en Fruchter, *op. cit.*
[56] Wood, *op. cit.*, pág. 30.
[57] Barker-Benfield, *op. cit.*, págs. 121-124.
[58] Barker-Benfield, Ben, «The Spermatic Economy: A Nineteenth Century View of Sexuality», *Feminist Studies I*, verano de 1972, págs. 45-74.
[59] Barker-Benfield, *Horrors of the Half-Known Life*, pág. 122.
[60] *Ibídem*, pág. 30.
[61] *Ibídem*, págs. 96-102.
[62] Haller y Haller, *op. cit.*, pág. 103.
[63] Woody, Thomas, *A History of Women's Education in the United States*, vol. II, Nueva York, Octagon Books, 1974.
[64] Haller y Haller, *op. cit.*, pág. 61.
[65] Clarke, Edward H., M. D., *Sex in Education, or a Fair Chance for the Girls*, Boston, James R. Osgood, 1873. Reeditado en Arno Press Inc., 1972.
[66] Citado en Haller y Haller, *op. cit.*, pág. 39.
[67] Bullough, Vern L., y Bullough, Bonnie, *The Subordinate Sex: A History of Attitudes Toward Women*, Urbana, University of Illinois Press, 1973, página. 323.
[68] Wood, *op. cit.*, pág. 207.
[69] Hall, *op. cit.*, pág. 632.
[70] *Ibídem*, pág. 633.
[71] Citado en Haller y Haller, *op. cit.*, pág. 81.
[72] Burr, *op. cit.*, pág. 154.
[73] Woody, *op. cit*, pág. 154.
[74] Citado en Haller y Haller, *op. cit.*, págs. 29-30.

[75] Rosenberg, Rosalind, «In Search of Woman's Nature: 1850-1920», *Feminist Studies* 3, otoño de 1975, pág. 141.
[76] Citado en Woody, *op. cit.*, pág. 153.
[77] Burr, *op. cit.*, pág. 183.
[78] Addams, Jane, *Twenty Years at Hull-House*, Nueva York, Macmillan, 1960, pág. 65.
[79] Burr, *op. cit.*, pág. 290.
[80] Citado en Wood, *op cit.*, pág. 38.
[81] Burr, *op. cit.*, pág. 184.
[82] Citado en Roosevelt, Theodore, «Birth Reform, From the Positive, Not the Negative Side», en *Complete Works of Theodore Roosevelt*, vol. XIX, Nueva York, Scribner, 1926, pág. 163.
[83] Roosevelt, *op. cit.*, pág. 161.
[84] Hall, *op. cit.*, pág. 579.
[85] Weir Mitchell, S., *Constance Trescot*, Nueva York, The Century Co., 1905, pág. 382.
[86] Citado en Veith, *op. cit.*, pág. 217.
[87] Véase Gordon, Linda, *Woman's Body, Woman's Right: A Social History of Birth Control in America*, Nueva York, Grossman, 1977.
[88] Smith-Rosenberg, Carroll, «The Hysterical Woman: Sex Roles in Nineteenth Century America», *Social Research 39*, invierno de 1972, págs. 652-678.
[89] Citado en Matthiessen, *op. cit.*, pág. 276.
[90] Dirix, *op. cit.*, pág. 60.
[91] Szasz, Thomas S., *The Myth of Mental Illness*, Nueva York, Dell, 1961, página. 48.

CINCO

[1] Citado en Reid, Margaret, *Economics of Household Production*, Nueva York, John Wiley and Sons, 1934, pág. 43.
[2] Ogburn, William F., y Nimkoff, M. F., *Technology and the Changing Family*, Boston y Nueva York, Houghton Mifflin, 1955, pág. 152.
[3] Oficina del censo de Estados Unidos, *Historical Statistics of the United States, Colonial Times to 1957*, Washington, D.C., 1960.
[4] Baker, Elizabeth F., *Technology and Women's Work*, Nueva York, Columbia University Press, 1964, pág. 4.
[5] Reid, *op. cit.*, pág. 52.
[6] Hunt, Caroline L., *The Life of Ellen Richards*, Washington, D. C., The American Home Economics Association, 1958, pág. 141.
[7] Ross, Edward A., *The Social Trend*, Nueva York, Century Co., 1922, página. 80.
[8] Veblen, Thorstein, *Theory of the Leisure Class*, Nueva York, Modern Library, 1934, págs. 81-82.

[9] Perry Gray, Fannie, *Woman's Journal*, 12 de noviembre de 1889, página. 365.
[10] Citado en Hunt, *op. cit.*, pág. 159.
[11] Schreiner, Olive, *Woman and Labor*, Nueva York, Frederick A. Stokes, 1911, págs. 45-46.
[12] Citado en Bremner, Robert H., *Children and Youth in America, A Documentary History*, vol. II, 1866-1932, Cambridge, Massachusetts, Harvard University Press, 1971, pág. 365.
[13] Demolins, Edmond, *Anglo-Saxon Superiority: To What Is It Due?*, Nueva York, R. F. Fenne, 1898.
[14] Calhoun, Arthur W., *The Social History of the American Family from Colonial Times to the Present, Volume III: Since the Civil War*, Cleveland, Arthur H. Clark, 1919, pág. 197.
[15] Lynes, Russell, *The Domesticated Americans*, Nueva York, Harper & Row, 1957, pág. 11.
[16] Citado en Calhoun, *op. cit.*, pág. 197.
[17] Calhoun, *op. cit.*, págs. 179-198.
[18] Sennett, Richard, *Families Against the City: Middle Class Homes of Industrial Chicago 1872-1890*, Cambridge, Massachusetts, Harvard University Press, 1970.
[19] Ross, Edward A., *Social Psychology*, Nueva York, Macmillan, 1917, página. 89.
[20] Whitaker, Charles H., *The Joke About Housing*, College Park, Maryland, McGrath Publishing, 1969 (1.ª ed., 1920), pág. 9.
[21] Pivar, David J., *The New Abolitionism: The Quest for Social Purity*, Ann Arbor, Michigan, University Microfilms, 1965, pág. 283.
[22] Citado en Calhoun, *op. cit.*, págs. 197-198.
[23] Editorial, *Ladies' Home Journal*, octubre de 1911, pág. 6.
[24] Clarke, Robert, Ellen Swallow: *The Woman Who Founded Ecology*, Chicago, Follett, 1973, pág. 51.
[25] *Ibídem*, pág. 12.
[26] *Ibídem*, págs. 32-33.
[27] Hunt, *op. cit.*, pág. 78.
[28] Clarke, *op. cit.*, pág. 157.
[29] Hunt, *op. cit.*, pág. 157.
[30] Wiebe, Robert H., *The Search for Order*, Nueva York, Hill and Wang, 1967.
[31] Actas de la Sexta Conferencia Anual sobre Economía Doméstica, Lake Placid, Nueva York, 1904, pág. 64.
[32] *Ibídem*, pág. 16.
[33] Quigley, Eileen E., *Introduction to Home Economics*, Nueva York, Macmillan, 1974, págs. 58-59.
[34] Actas de la Cuarta Conferencia Anual sobre Economía Doméstica, Lake Placid, Nueva York, 1902, pág. 85.
[35] Editorial: «Public School Instruction in Cooking», *Journal of the American Medical Association*, 32, 1899, pág. 1183.

[36] Cotten, Sallie S., «A National Training School for Women», en *The Work and Words of the National Congress of Mothers*, Nueva York, D. Appleton, 1897, pág. 280.

[37] Plunkett, Mrs. H. M., Women, *Plumbers and Doctors, or Household Sanitation*, Nueva York, D. Appleton, 1897, pág. 203.

[38] *Ibídem*, pág. 11.

[39] Editorial, *Journal of the American Medical Association*, 32, 1899, página. 1183.

[40] Campbell, Helen, *Household Economics*, Nueva York, G. P. Putnam, 1907, pág. 206.

[41] Plunkett, *op. cit.*, pág. 10.

[42] Ewen, Stuart, *Captains of Consciousness: Advertising and the Social Roots of Consumer Culture*, Nueva York, McGraw-Hill, 1976, págs. 169-170.

[43] Campbell, *op. cit.*, pág. 196.

[44] Citado en Hunt, *op. cit.*, pág. 161.

[45] Braverman, Harry, *Labor and Monopoly Capital: The Degradation of Work in the Twentieth Century*, Nueva York, Monthly Review Press, 1974, páginas. 85-123.

[46] Frederick, Christine, «The New Housekeeping», serie en el *Ladies' Home Journal*, septiembre-diciembre, 1912.

[47] Haber, Samuel, *Efficiency and Uplift: Scientific Management in the Progressive Era, 1890-1920*, Chicago, University of Chicago Press, 1964, pág. 2.

[48] Reid, *op. cit.*, págs. 75-76.

[49] Actas de la Cuarta Conferencia Anual sobre Economía Doméstica, Lake Placid, Nueva York, 1902, pág. 59.

[50] Lopate, Carol, «Ironies of the Home Economics Movement», *Edcentric: A Journal of Educational Change*, 31/32, noviembre de 1974, pág. 40.

[51] Woody, Thomas, *A History of Women's Education in the United States*, vol. II, Nueva York, Octagon Books, 1974, págs. 60-61.

[52] Citado en Woody, *op. cit.*, pág. 52.

[53] Hunt, *op. cit.*, pág. 113.

[54] Richards, Ellen, *Euthenics: The Science of Controllable Environment*, Boston, Whitcomb and Barrows, 1912, pág. 154.

[55] Carta de «E. W. S.», *Woman's Journal*, 10 de septiembre, 1898, página. 293.

[56] Carta de Mrs. Vivia A. B. Henderson, *Woman's Journal*, 19 de noviembre, 1898, pág. 375.

[57] Blackwell, H. B. B., «Housework as a Profession», *Woman's Journal*, 27 de agosto, 1898, pág. 276.

[58] Campbell, *op. cit.*, pág. 219.

[59] Haber, *op. cit.*, pág. 62.

[60] Actas de la Cuarta Conferencia Anual sobre Economía Doméstica, Lake Placid, Nueva York, 1902, pág. 36.

[61] Gilman, Charlotte P., *The Home: Its Work and Influence*, Urbana, University of Illinois Press, 1972, editado por primera vez en 1903, pág. 93.

[62] *Ibídem*, págs. 179-181.

[63] Calhoun, *op. cit.*, pág. 180.
[64] *Ibídem*, pág. 185.
[65] Hunt, *op. cit.*, pág. 161.
[66] Citado en Richards, *op. cit.*, pág. 160.
[67] Citado en Hunt, *op. cit.*, pág. 163.
[68] Addams, Jane, *Twenty Years at Hull-House*, Nueva York, Macmillan, 1960 (1.ª ed.), 1910, pág. 294.
[69] Rowland, Mrs. L. P., «The Friendly Visitor», en las Actas de la Conferencia Nacional sobre Obras de Caridad y Corrección, 1897, pág. 256.
[70] Calhoun, *op. cit.*, pág. 77.
[71] Hanson, Miss Eleanor, «Forty-Three Families Treated by Friendly Visiting», Actas de la Conferencia Nacional sobre Obras de Caridad y Corrección, 1907, pág. 315.
[72] McDowell, Mary E., «Friendly Visiting», Actas de la Conferencia Nacional sobre Obras de Caridad y Corrección, 1896, pág. 253.
[73] Kerby, Reverendo W. J., «Self-Help in the Home», Actas de la Conferencia Nacional sobre Obras de Caridad y Corrección, 1908, pág. 81.
[74] Addams, *op. cit.*, pág. 253.
[75] Citado en las Actas de la Séptima Conferencia Anual sobre Economía Doméstica, Lake Placid, Nueva York, 1905, pág. 67.
[76] Hyams, Isabel F., «Teaching of Home Economics in Social Settlements», Actas de la Séptima Conferencia Anual sobre Economía Doméstica, Lake Placid, Nueva York, 1905, págs. 56-57.
[77] Hyams, Isabel F., «The Louisa May Alcott Club», Actas de la Segunda Conferencia Anual sobre Economía Doméstica, Lake Placid, Nueva York, 1900, pág. 18.
[78] *Ibídem*, pág. 19.
[79] Braley, Jessica, «Ideals and Standards as Reflected in Work for Social Service», Actas de la Cuarta Conferencia Anual sobre Economía Doméstica, Lake Placid, Nueva York, 1902, pág. 49.
[80] Goldman, Emma, *Living My Life*, vol. I, Nueva York, Dover Publications, 1970 (1.ª ed., 1931), pág. 160.
[81] Citado en las Actas de la Tercera Conferencia Anual sobre Economía Doméstica, Lake Placid, Nueva York, 1901, pág. 93.
[82] *Ibídem*, pág. 69.
[83] Subcomité sobre Educación para Futuros Padres, Conferencia de la Casa Blanca sobre Salud y Protección del Niño, *Education for Home and Family Life, Part I: In Elementary and Secondary Schools*, Nueva York, Century, 1932, págs. 78-79.
[84] Hunt, *op. cit.*, pág. 109.
[85] Freed, Allie S. (Presidente del Comité para la Recuperación Económica), «Home Building by Private Enterprise», discurso ante la Liga de Mujeres Votantes de Cambridge, 26 de febrero de 1936.
[86] Oficina del Censo de Estados Unidos, *Statistical Abstract of the United States, 1973*, Washington D. C., 1973.
[87] Hartmann, Heidi Irmgard, «Capitalism and Women's Work in the

Home 1900-1930», disertación doctoral inédita, Yale University, 1974 (disponible en University Microfilms, Ann Arbor), págs. 212-275.

[88] Vanek, Joann, «Time Spent in Housework», *Scientific American*, noviembre de 1974, pág. 116.

[89] Citado en Reid, *op. cit.*, págs. 89-90.

[90] Frederick, Christine, *Selling Mrs, Consumer*, Nueva York, The Business Bourse, 1929, pág. 169.

[91] «Wonders Women Work in Marketing», *Sales Management*, 2 de octubre, 1959, pág. 33.

[92] Véase Rainwater, Lee; Coleman, Richard P., y Handel, Gerald, *Workingman's Wife*, Nueva York, McFadden-Bartell, 1959.

SEIS

[1] Hofstadter, Richard, *Anti-Intellectualism in American Life*, Nueva York, Alfred A. Knopf, 1963, pág. 364.

[2] Calhoun, Arthur W., *Social History of the American Family, Volume III: Since the Civil War*, Cleveland, The Arthur H. Clark Co., 1919, pág. 131.

[3] Citado en Lesy, Michael, *Wisconsin Death Trip*, Nueva York, Pantheon, 1973, sin paginación.

[4] Véase Dubos, René, *The Mirage of Health*, Nueva York, Harper, 1959; Dubos, René, *Man Adapting*, New Haven, Yale University Press, 1965; McKeown, Thomas, *Medicine in Modern Society*, Londres, Allen and Unwin, 1965; Cochrane, A. L., *Effectiveness and Efficiency: Random Reflections on Health Services*, Londres, Oxford University Press, 1972.

[5] Gordon, Linda, *Woman's Body, Woman's Right: A Social History of Birth Control in America*, Nueva York, Grossman, 1977.

[6] Ogburn, William F., y Nimkoff, M. F., *Technology and the Changing Family*, Boston y Nueva York, Houghton Mifflin, 1955, pág. 195.

[7] Spargo, John, *The Bitter Cry of the Children*, Nueva York y Londres, Johnson Reprint Corp., 1969 (1.ª ed., 1906), pág. 145.

[8] Citado en Spargo, *op. cit.*, pág. 179.

[9] Cleghorn, Sarah N., citado en «Child Labor», *Encyclopedia Americana*, vol. 6, Nueva York, Americana Corp., 1974, pág. 460.

[10] Hailman, Dr. W. N., «Mission of Childhood», Actas de la Segunda Convención Anual del Congreso Nacional de Madres, mayo de 1898, pág. 171.

[11] Key, Ellen, *The Century of the Child*, Nueva York, G. P. Putnam, 1909, páginas. 100-101.

[12] Roosevelt, Theodore, Discurso ante el Primer Congreso Internacional en América sobre el Bienestar del Niño, bajo los auspicios del Congreso Nacional de Madres, Washington D. C., marzo de 1908.

[13] Wheelock, Lucy, «The Right Education of Young Women», discurso pronunciado ante el Primer Congreso Internacional en América sobre el Bienestar del Niño, Washington D. C., marzo de 1908.

[14] Wishy, Bernard, *The Child and the Republic: The Dawn of Modern American Child Nurture*, Filadelfia, University of Pennsylvania Press, 1968, página. 117.

[15] Declaración de principios, Primer Congreso Internacional en América sobre el Bienestar del Niño, Washington D. C., marzo de 1908.

[16] Birney, Mrs. Theodore W., «Address of Welcome», *The Work and Words of the National Congress of Mothers*, Nueva York, D. Appleton, 1897, página. 7.

[17] Moque, Dr. Alice, «The Mistakes of Mothers», Actas de la Segunda Convención Anual del Congreso Nacional de Madres, Washington D. C., mayo de 1898, pág. 44.

[18] Birney, Mrs. Theodore W., «Presidential Address», Actas de la Tercera Convención Anual del Congreso Nacional de Madres, Washington, D. C., febrero de 1899, pág. 198.

[19] Howe, Julia Ward, citado en O'Neill, William L., *Everyone was Brave: A History of Feminism in America*, Nueva York, Quadrangle/The New York Times Book Co., 1974, pág. 36.

[20] Forbes-Robertson Hale, Beatrice, *What Women Want: An Interpretation of the Feminist Movement*, Nueva York, Frederick A. Stokes Co., 1914, página. 276.

[21] Hickox Heller, Mrs. Harriet, «Childhood, an Interpretation», Actas de la Segunda Convención Anual del Congreso Nacional de Madres, Washington D. C., mayo de 1898, pág. 81.

[22] Birney, Mrs. Theodore W., «Address of Welcome», Actas de la Segunda Convención Anual del Congreso Nacional de Madres, pág. 17.

[23] Brisben Walker, John, «Motherhood as a Profession», *Cosmopolitan*, mayo de 1898, pág. 89.

[24] Wishy, *op. cit.*, pág. 120.

[25] Zaretsky, Eli, *Capitalism, the Family and Personal Life*, Nueva York, Harper Colophon Books, 1976, pág. 31.

[26] Roback, A. A., *History of American Psychology*, Nueva York, Library Publishers, 1952, pág. 129.

[27] Citado en Ross, Dorothy, *G. Stanley Hall: The Psychologist as Prophet*, Chicago, University of Chicago Press, 1972, pág. 177.

[28] Boring, Edwin G., *A History of Experimental Psychologist*, Nueva York, Appleton-Century-Crofts, 1950, pág. 569.

[29] Clifford, Geraldine J., «E. L. Thorndike: The Psychologist as a Professional Man of Science», en Henle, Mary, Jaynes, Julian, y Sullivan, John J. (eds.), *Historical Conceptions of Psychology*, Nueva York, Springer Publishing Co., 1973, pág. 242.

[30] Cotten, Mrs. Sallie S., «A National Training School for Women», en *The Work and Words of the National Congress of Mothers*, Nueva York, D. Appleton, 1897, pág. 280.

[31] Stanley Hall, G., «Some Practical Results of Child Study», en *The Work and Words of the National Congress of Mothers*, pág. 165.

[32] Gesell, Arnold, M. D., «A Half Century of Science and the American Child», en *Child Study*, noviembre de 1938, pág. 36.

[33] Wishy, *op. cit.*, pág. 119.

[34] Emmett Holt, Dr. L., «Physical Care of Children», en Actas de la Tercera Convención Anual del Congreso Nacional de Madres, Washington D. C., febrero de 1899, pág. 233.

[35] Hall, Winfield S., Ph.D., M. D., «The nutrition of Children Under Seven Years», en *The Child in the City*, ponencias presentadas en la conferencia celebrada durante la Exposición de Chicago sobre el bienestar infantil, 1911, y publicadas por la Chicago School of Civics and Philantrophy, 1912, págs. 81-82.

[36] West, Mrs. Max, «Infant Care», en Bremner, Robert H. (ed.), *Children and Youth in America, A Documentary History, Volumen II, 1866-1932*, Cambridge, Massachusetts, Harvard University Press, 1971, pág. 37.

[37] Hall, Winfield S., *op. cit.*, pág. 85.

[38] Richards, Ellen, *Euthenics: The Science of Controllable Environment*, Boston, Whitcomb and Barrows, 1912, págs. 82-83.

[39] Fredericks, Christine, «The New Housekeeping: How It Helps the Woman Who Does Her Own Work», *Ladies' Home Journal*, octubre de 1912, página. 20.

[40] Gardener, Mrs. Helen H., «The Moral Responsibility of Women in Heredity», en *The Work and Words of the National Congress of Mothers*, página. 143.

[41] Heller, *loc. cit.*

[42] Boring, *op. cit.*, págs. 643-644.

[43] Watson, John B., *Psychological Care of Infant and Child*, Nueva York. W. W. Norton and Co., 1928, págs. 9-10.

[44] *Ibídem*, págs. 81-82.

[45] *Ibídem*, pág. 82.

[46] *Ibídem*, págs. 5-6.

[47] *Ibídem*, pág. 6.

[48] Hyams, Isabel F., «The Louisa May Alcott Club», Actas de la Segunda Conferencia Anual de Lake Placid sobre Economía Doméstica, 1900, pág. 18.

[49] Wald, Lillian D., *The House on Henry Street*, Nueva York, Dover Publications, 1971, pág. 111.

[50] Informe Final del Laura Spelman Memorial, Nueva York, 1933, páginas. 10-11.

[51] Ver las observaciones de Ruml en la transcripción de la Conferencia de Psicólogos convocada por el Laura Spelman Rockefeller Memorial, Hanover, New Hampshire, 26 de agosto-3 de septiembre de 1925 (reproducción de multicopista).

[52] Brim, Orville, *Education for Child Raising*, Nueva York, Russell Sage, 1959, pág. 328.

[53] Lynd, Robert S., y Lynd, Helen Merril, *Middletown: A Study in Contemporary American Culture*, Nueva York, Harcourt, Brace, 1929, pág. 149.

[54] Canfield Fisher, Dorothy, «Introduction», en Matsner Gruenberg, Si-

donie (ed.), *Our Children Today: A Guide to their Needs from Infancy Through Adolescence*, Nueva York, Viking, 1955, págs. xiii-xiv.

[55] Citado en Lynd y Lynd, *op. cit.*, pág. 146.

[56] *Ibídem*, pág. 151.

SIETE

[1] McCarthy, Mary, *The Group*, Nueva York, Harcourt Brace and World, 1954, pág. 178.

[2] Agradecemos a Mary Bolton que nos relatara esta historia.

[3] Frank, Lawrence, K., «Life-Values for the Machine Age», en Canfield-Fisher, Dorothy, y Matsner Gruenberg, Sidonie (eds.), *Our Children: A Handbook for Parents*, Nueva York, Viking, 1932, pág. 303.

[4] Dell, Flod, *Love in the Machine Age*, Nueva York, Octagon Books, 1973 (1.ª ed., 1930), pág. 107.

[5] Conferencia de la Casa Blanca sobre salud y protección del niño, *Report of the Subcommittee on Preparental Education*, Nueva York, Century, 1932, página. 3.

[6] Lynd, Robert, y Lynd, Helen Merrill, *Middletown: A Study in Modern American Culture*, Nueva York, Harcourt, Brace, 1929, pág. 152.

[7] Wolfenstein, Martha, «Fun Morality: An Analysis of Recent American Child-training Literature», en Mead, Margaret, y Wolfenstein, Martha (eds.), *Childhood in Contemporary Cultures*, Chicago, The University of Chicago Press, 1955, pág. 169.

[8] *Ibídem*, pág. 170.

[9] Lynd y Lynd, *op. cit.*, pág. 147.

[10] McCarthy, *op. cit.*, pág. 342.

[11] Gesell, Arnold, e Ilg, Frances L., *Infant and Child in the Culture Today*, Nueva York y Londres, Harper, 1943, pág. 162.

[12] Ilg, Frances L., y Ames, Louise B., *Child Behavior*, Nueva York, Harper & Row, 1951, pág. 64.

[13] *Ibídem*, pág. 27.

[14] *Ibídem*, pág. 37.

[15] *Ibídem*, pág. 346.

[16] *Ibídem*, págs. 343-344.

[17] *Ibídem*, pág. 82.

[18] Gesell e Ilg, *op. cit.*, pág. 56.

[19] Spock, Benjamin, M. D., *Problems of Parents*, Greenwich, Conn., Crest/Fawcett Publications, 1962 (1.ª ed., 1955), pág. 237.

[20] Gesell e Ilg, *op. cit.*, pág. 273.

[21] Anthony, E. James, y Benedek, Therese, M. D., *Parenthood: Its Psychology and Psychopathology*, Boston, Little, Brown, 1970, pág. 179.

[22] McCarthy, *op. cit.*, pág. 345.

[23] Anthony y Benedek, *op. cit.*, pág. 173.

[24] Lidz, Dr. Theodore, citado en Barron McBride, Angela, *The Growth and Development of Mothers*, Nueva York, Harper & Row, 1973, pág. 5.

[25] Heiman, Marcel, M. D., «A Psychoanalitic view of pregnancy», en Rovinsky, Joseph, J., M. D., y Guttmacher, Alan F., M. D. (eds.), *Medical, Surgical and Gynecological Complications of Pregnancy* (2.ª ed.), Baltimore, The Williams and Wilkins Co., 1965, págs. 480-481.

[26] Spock, *op. cit.*, pág. 110.

[27] Winnicott, D. W., M. D., *Mother and Child: A Primer of First Relationships*, Nueva York, Basic Books, 1957, pág. vii.

[28] «Parents' Questions», *Child Study*, primavera de 1952, págs. 37-38.

[29] Bernard, Jessie, *The Future of Motherhood*, Nueva York, Penguin Books, 1974, pág. 9.

[30] Spitz, René, *The First Year of Life: A Psychoanalitic Study of Normal and Deviant Development of Object Relations*, Nueva York, International Universities Press, 1965, pág. 206. (Versión española, *El primer año de vida del niño*, Madrid, Aguilar, 1974.)

[31] Lennane, K. Jean, M. B., M.R.A.C.P. y Lennane, R. John, M. B., «Alleged Psychogenic Disorders in Women - A Possible Manifestation of Sexual Prejudice», *The New England Journal of Medicine*, 288, 1973, pág. 288.

[32] Freud, Anna, «The Concept of the Rejecting Mother», en Anthony y Benedek, *op. cit.*, pág. 377.

[33] Rich, Adrienne, *Of Woman Born: Motherhood as Experience and Institution*, Nueva York, W. W. Norton, 1976, pág. 277. (Versión española, *Nacida de mujer*, Barcelona, Noguer, 1978.)

[34] Bowlby, John, *Maternal Care and Mental Health*, Nueva York, Schocken Books, 1966 (1.ª ed., 1951), pág. 22.

[35] *Ibídem*, pág. 73.

[36] *Ibídem*, pág. 67.

[37] *Ibídem*, pág. 157.

[38] Ainsworth, Mary D., y otros, *Deprivation of Maternal Care: A Resassessment of Its Effects*, Nueva York, Schocken Books, 1966, pág. 206.

[39] Goodman, Dr. David, *A Parents' Guide to the Emotional Needs of Children*, Nueva York, Hawthorne Books, 1959, pág. 25.

[40] Levy, David M., M. D., *Maternal Overprotection*, Nueva York, W. W. Norton, 1966 (1.ª ed., 1943), pág. 213.

[41] *Ibídem*, pág. 150.

[42] *Ibídem*, págs. 262-351.

[43] Citado en Friedan, Betty, *The Feminine Mystique*, Nueva York, W. W. Norton, 1963, pág. 191. (Versión española, *La mística de la feminidad*, Madrid, Júcar, 1974.)

[44] Mead, Margaret, *Blackberry Winter: My Earlier Years*, Nueva York, Pocket Books, 1975, pág. 275.

[45] Rheingold, Joseph, M. D., Ph. D., *The Fear of Being a Woman: A Theory of Maternal Destructiveness*, Nueva York, Londres, Grune and Stratton, 1964, pág. 143.

[46] Strecker, Dr. Edward, citado en Friedan, *op. cit.*, pág. 191.

[47] Friedan, *op. cit.*, pág. 189.
[48] Lundberg, Ferdinand y Farnham, Marynia, «Some Aspects of Women's Psyche», en Showalter, Elaine (ed.), *Women's Liberation and Literature*, Nueva York, Harcourt Brace Jovanovich, 1971, págs. 233-248.
[49] Goodman, *op. cit.*, págs. 51-52.
[50] Wylie, Philip, *Generation of Vipers*, Nueva York, Holt, Rinehart and Winston, 1955, pág. 198.
[51] Erikson, Erik, *Childhood and Society*, Nueva York, W. W. Norton and Co., 1950, pág. 291.
[52] Whyte, William, *The Organization Man*, Nueva York, Simon and Schuster, 1956, págs. 3-4.
[53] Riesman, David, *The Lonely Crowd*, New Haven, Yale University Press, 1961 (1.ª ed., 1950), pág. 18.
[54] Harrington, Alan, «Life in the Crystal Palace», en Josephson, Eric y Josephson, Mary (eds.), *Man Alone: Alienation and Modern Society*, Nueva York, Dell Publishing Co., 1962, págs. 136-137.
[55] Goodman, Paul, *Growing Up Absurd*, Nueva York, Vintage Books, 1956, pág. 13.
[56] Lungdberg y Farnham, *op. cit.*, pág. 244.
[57] Levy, *op. cit.*, pág. 214.
[58] Citado en Filene, Peter Gabriel, *Him/Her Self: Sex Roles in Modern America*, Nueva York, Mentor/New American Library, 1974, pág. 179.
[59] Levy, *op. cit.*, pág. 121.
[60] Goodman, Dr. David, *op. cit.*, pág. 55.
[61] *Ibídem*, pág. 33.
[62] *Ibídem*, pág. 34.
[63] *Ibídem*, pág. 64.
[64] McCarthy, *op. cit.*, pág. 24.
[65] Goodman, *op. cit.*, pág. 35.
[66] Citado en Scully, Diana y Bart, Pauline, «A Funny Thing Happened on the Way to the Orifice: Women in Gynecology Textbooks», *American Journal of Sociology 78*, enero de 1973, pág. 1045.
[67] Biller, Henry B., *Father, Child and Sex Role*, Lexington, Massachusetts, D. C. Heath, 1971, pág. 45.
[68] Goodman, *op. cit.*, pág. 56.
[69] Lundberg y Farnham, *op. cit.*, pág. 238.
[70] Biller, *op. cit.*, pág. 24.
[71] Biller, *loc. cit.*
[72] Henry, Jules, *Culture Against Man*, Nueva York, Vintage Books, 1963, página. 140.
[73] Biller, *op. cit.*, pág. 107.
[74] Spock, Benjamin, M. D., *Baby and Child Care*, Nueva York, Cardinal/Pocket Books, 1957, pág. 315.
[75] Spock, *Problems, of Parents*, pág. 192.
[76] Colley, T., citado en Biller, *op. cit.*, pág. 97.
[77] Spock, *Problems of Parents*, pág. 194.

[78] *Ibídem*, págs. 187-189.
[79] Hoover, J. Edgar, *Masters of Deceit: The Story of Communism in America and How to Fight It*, Nueva York, Cardinal/Pocket Books, 1958, pág. vi.
[80] Kinkead, Eugene, *Every War but One*, Nueva York, W. W. Norton and Co., 1959, pág. 18.
[81] Salisbury, Harrison, *The Shook-Up Generation*, Greenwich, Connecticut, Fawcett Publications, 1958, pág. 8.
[82] Spock, *Problems of Parents*, pág. 235.
[83] Spock, *op. cit.*, pág. 244.
[84] Kawin, Ethel, *Parenthood in a Free Nation*, vol. I: *Basic Concepts for Parents*, Nueva York, MacMillan, 1967 (1.ª ed., 1954), pág. v.
[85] Ward, Barbara, «A Crusading Faith to Counter Communism», *New York Times Magazine*, 16 de julio de 1950.
[86] Hoover, *op. cit.*, págs. 313-314.
[87] Spock, *Problems of Parents*, págs. 245-246.
[88] Kawin, *op. cit.*, pág. 104.
[89] *Ibídem*, pág. 105.
[90] Rudy, Willis, *Schools in an Age of Mass Culture*, Englewood, New Jersey, Prentice-Hall, 1965, pág. 175.
[91] Citado en Rudy, *loc. cit.*
[92] Citado en Le Shan, Eda, *The Conspiracy Against Childhood*, Nueva York, Atheneum, 1967, pág. 104.
[93] *Ibídem*, pág. 105.
[94] Biderman, Albert D., *March to Calumny*, Nueva York, MacMillan, 1963, págs. 2-3.
[95] Rudy, *op. cit.*, pág. 131.
[96] Feuer, Lewis, citado en el *New York Times*, 14 de febrero de 1969, página. 24.
[97] *New York Times*, 29 de septiembre de 1968, pág. 74.
[98] *New York Times*, 13 de octubre de 1968, pág. 79.
[99] *New York Times*, 8 de noviembre de 1968, pág. 54.
[100] *New York Times*, 28 de mayo de 1968, pág. 46.
[101] *New York Times*, 8 de noviembre de 1968, pág. 54.
[102] Brown, Fred, citado en el *New York Times*, 12 de mayo de 1968, página. 52.
[103] Howe, Harold, Comisario de Educación de Estados Unidos, citado en el *New York Times*, 24 de mayo de 1968, pág. 51.
[104] Kausner, Samuel, citado en el *New York Times*, 29 de julio de 1969, página. 40.
[105] *New York Times*, 21 de marzo de 1969, pág. 3.
[106] Bettelheim, Bruno, «Children Must Learn to Fear», *New York Times Magazine*, 13 de abril de 1969, pág. 125.
[107] Schwarz, Berthold, M. D., y Ruggieri, Bartholomew, *You CAN Raise Decent Children*, New Rochelle, Nueva York, Arlington House, 1971.

OCHO

[1] Deutsch, Helene, *The Psychology of Women*, vol. II, *Motherhood*, Nueva York, Bantham Books, 1973, pág. 321.

[2] Deutsch, *loc. cit.*

[3] *Ibídem*, págs. 308-348.

[4] Dudar, Helen, «Female and Freudian», *New York Post*, 14 de julio de 1973.

[5] Bonaparte, Marie, «Passivity, Masochism and Femininity», en Strouse, Jean (ed.), *Women and Analysis*, Nueva York, Laurel Editions, 1973, pág. 286.

[6] Lundberg, Fernand, y Farnham, Marynia, «Some Aspects of Women's Psyche», en Showalter, Elaine (ed.), *Women's Liberation and Literature*, Nueva York, Harcourt Brace Jovanovich, 1971, pág. 245.

[7] Bonaparte, *op. cit.*, pág. 284.

[8] Bonaparte, Marie, *Female Sexuality*, Nueva York, International Universities Press, 1973, pág. 48. (Versión española, *La sexualidad de la mujer*, Barcelona, Península, 1978.)

[9] Deutsch, Helene, «The Psychology of Women in Relation to the Functions of Reproduction», en Strouse, Jean (ed.), *Women and Analysis*, Nueva York, Laurel Editions, 1975, pág. 180.

[10] Ruitenbeek, Hendrik M., M. D., *Psychoanalisis and Female Sexuality*, New Haven, College and University Press, 1966, pág. 11.

[11] *Ibídem*, pág. 17.

[12] *Ibídem*, pág. 14.

[13] Osofsky, Howard J., M. D., «Women's Reactions to Pelvic Examinations», *Obstetrics and Gynecology*, 30, 1967, pág. 146.

[14] Osofsky, *loc. cit.*

[15] Benedek, Therese, M. D., «Infertility as a Psychosomatic Disease», *Fertility and Sterility*, 3, 1952, pág. 527.

[16] Sturgis, Somers H., y Menzer-Benaron, Doris, *The Gynecological Patient: A Psycho-Endocrine Study*, Nueva York, Grune and Stratton, 1962, página. xiv.

[17] Véase Osofsky, *op. cit.*, y Sturgis y Menzer-Benaron, *op. cit.*

[18] Goodman, Dr. David, *A Parents' Guide to the Emotional Needs of Children*, Nueva York, Hawthorne Books, 1959, pág. 51.

[19] Asch, Stuart S., M. D., «Psychiatric Complications: Mental and Emotional Problems», en Rovinsky, Joseph J., y Guttmacher, Alan F. (eds.), *Medical, Surgical and Gynecological Complications of Pregnancy* (2.ª ed.), Baltimore, Williams and Wilkins Co., 1965, págs. 461-462.

[20] Heiman, Marcel, M. D., «Psychiatric Complications: A Psychoanalytic View of Pregnancy», en Rovinsky y Guttmacher, *op. cit.*, pág. 476.

[21] Heiman, *op. cit.*, pág. 481.

[22] Asch, *op. cit.*, págs. 463-464.

[23] Warwick, Louise H., R. N., M. S., «Femininity, Sexuality and Mothering», *Nursing Forum* 8, 1969, pág. 216.

[24] Sturgis y Menzer-Benaron, *op. cit.*, pág. 237.
[25] *Ibídem*, pág. 238.
[26] Stein, Robert (ed.), *Why Young Mothers Feel Trapped*, Nueva York, Trident Press, 1965.
[27] Kerr, Jean, *Please Don't Eat the Daisies*, Garden City, Nueva York, Doubleday, 1957, pág. 21.
[28] Bartholomew, Carol, *Most of Us Are Mainly Mothers*, Nueva York, Macmillan, 1966, pág. 203.
[29] Burton, Gabrielle, *I'm Running Away from Home, But I'm Not Allowed to Cross the Street*, Nueva York, Avon Books, 1972, págs. 22-25.
[30] Zwerdling, «Pills, Profits, People's Problems», *Progressive*, octubre de 1973, pág. 46. También Fidell, Linda, «Put Her Down on Drugs», disponible en Know, Inc., Apdo. 86031, Pittsburgh, Pa., 15221.
[31] Citado en Radl, Shirley, *Mother's Day Is Over*, Nueva York, Charterhouse, 1973, pág. 86.
[32] Friedan, *The Feminine Mystique*, Nueva York, W. W. Norton, 1963, página. 22.
[33] Keats, John, *The Crack in the Picture Window*, Boston, Houghton Mifflin, 1956.
[34] «Shaping the '60's... Foreshadowing the '70's», *Ladies' Home Journal*, enero de 1962, pág. 30.
[35] «The Ladies... Bless Their Little Incomes», *Sales Management*, 16 de julio de 1965, pág. 46.
[36] Gurley Brown, Helen, *Sex and the Single Girl*, Nueva York, Giant Cardinal Edition, Pocket Books, 1963, págs. 7-8.
[37] Brown, *op. cit.*, pág. 4.
[38] Brown, *op. cit.*, pág. 3.
[39] *New York Times*, 19 de enero de 1977.
[40] *New York Times*, 24 de octubre de 1975.
[41] *New York Times Magazine*, 5 de junio de 1977, pág. 85.
[42] Citado en McQuade, Walter, «Why People Don't Buy Houses», *Fortune*, diciembre de 1967, pág. 153.
[43] Oficina del censo de Estados Unidos, *Statistical Abstract of the United States 1975* (96.ª ed.), Washington D. C., 1975, pág. 67.
[44] «One Divorce - Two Houses», *New York Times*, 16 de enero de 1977.
[45] Citado en Peck, Ellen, y Senderowitz, Judith, *Pronatalism: The Myth of Mom and Apple Pie*, Nueva York, Crowell, 1974, pág. 270.
[46] Citado en Peck y Senderowitz, *op. cit.*, pág. 266.
[47] McGrath, Nancy y Chip, «Why Have a Baby?», en *New York Times Magazine*, 25 de mayo de 1975, pág. 10.
[48] Citado en Wolfe, Linda, «The Coming Baby Boom», revista *New York*, 1 de enero de 1977, pág. 38.
[49] Gould, Dr. Robert, citado en Klemesrud, «The State of Being Childless, They Say, Is No Cause for Guilt», *New York Times*, 3 de febrero, 1975, página. 28.

[50] Baer, Jean, *How to Be an Assertive (Not Agressive) Woman*, Nueva York, New American Library, 1976.

[51] Brothers, Dr. Joyce, *The Brothers' System for Liberated Love and Marriage*, Nueva York, Avon Books, 1972, pág. 190.

[52] Coleman, Emily, *How to Make Friends with the Opposite Sex*, Los Angeles, Nash, 1972, pág. xii.

[53] Schutz, William C., Joy: *Expanding Human Awareness*, Nueva York, Grove Press, 1967, pág. 15.

[54] *Ibídem*, pág. 10.

[55] *Ibídem*, pág. 12.

[56] Kovel, Joel, M. D., *A Complete Guide to Therapy: From Psychoanalysis to Behavior Modification*, Nueva York, Pantheon Books, 1976, pág. 166.

[57] Schutz, *op. cit.*, 223.

[58] Harris, Thomas A., M. D., *I'm O.K. - You're O.K.*, Nueva York, Avon Books, 1967, pág. 14.

[59] Baer, Jean, *op. cit.*, pág. 12.

[60] Greenwald, Dr. Jerry, *Be the Person You Were Meant to Be*, Nueva York, Dell, 1973, pág. 19.

[61] Newberger, Howard M., Ph.D., y Lee, Marjorie, *Winners and Losers: The Art of Self-Image Modification*, Nueva York, David McKay, 1974, pág. 25.

[62] Greenwald, *op. cit.*, pág. 26.

[63] Perls, Fritz, M. D., Ph.D., y Stevens, John O., *Gestalt Therapy Verbatim*, Lafayette, California, Real People Press, 1969, pág. 4.

[64] Ringer, Robert J., *Winning Through Intimidation*, Los Angeles, Los Angeles Book Publishers, 1974, pág. 96.

[65] Baer, *op. cit.*, pág. 208.

[66] Newberger y Lee, *op. cit.*, pág. 192.

[67] *Ibídem*, pág. xiv.

[68] Greenwald, *op. cit.*, pág. 10.

[69] Newman, Mildred, y Berkowitz, Bernard, con Owen, Jean, *How to Be Your Own Best Friend*, Nueva York, Ballantine Books, 1971, pág. 74.

[70] *Ibídem*, pág. 88.

[71] Bloom, Lynn Z., Coburn, Karen, y Pearlman, Joan, *The New Assertive Woman*, Nueva York, Dell, 1976, pág. 11.

[72] Brothers, *op. cit.*, pág. 136.

[73] Bloom y otros, *op. cit.*, págs. 24-25.

[74] Citado en Bernay, Elayn, «Growing Up to Be Chairperson of the Board», *Ms.*, junio de 1977, pág. 80.

[75] Bloom y otros, *op. cit.*, págs. 16-17.

[76] Baer, *op. cit.*, pág. 173.

[77] Newman, Berkowitz y Owen, *op. cit.*, pág. 34.

[78] Newberger y Lee, *op. cit.*, pág. 198.

Índice